Oogappel

Van dezelfde auteur:

Marionet

PATRICK REDMOND

Oogappel

2004 – De Boekerij – Amsterdam

Oorspronkelijke titel: Apple of My Eye
Vertaling: Herman van der Ploeg
Omslagontwerp: MarliesVisser.nl
Omslagfoto: studio-mv.com

ISBN 90-225-3804-4

Voor Mike

Dankwoord

Als altijd gaat mijn dank uit naar mijn moeder, Mary Redmond, omdat zij de eerste was die mij heeft aangemoedigd om te gaan schrijven.

Verder wil ik mijn neef Anthony Webb bedanken en alle vrienden die steun en advies hebben geboden en die mijn buien van creatieve angst hebben opgevangen met geduld en een goed humeur. Veel dank aan David Bullen, Emile Farhi, Paula Hardgrave, Simon Howitt, Iandra MacCallum, Rebecca Owen, Lesley Sims, Gillian Sproul, Russell Vallance en, als laatste, maar daarom niet minder belangrijk, Gerard Hopkins voor zijn buitengewoon goede currymaaltijden.

Ook bedank ik mijn agent Patrick Walsh voor alle moeite die hij voor mij heeft gedaan, en mijn redacteur, Kate Lyall Grant, voor haar niet-aflatende vertrouwen in mijn werk.

Tot slot wil ik mijn dank uitspreken aan Ian Chapman, Suzanne Baboneau en het hele team van Simon & Schuster.

Proloog

Hepton, Groot-Londen, 1945

Juni, laat in de middag. In de bedompte spreekkamer met grijze wanden schraapte de dokter zijn keel. Hij maakte zich op voor een scène die inmiddels routine voor hem was.

'Geen twijfel mogelijk, je bent zwanger. Ongeveer vijf maanden.'

Het meisje antwoordde niet. Maar het nieuws kwam niet als een verrassing.

'Dus je moet beter eten. Je moet fit blijven. Tenslotte eet je nu voor twee.'

Nog steeds geen antwoord. Hij leunde achterover en bekeek haar eens goed. Ze was knap: roodblond haar, fijne gelaatstrekken en lichtblauwe ogen. Geen trouwring. Met een tengere hand wreef ze over haar onderlip. In de witte blouse en de knielange rok zag ze eruit als het kind dat ze nog was. Ze heette Anna Sidney en over drie maanden zou ze zeventien worden. Dat had hij in haar dossier gelezen. En daaruit was hij nog meer te weten gekomen.

'Is de vader soldaat?'

Een knikje.

'Is hij nog in de buurt?'

'Nee.'

'Weet je waar hij is?'

Ze zweeg even en bleef over haar lip wrijven. 'Nee.'

Hij schudde zijn hoofd. Hij had het allemaal al eerder meegemaakt. Naïef, naar romantiek hunkerend meisje ontmoet geile soldaat met vlotte babbel en verliest haar maagdelijkheid en nog veel meer. Iemand had hem verteld dat een vrouw de man die zij liefheeft, leert begeren, terwijl een man de vrouw die hij begeert, leert liefhebben. Maar sommige mannen waren erg slechte leerlingen.

Maar dat was de realiteit. Hij was oud en moe en hij kon de werkelijkheid niet veranderen.

Hij pakte zijn pen op. 'Je hebt extra vitamines nodig. Ik zal je iets voorschrijven.' Zijn toon was kortaf en zakelijk. 'En je hebt...'

'Hij komt terug.' Haar stem klonk zo zwak dat het leek of ze fluisterde. 'Dat weet ik zeker.'

'Dat is niet zo. Zo gaat het nooit. Niet in het echte leven. Dat gebeurt alleen in films.' Hij schreef door. Hij wilde er snel van af zijn. Hij verlangde naar het avondeten en naar zijn bed. Buiten op straat liep een man voorbij, die luid zong. De oorlog was pas sinds een maand voorbij en overal hing nog een gevoel van euforie. Vrede na zes lange jaren.

De punt van zijn pen kraste op het papier. Een druppel inkt viel op zijn bureau. Hij keek op om naar vloeipapier te zoeken en zag dat ze huilde. Hij herinnerde zich haar dossier en wat hij daarin had gelezen.

En plotseling voelde hij zich beschaamd.

Hij legde zijn pen neer. Ze wreef met haar vingers in haar ogen. Er lag een schone zakdoek in zijn lade. 'Hier,' zei hij zachtjes. 'Gebruik deze maar.'

'Dank u. Het spijt me.'

'Dat hoeft niet. Vergeef me als ik wat kortaf klonk. Dat was niet mijn bedoeling. Het leven zou meer op een film moeten lijken, maar meestal is dat niet zo.'

'Hij zei dat hij van me hield. Dat hij me zou komen halen. Dat we gingen trouwen.'

Uiteraard. Dat zeiden ze allemaal. Maar misschien waren die woorden wel gemeend.

'Hou je van films, Anna?'

'Ja.'

'Welke acteur is je favoriet? Clark Gable? Errol Flynn?'

'Ronald Colman.'

'Mijn vrouw en ik houden ook van zijn films. De karakters die hij speelt. Aardig en eerzaam. Daar zouden we er meer van moeten hebben in de wereld.'

'Hij lijkt op mijn vader.'

Weer dacht hij aan haar dossier. Hij dacht aan de zware weg die ze achter zich had en de nog zwaardere die voor haar lag. Hij kon haar weinig troost bieden, maar hij wilde het toch proberen.

'Anna, de mensen zullen je een schaamtegevoel proberen aan te praten. Daar moet je niet naar luisteren. Er groeit nieuw leven in je en dat is iets prachtigs. Mijn vrouw en ik wilden dolgraag een kind maar dat heeft nooit zo mogen zijn. Het is een zegen, Anna. Wat ze ook tegen je zeggen, dat moet je nooit vergeten.'

Ze keek op. Haar tranen werden minder. 'Ik zal er niet naar luisteren,' zei ze. Plotseling klonk er grote trots in haar stem. 'Want hij meende wat hij zei. Hij houdt van me en nu de oorlog voorbij is kunnen we samen zijn.'

'Ik hoop het.'

'Ik weet het zeker.'

Die avond, na het eten, vertelde Anna het aan Stan en Vera.

Ze zaten gedrieën aan de keukentafel van het huis in Baxter Road. Het raam stond open en keek uit op een klein plaatsje dat Vera altijd hardnekkig de tuin noemde. De bries, vermengd met de geur van de honderd maaltijden die in naburige huizen werden bereid, kon de geur van oud frituurvet, die als onzichtbare mist in de lucht hing, niet onderdrukken.

'Ik wist het,' zei Vera. 'Ik zei toch dat er iets ging gebeuren.'

Stan knikte. Hij was een neef van Anna's vader. Een lange, magere man met een terugwijkende haargrens, een weke kin en astma. Hij werkte in een conservenfabriek, twee straten verderop.

'Het spijt me, Stan,' fluisterde Anna.

Een zucht. 'Nou ja, die dingen gebeuren nou eenmaal.' Hij keek haar vriendelijk aan. Al was hij dan zwak, hij probeerde wel een goed mens te zijn.

Maar zijn reactie was niet het belangrijkst.

'In mijn huis gebeurt zoiets niet.' Vera's kleine mond had iets dreigends. Ze was even groot als haar echtgenoot maar twee keer zo breed. 'Hoe kun je ons zoiets aandoen, na alles wat we voor jou hebben gedaan?'

Anna staarde naar het tafellaken. Vanuit de woonkamer klonken opgewonden kreten. De vierjarige Thomas en de tweejarige Peter lieten hun speelgoedauto's over de vloer racen.

'Je had niets. Wij namen je op. We gaven je een thuis, een gezin, en als dank gedraag je je als een of andere slet.'

'Zo ging het niet.'

'Hoe ging het dan? Was het een onbevlekte ontvangenis?'

'We houden van elkaar.' Ze werd overmand door emotie. Ze vocht ertegen, wilde niet zwak lijken. Niet nu.

'Waar is hij dan, die ridder op zijn witte paard?'

'Dat weet ik niet.'

Minachtend gesnuif. 'Je weet helemaal niets over hem.'

Maar dat was niet waar. Ze wist dat hij Edward heette. Dat hij vijfentwintig jaar was en ruim een meter tachtig lang. Dat hij niet knap in de klassieke zin was, maar dat hij mooie grijze ogen had en zijn lach haar het gevoel gaf dat er een miljoen vlinders in haar buik opstegen. Dat hij een kleine moedervlek in zijn hals had, die hij zijn kaart van Engeland noemde. Dat hij nauwelijks hoorbaar lispelde. Dat hij slim was, grappig en aardig. En dat ze van elkaar hielden.

'Idioot! Je hebt nog minder hersens dan een kind.'

'Wees niet zo hard,' zei Stan opeens. 'Ze heeft het niet gemakkelijk gehad.'

'Niemand van ons heeft het gemakkelijk gehad, Stan Finnegan, maar we gaan niet allemaal met de benen wijd als de eerste de beste soldaat naar ons glimlacht. We hebben alles voor die meid gedaan en dit krijgen we als dank. We hebben haar een thuis gegeven...'

En zo ging het maar door. De woede, de minachting en de voortdurende verwijzingen naar alles wat ze aan hen te danken had. Ze zat er stilletjes bij. Ze voelde zich net zo leeg en bang als op die dag, nu drie jaar geleden, toen ze thuiskwam na een nachtje bij een vriendinnetje en ontdekte dat een Duitse bom haar huis had verwoest en dat haar ouders en haar jongere broertje waren omgekomen.

Stan en Vera hadden haar in huis genomen. Ze hadden haar een dak boven het hoofd gegeven. Maar het was geen thuis en geen familie. Ze was een buitenstaander. Getolereerd maar ongewenst. Als ze 's nachts in bed lag in het kleine kamertje aan de achterkant van het huis, voelde ze zich soms zo alleen dat ze wilde dat die bom ook haar had gedood.

'Denk maar niet dat je die baby kunt houden. Je staat hem af ter adoptie, punt uit. Het laatste dat we nodig hebben is nóg een mond om te voeden. En zeker niet een onwettig kind van een of andere soldaat.'

Ze had een brok in haar keel. Ze slikte en probeerde sterk te zijn. Vera mocht niet winnen. Ze moest vasthouden aan haar laatste restje trots. Ze deed haar ogen dicht en probeerde de stem in haar hoofd te horen die eens zo donderend luid had geklonken, maar die nu met de dag zwakker werd.

Hij houdt van me. Hij haalt me hier weg en we zullen altijd gelukkig zijn.

Hij houdt van me en hij komt me redden. Ik weet zeker dat hij komt.

Hij moet komen...

Oktober.

Zuster Jane Smith keek rond op de kraamafdeling. Het bezoekuur was al een tijdje gaande en bij elk bed zaten trotse ouders, gelukzalige echtgenoten en nieuwsgierige kinderen zorgzaam over het krijsende bundeltje gebogen dat in de armen van de vermoeide moeder lag.

Bij elk bed, behalve bij het bed van het knappe meisje met het roodblonde haar.

Het wiegje aan het voeteneind was leeg. De baby was de dag ervoor geboren, na een zware bevalling. Het was een jongetje. Zeven pond en in elk opzicht volmaakt. Een baby op wie iedere moeder trots zou zijn. Een baby die door de adoptieouders meteen in de armen zou worden gesloten.

Hij lag op een apart kamertje. De volgende dag zouden de adoptiepapieren worden getekend. Dan zou het definitief zijn. Getekend, dichtgeplakt en bezorgd. Zij die door juristen zijn verbonden, mogen niet worden gescheiden door de biologische moeder.

Op het tafeltje naast het bed stonden geen bloemen en er lagen geen kaarten. Er zat geen trouwring aan de linkerhand. Er waren geen bezoekers geweest. Geen telefoontjes. Taal noch teken van wie dan ook.

Het meisje staarde in de lege ruimte. Haar huid was asgrauw, haar gezichtsuitdrukking dof. Op de muur achter haar hingen nog wat vlaggetjes. Een overblijfsel van de festiviteiten rond bevrijdingsdag. In deze omgeving van vreugde en blijdschap leek ze volledig misplaatst. Een klein, gebroken wezentje, totaal alleen.

Jane wist dat het haar niet aanging. Beslissingen waren genomen, krachten waren in werking gezet. Ze had het recht niet om zich ermee te bemoeien.

Maar ze was zelf moeder en had haar echtgenoot vier jaar geleden verloren op een slagveld in Frankrijk. Met zijn dood was ook haar levenswil verdwenen. Tot die dag, drie maanden later, toen haar pasgeboren dochtertje haar wil tot leven weer had aangewakkerd.

En daarom mocht ze zich er wel mee bemoeien.

Vijf minuten later liep ze naar het bed. Om haar heen klonk gelach en het rook naar babypoep en warme melk. In haar armen lag een huilende baby. Zeven pond. Helemaal volmaakt.

'Anna.'

Geen antwoord. De ogen bleven naar de muur staren.

'Kijk dan, Anna. Alsjeblieft.'

Nog steeds geen antwoord. De armen hingen slap langs haar lichaam. Voorzichtig legde Jane de baby bij de moeder. Ze boog de armen bij de ellebogen zodat ze een provisorisch wiegje vormden. Toen deed ze een stap terug en wachtte af.

De baby kronkelde, hij lag nog niet lekker. Het gezicht van de moeder bleef uitdrukkingsloos.

Opeens werd de baby rustig en bleef hij stil liggen.

'Hij kent je, Anna. Hij weet wie je bent.'

Langzaam richtten de ogen zich naar beneden. De baby begon te kirren en stak een armpje omhoog.

'Hij zegt gedag. Hij wil dat je hem leuk vindt.'

Meer gekir. Het gezichtje vormde een glimlach. Doktoren zouden zeggen dat het een spiertrekking was. Misschien hadden ze gelijk. Maar elke nieuwe moeder ter wereld wist wel beter.

'Hij is volmaakt, Anna. In alle opzichten volmaakt. En hij heeft je nodig. Jullie hebben elkaar nodig.'

De ogen bleven op de baby gericht. De uitdrukkingsloosheid verdween en maakte plaats voor verbazing en de eerste tekenen van een glimlach.

'Maar als je hem wilt afstaan ter adoptie is dat jouw keuze. Niemand kan je tegenhouden. Geef hem maar weer aan mij. Ik zal hem terugleggen.'

Ze wachtte op het protest. Dat kwam niet. Maar ze stond de baby ook niet af.

'Wil je dat dan, Anna? Dat ik hem weghaal? Dat je hem nooit meer ziet?'

Stilte. Het moment leek wel eeuwig te duren.

Toen een zachte fluistering. 'Nee.'

De glimlach bleef. Een vinger gleed langs het uitgestoken armpje.

'Hij is van jou, Anna. Niemand kan hem van je afnemen. Niet als je dat niet wilt. Vecht voor hem. Hij is het waard.'

Ze glipte weg, terug naar het rumoer van de kraamafdeling, zodat moeder en zoon elkaar konden leren kennen.

Middernacht.

Op de kraamafdeling was het nu rustiger. Een baby huilde, een uitgeputte moeder snurkte. Verder was het stil.

Anna Sidney staarde naar haar pasgeboren zoon.

Hij sliep. Eerder die dag had ze hem voor de eerste keer gevoed. Ze had ertegen opgezien maar het was beter gegaan dan ze had durven hopen. Alsof hij haar nervositeit had gevoeld en het haar gemakkelijk had willen maken.

Zijn voorhoofdje was bedekt met rimpels. Volgens zuster Smith zagen alle pasgeboren baby's er de eerste dagen uit als oude mannetjes. Daarna werd de huid glad en werden ze mooi.

Maar hij was nu al mooi.

Ze volgde de lijnen met haar vinger en ze herinnerde zich dat haar vader een soortgelijk patroon op zijn voorhoofd had gehad. Hij heette Ronald. Net als haar idool, Ronald Colman. Ze had altijd van die naam gehouden.

De baby bewoog en opende zijn oogjes half. De mondhoeken gingen omhoog. Een vermoeide glimlach.

'Hallo, schat. Engeltje van me.'

Hallo, Ronnie.

Terwijl ze hem in haar armen wiegde, begon ze te zingen:

Je bent mijn zonnetje, mijn enige zonnetje.
Je maakt me gelukkig in sombere tijden.
Je zult nooit weten, schat, hoeveel ik van je hou.
Laat mijn zonnetje altijd schijnen.

De oogjes gingen weer toe. Hij sliep. Een gerimpelde boeddha, in een deken gewikkeld, helemaal in dromenland verzonken.

Ze vroeg zich af of zijn vader hem ooit zou zien. Het was al vijf maanden geleden dat er vrede was gesloten in Europa en ze had nog steeds niets gehoord. Misschien was hij dood. Misschien was hij haar gewoon vergeten, en waren zijn liefdesverklaringen hol en leeg geweest.

Maar dat deed er niet toe. Nu niet meer.

Op wie zul je lijken, kleine Ronnie? Op je vader? Op mijn ouders of op mijn broer John? De enige vier mensen op deze wereld van wie ik heb gehouden.

Al die mensen was ze nu kwijt. Maar toen ze naar haar kind keek, had ze het gevoel dat ze hen had teruggevonden.

Niemand zou hem van haar afnemen. Iedereen die het probeerde, zou ze vermoorden. Vera zou woedend zijn en zou wellicht proberen haar het huis uit te zetten. Maar ze zou standvastig zijn en terugvechten. En ze zou winnen. Ze voelde dat haar kracht toenam. Zo sterk had ze zich nog nooit gevoeld. Ze moest voor Ronnie zorgen en zou indien nodig voor hem sterven.

Er bewoog iets in de buurt. De vrouw van vier bedden verderop was opgestaan om even naar haar dochtertje Clara te kijken. Clara was een kleine driftkop met een gezicht als een buldog die niets anders deed dan eten, schreeuwen en kotsen. Clara was niet mooi. Clara was niet volmaakt.

Clara was Ronnie niet.

Hij bewoog in zijn slaap maar werd niet wakker. Veilig in haar armen. Ze waren voor altijd samen.

Slaap zacht, mijn schat. Mijn engel. Mijn kleine zonnetje. Mijn kleine Ronnie.

Kleine Ronald Sidney.

Kleine Ronnie Sunshine.

DEEL I

Hepton, 1950

Een lome zaterdag in mei. Mabel Cooper stond achter de toonbank van de winkel op de hoek van Moreton Street een tijdschriftartikel te lezen over het recente huwelijk van Elizabeth Taylor. Nicky Hilton was erg knap en de schrijver van het artikel wist zeker dat Elizabeth de liefde van haar leven had gevonden. Mabel wist het ook zeker.

Voetstappen kondigden klanten aan. Haar beroepsmatige glimlach veranderde in oprechte vreugde toen ze de mooie jonge vrouw zag, met een jongetje aan de hand.

'Hallo, Anna.'

'Hallo, mevrouw Cooper. Hoe gaat het?'

'Heel goed, nu ik jou en Ronnie zie.'

'Gaat het beter met uw zus?'

'Ja hoor, bedankt. En hoe gaat het met jou, Ronnie?'

Ronnie keek bedachtzaam. 'Heel goed, mevrouw Cooper,' zei hij. Hij sprak langzaam en nadrukkelijk, alsof hij over elk woord had nagedacht. Hij was nog geen vijf maar hij had een ouderwetse beleefdheid die Mabel buitengewoon charmant vond. Hij leek sprekend op zijn moeder. Alleen de kleur van de ogen was anders. Zij had blauwe ogen, hij grijsgroene.

Mabel sloeg haar armen over elkaar en keek hem aan met gespeelde verontwaardiging. 'Ronnie, wat zeg je tegen mij?'

De plechtige uitdrukking veranderde in een glimlach. 'Tante Mabel.'

'Zo is het.' Mabel glimlachte eveneens. 'En wat mag het zijn vandaag, Anna?'

Anna en Ronnie keken elkaar veelbetekenend aan, zoals ze altijd deden op zaterdag. Mabel reikte onder de toonbank en haalde een klein tekenblok en een nieuw potlood tevoorschijn. Ronnie begon te stralen.

'Het vorige heeft hij al helemaal vol getekend,' zei Anna trots. 'Op elke pagina een andere tekening en allemaal even mooi.'

'De volgende keer moet je me er een paar laten zien. Beloof je dat, Ronnie?'

'Ja, tante Mabel.'

Mabels echtgenoot William dook op uit de achterkamer. Hij had geslapen en zag er verkreukeld uit. De zware geur van pijptabak hing om hem heen. 'Hallo, Anna. Hallo, Ronnie.'

'Hallo, meneer Cooper.'

'Ronnie, wat zeg je tegen mij?'

'Oom Bill.'

Bill gaf Ronnie een chocoladereep. Anna keek bezorgd. 'Ik heb geen bonnen.'

'Dat is ons geheimpje.' Bill gaf Ronnie een samenzweerderig knipoogje en Ronnie deed hetzelfde.

'Volgend jaar naar school, Ronnie. Vind je dat leuk?'

'Ja, tante Mabel.'

'Ga je goed je best doen zodat je moeder trots op je is?'

'Ja, oom Bill.'

'Goed zo.'

Anna betaalde voor het schetsblok en het potlood. 'Bedankt voor de chocolade. Dat was heel aardig van jullie.'

'Graag gedaan,' zei Mabel. 'Het beste. Zorg goed voor je moeder, Ronnie.'

'Ja, tante Mabel. Tot ziens, oom Bill.'

'Tot ziens, Ronnie.'

'Arme meid,' zei Bill toen Anna en Ronnie waren vertrokken. 'Ze heeft het niet gemakkelijk.'

'Zeker niet met die vreselijke Vera Finnegan.' Mabel schudde het hoofd. 'Gelukkig dat de vader geen neger was. Stel je voor dat Ronnie een halfbloedje was, net als die baby van die kennis van Elsie Baxter. Gisteren zei Elsie nog tegen me...'

'Je roddelt te veel met Elsie Baxter.'

'Dat doe ik omdat dat leuker is dan roddelen met jou, meneer-ik-bemoei-me-niet-met-andermans-zaken.' Mabel keek bedachtzaam. 'Toch denk ik niet dat het Anna iets zou uitmaken. Ze is stapelgek op die jongen.'

'Het is een leuk kind. Let op mijn woorden, op een dag zal ze nog trots op hem zijn.'

Vrijdagavond. Anna verliet de typekamer achter de andere secretaresses en liep naar de binnenplaats van Hodgsons conservenfabriek.

Overal stonden mannen te roken en te lachen, opgewekt omdat de werkweek voorbij was. Iemand floot toen de knapste secretaresses kwamen aanlopen. Judy Bates, een levendige blondine van achttien, blies een kus naar de mannen. Ellen Hayes, een oudere secretaresse, schudde afkeurend het hoofd. Ellen vond Judy het type meisje dat nog eens in moeilijkheden zou raken. Ze had dat een keer tijdens een kop thee tegen Anna gezegd, voordat ze besefte tegen wie ze sprak. Daarna was ze snel van onderwerp veranderd.

Anna liep naast Kate Brennan, een vrolijk meisje dat even oud was als zijzelf. Terwijl ze over de binnenplaats liepen, werd Kate begroet door Mickey Lee, een machinewerker. Kate tikte Anna op de arm. 'Prettig weekend. Geef Ronnie een kus van me.'

'Zal ik doen. Jij ook prettig weekend.'

Kate haastte zich naar Mickey. Aan haar slanke figuur was niet te zien dat ze vijf jaar geleden een baby had gekregen. Een onwettig kind, een meisje. De vader was soldaat, net als de vader van Ronnie. Het kind was geadopteerd en Kate sprak nooit meer over haar. Ze deed net of er nooit een kind was geweest. Maar soms staarde Kate naar het fotootje van Ronnie op Anna's bureau en dan kreeg haar blik iets droevigs. Heel even maar, daarna lachte ze weer en maakte een grap over niets in het bijzonder.

Bij het toegangshek zag Anna Harry Hopkins, een kleine, serieuze man van rond de dertig. Drie jaar geleden begon Harry haar mee uit te nemen. Na zes maanden had hij haar ten huwelijk gevraagd. Ze was niet verliefd op Harry maar wel dol op hem en ze was bereid een toekomst met hem op te bouwen. Tot het moment waarop hij, heel voorzichtig, had gezegd dat het nog niet te laat was om Ronnie te laten adopteren...

Hun blikken kruisten elkaar. Ze lachten en keken snel weg.

Stan stond bij de ingang. Hij was gekleed in een pak dat hem veel minder goed zat dan de overall die hij vroeger altijd droeg. Hij had nu een bescheiden managersfunctie en zat de hele dag achter een bureau. Anna wist dat hij gelukkiger was op de werkvloer, maar Vera zou haar nieuwe status als echtgenote van een manager voor geen goud willen opgeven.

Samen liepen ze door de uitgang in de richting van het kruispunt bij Hesketh. Aan de rechterkant lagen Baxter Road en de andere smalle straatjes vol met kleine huizen met toiletten buiten, opeengepakt als sardines in blik. Tot vorig jaar was dat hun vaste route geweest. Nu gingen ze linksaf, richting Moreton Street en het meer welvarende gebied dat werd bewoond door de opkomende middenklasse van de stad.

Stan vertelde haar wat er die dag was gebeurd en probeerde het leuk te brengen. Hij was geen rasverteller maar ze lachte om hem een plezier te doen. Vijf jaar geleden had Stan haar beslissing om Ronnie te houden gesteund. Ondanks Vera's eisen had hij geweigerd haar uit huis te zetten. Het was de enige keer dat ze hem tegen zijn vrouw in opstand had zien komen.

Ze liepen Moreton Street in, een onopvallende straat met half vrijstaande huizen uit de jaren dertig. Hun huis stond aan de rechterkant, met de achterkant tegen de spoorweg waarover de treinen van Londen naar East Anglia reden. Op de hoek van de straat was een parkje waar een groepje jongens aan het voetballen was. De negenjarige Thomas stond bij een provisorisch doel te praten met Johnny Scott, wiens oudere broer Jimmy al was veroordeeld wegens diefstal. Vera vond de familie Scott geen goed gezelschap en Thomas mocht niet omgaan met Johnny, maar Stan had ze niet samen gezien en Anna hield niet van klikken.

Een stuk of vijf kleinere jongens voetbalden op straat. De zeven jaar oude Peter maakte een doelpunt en werd gefeliciteerd door zijn teamgenoten. Mabel Cooper stond buiten haar winkel met Emily Hopkins te praten. Mabel wuifde vrolijk naar Anna, Emily niet. Ze was de zus van Harry en had vanaf het begin bezwaar gemaakt tegen zijn omgang met Anna.

Terwijl ze verder liep, dacht Anna aan Kate en Mickey, dat zij samen naar een film met Robert Mitchum zouden gaan en *fish and chips* zouden eten op weg naar huis. Zijzelf zou het avondeten klaarmaken en klusjes doen die Vera haar opdroeg.

Zo was het nu eenmaal. Ze had gekozen. Ze kon nu niet meer terug.

Een kreet verstoorde haar gedachten. Ronnie liep op haar toe, zo snel dat zijn voeten nauwelijks de grond raakten. Zijn korte broek, die van Peter was geweest, was nog steeds te groot voor hem. Zijn sokken hingen rond zijn enkels. Hij sloeg zijn armen om haar heen en begon te vertellen over zijn dag, in een stroom van woorden die ze nauwelijks kon volgen terwijl Stan glimlachend toekeek.

Neerkijkend op haar zoon werd ze overspoeld door liefde. Alle bedenkingen verdwenen als een papiertje in een haarvuur.

Op zaterdagavond wist Ronnie dat het zijn beurt was voor een bad.

Ieder lid van het huishouden had een vaste badavond. Tante Vera op maandag, oom Stan op dinsdag, Thomas op woensdag, Peter op donderdag, Ronnies moeder op vrijdag en Ronnie op zaterdag. Op zondag bleef het bad leeg. Hoewel het huis in Moreton Street groter was dan hun vorige huis aan Baxter Road en oom Stan nu meer verdiende, wilde tante Vera geen geld verspillen aan heet water als het niet absoluut noodzakelijk was.

Aan de zijkant van het bad was een rode lijn getrokken. Die gaf aan tot hoe ver het bad mocht worden gevuld. Ronnie zou zijn bad het liefst helemaal vol laten lopen, maar zoals met alles in Moreton Street 41 was ook hier de wil van tante Vera wet.

Zijn moeder knielde naast het bad en deed wat shampoo op haar hand. Niet meer dan een half dopje per hoofd. Nog zo'n regel. 'Doe je ogen dicht, schat,' zei ze, voor ze het spul in zijn haar wreef. Hij lag ruggelings in het water terwijl ze zijn haar uitspoelde. Daarna ging hij rechtop zitten.

'Had Ophelia vieze haren?' vroeg hij.

'Ophelia?'

'In dat plaatjesboek.' Ze had het uit de bibliotheek en het ging over beroemde schilders. Iemand met de naam Millais had een meisje geschilderd dat Ophelia heette. Ze lag in het water. Haar haar was uitgespreid als een gouden stralenkrans. Dat was het schilderij dat hij het mooiste vond.

'Misschien wel, maar niet zo vies als jouw haar.'

Hij klom uit de badkuip. 'Wie is er nu mijn schone jongen?' vroeg ze terwijl ze hem afdroogde met een handdoek. 'Ik,' antwoordde hij. Haar handen waren zacht en voelden prettig aan.

Nadat hij zijn tanden had gepoetst met de toegestane hoeveelheid tandpasta, liep ze met hem door de gang naar de slaapkamer aan de achterkant die ze gezamenlijk gebruikten. Beneden waren Thomas en Peter aan het ruziën, terwijl tante Vera schreeuwde dat ze stil moesten zijn omdat ze naar *big band*-muziek op de radio wilde luisteren.

Het was de kleinste slaapkamer van het huis, hoewel hij groter was dan de slaapkamer die ze hadden gedeeld in Baxter Road. Zijn moeder had een eenpersoonsbed bij de deur en hij een veldbed bij het raam, dat uitkeek over de achtertuin en de verhoging die naar het spoor liep. Hij knielde voor het bed en zei het gebed dat ze hem had geleerd.

'God zegene mama en tante Vera, oom Stan, Thomas en Peter. God zegene oma Mary, opa Ronald en oom John in de hemel. God zegene mijn vader. Laat hem veilig zijn, waar hij ook is. Ik dank U voor deze mooie dag. Amen.'

Hij klom in zijn bed. Ze schudde zijn kussen op. 'Vertel eens over ons huis,' zei hij.

'Op een dag, als ik genoeg geld heb gespaard, koop ik een mooi huis voor ons. Je krijgt een grote kamer en je mag alle muren volhangen met je tekeningen. Dan hebben we zo'n grote tuin dat het een hele dag kost om het gras te maaien. En je krijgt een hond en...'

Hij keek naar haar gezicht. Ze lachte maar haar ogen stonden droevig. Ze werkte als secretaresse in de fabriek van oom Stan maar ze deed haar werk niet erg goed. Dat had oom Stan tegen tante Vera gezegd. Soms schreeuwde mevrouw Tanner, die de leiding had over de typekamer, tegen zijn moeder. Tante Vera zei dat zijn moeder lui was maar dat was niet waar. Ze deed haar best en op een dag zou hij mevrouw Tanner de waarheid zeggen. Eens kijken of ze daar zelf tegen kon.

'Als ik groot ben,' zei hij tegen haar, 'ga ik je helpen met je werk.'

Ze aaide over zijn wang. 'Natuurlijk.'

'En als we ons huis hebben, kan papa bij ons komen wonen.'

Heel even verdween haar glimlach. 'Misschien wel. Maar als hij niet komt zijn we toch nog steeds gelukkig?'

'Ja.'

'Wat zullen we morgen doen? Naar het park gaan en schommelen?'

'Ik ga nog een tekening voor je maken.'

'Ik zal hem meenemen naar het werk en hem daar ophangen. Als mensen vragen wie hem heeft gemaakt zal ik zeggen dat hij van mijn zoon Ronald Sidney is die op een dag een beroemd kunstenaar zal zijn van wie iedereen ter wereld de naam kent.'

Ze boog zich over hem heen om hem te knuffelen. Haar huid rook naar zeep en bloemen. Hij omhelsde haar zo hard hij kon. Op een keer had Peter zijn arm omgedraaid om hem te dwingen te zeggen dat hij wilde dat tante Vera zijn moeder was. Hij had het gezegd, maar noodgedwongen. Hij zou zijn moeder nog niet voor honderd tante Vera's inruilen.

Toen ze weg was, opende hij de gordijnen en keek naar de zomeravond. Het was nog licht en in de tuin bij de buren zat meneer Jackson de krant te lezen. Tante Vera zei dat meneer Jackson op paarden wedde. Tante Vera vond gokken zondig.

Het zou gauw donker worden en de maan zou opkomen. Het was slechts een dun zilver sikkeltje, maar over een tijdje zou hij net zo dik en rond worden als de appels die mevrouw Cooper in haar winkel verkocht. Zijn moeder had hem iets geleerd over manen en sterrenstelsels. Waarschijnlijk vond tante Vera manen en sterren ook zondig.

Een trein denderde voorbij. Grote stoomwolken gingen de lucht in terwijl de trein Londen verliet, richting het platteland. De trein zat vol met mensen. Een vrouw zag hem bij het raam staan en zwaaide. Hij zwaaide terug.

Op een dag zouden hij en zijn moeder in die trein zitten. Zijn vader zou komen en hij zou hen meenemen naar een heel mooi eigen huis, en tante Vera en haar regels zouden voorgoed verleden tijd zijn.

April 1951.

'Bastaard,' fluisterde Peter.

Ronnie schudde zijn hoofd. Ze zaten onder de keukentafel en speelden met de soldaatjes van Peter. Ronnie vond speelgoedsoldaatjes saai, maar al Peters vriendjes waren weg en daarom moest hij hun plaats innemen.

'Het is zo,' ging Peter verder. 'Dat weet iedereen.'

Ronnie wist niet precies wat een bastaard was, maar hij wist wel dat het iets slechts betekende. Bovendien wist hij dat het iets slechts over zijn moeder zei. Hij stak zijn kin omhoog en zei: 'Het is niet waar.'

Peter grijnsde. Hij had de zware lichaamsbouw van zijn moeder, en ook haar slechte inborst. 'Waar is je vader dan?'

'Hij heeft in de oorlog gevochten, in een vliegtuig, maar hij komt gauw terug.' Ronnie wist zeker dat het waar was. Zijn moeder had gezegd dat hij misschien in de hemel was, maar dat geloofde hij niet. Op de zondagsschool had hij geleerd dat God lief en aardig was. Oma Mary, opa Ronnie en oom John waren immers al in de hemel en Ronnie wist zeker dat een lieve en aardige God niet gemeen kon zijn.

'De oorlog is al jaren voorbij, stommerik.' Peter begon zachtjes te zingen. '*Ronnie is een stomme bastaard. Ronnie is een stomme bastaard.*'

Het was vijf uur. Oom Stan en zijn moeder waren nog op hun werk. Thomas was boven zijn huiswerk aan het maken en tante Vera praatte in de woonkamer met haar vriendin mevrouw Brown. Op Baxter Road mochten ze altijd in de woonkamer spelen, omdat daar gewoon een kleed lag. Maar in de nieuwe kamer lag tapijt en tante Vera was vreselijk benauwd voor beschadigingen en vlekken.

'Stomme bastaard, huilebalk,' ging Peter door, terwijl hij Ronnie tegen zijn arm stompte. Peter vond het leuk om Ronnie aan het huilen te maken. Een jaar geleden ging dat nog gemakkelijk, maar Ronnie was nu vijfenhalf en hij leerde hoe hij kon terugvechten.

'Hoeveel is zeven keer vier?'

Peter keek wezenloos. Ronnie glimlachte. Zijn moeder leerde hem vermenigvuldigen. Ze waren al bij de tafel van zes maar die kennis hield hij nog even achter.

'Rekenen is voor meisjes,' zei Peter. Peter had een hekel aan school. Oom Stan zuchtte altijd als hij zijn rapport zag, en tante Vera schreeuwde.

'Dat is achtentwintig. Ik ben jonger dan jij, dus wie is er nou stom?' Ronnie begon het wijsje van Peter na te doen. 'Stomme lelijke Peter. Stomme lelijke Peter.'

Peter stompte Ronnie nog harder. 'Ik ben tenminste geen bastaard,' siste hij voordat hij onder de tafel wegglipte en naar de tuin liep. Daarbij trapte hij per ongeluk op een paar soldaatjes.

Ronnie bleef waar hij was en wreef over zijn arm. In de woonkamer lachte tante Vera om iets wat mevrouw Brown had gezegd. De soldaatjes lagen schots en scheef door elkaar. Ze moesten in een blikken doosje. Van tante Vera mocht er geen speelgoed op de vloer blijven slingeren, dus hij begon met opruimen.

De lievelingssoldaat van Peter was een napoleontische grenadier. Peter had geluk gehad en er niet op getrapt. Maar dat wist Peter niet en Ronnie brak het soldaatje in tweeën voordat hij het deksel sloot.

Tante Vera's hobby was lezen. 'Ik ben dol op Dickens en die geweldige Brontë-zusjes,' vertelde ze aan haar nieuwe vriendinnen in Moreton Street. Ronnies moeder had hem verteld dat tante Vera eigenlijk het liefst de goedkope, glimmende, romantische boekjes las die oom Stan van Boots meebracht en die in een keukenlade verborg als haar nieuwe vriendinnen op bezoek kwamen.

Maar de echte hobby van tante Vera was schreeuwen. Als ze een rothumeur had, en dat was meestal zo, kon ieder gezinslid de wind van voren krijgen, maar omdat Ronnie alleen met tante Vera was terwijl de anderen naar hun werk of naar school waren, kreeg hij het meeste geschreeuw over zich heen.

Het was niet gemakkelijk om alleen te zijn met tante Vera. De belangrijkste regel was dat hij tante Vera nooit mocht lastigvallen. Hij moest rustig in zijn kamer of in de tuin gaan spelen. Tussen de middag zette ze een boterham en een glas melk op de keukentafel. Hij moest in stilte eten en drinken, zijn bord en beker omspoelen in de gootsteen en dan kon hij weer terug naar zijn eenzame spelletjes.

Als tante Vera bezoek had, had Ronnie de strikte opdracht om op zijn kamer te blijven, maar deze middag had hij zo'n dorst dat hij naar beneden kwam. De keuken kon alleen via de woonkamer worden bereikt. Tante Vera zat op de bank en dronk thee met mevrouw

Brown. Ze droeg een blouse met korte mouwen, zodat haar vlezige, besproete armen zichtbaar waren. 'Wat is er, Ronnie?' vroeg ze met een overdreven glimlach. Haar stem klonk gemaakt en deftig. Zo deed ze altijd als een van haar nieuwe vriendinnen op bezoek was.

'Mag ik wat water drinken?'

'Natuurlijk mag je dat.' Tante Vera wees naar de keuken.

Mevrouw Brown zette haar theekopje neer. 'Hoe gaat het met je, Ronnie?'

'Heel goed, dank u, mevrouw Brown.'

Ze draaide haar wang naar hem toe. Hij raakte haar vluchtig met zijn lippen en hield zijn adem in om de muffe parfum niet te ruiken. Ze was ouder dan tante Vera en verborg haar rimpels onder een dikke laag make-up. Haar man was adjunct-directeur van een bank. Ze woonde aan de overkant van de straat, waar de huizen ruimer waren en het geluid van de treinen minder doordrong. Tante Vera was er trots op dat ze de vrouw van een bankmanager als vriendin had.

Terwijl hij water inschonk hoorde hij hoe ze het over hem hadden.

'Heel beleefd,' zei mevrouw Brown.

'Daar sta ik op. Met de hoed in de hand komt men door het ganse land, zeg ik altijd maar.'

'Hij ziet er ook goed uit. Lijkt op zijn moeder.'

'Zolang hij maar niet op haar lijkt wat betreft verstand en moraal.'

Hij dronk het water met grote slokken op. Mevrouw Brown rookte een sigaret. Tante Vera hield niet van de lucht van sigaretten en oom Stan moest altijd in de tuin roken, zelfs als het regende. Maar oom Stan was niet de vrouw van een bankmanager.

'Ze mag blij zijn dat ze zulke begripvolle familieleden heeft als jij en Stan. De dochter van mijn neef werd zwanger van een soldaat en hij heeft haar de deur uit gezet.'

'Dat wilde Stan ook, maar dat vond ik niet goed. Het blijft toch familie.'

'Je bent een goed mens, Vera Finnegan.'

'Ik doe mijn best.'

'Misschien trouwt ze vandaag of morgen.'

'Dat betwijfel ik. Er zijn niet veel mannen die een onwettig kind willen opvoeden.'

Ronnie spoelde zijn mok om en zette hem terug in de kast. Mevrouw Brown zei dat ze moest gaan. Tante Vera zei dat ze zichzelf ging trakteren op een hoofdstuk van iemand die Jane Austen heette.

Op zijn kamertje opende hij de lade van het nachtkastje van zijn moeder en pakte de foto die ze daar bewaarde. Een kleine zwartwitfoto van een man in pilotenuniform. Een man met een vierkante kaak, een knap gezicht en een moedervlek in zijn hals. Zijn vader.

Zijn moeder zei altijd dat hij haar zonnetje was. Haar kleine Ronnie Sunshine die haar gelukkig maakte in sombere tijden. Hij wilde dat ze altijd gelukkig was, maar hij wist dat ze zich soms, ondanks haar glimlach, verdrietig voelde. Hij wilde dat zijn vader er was om haar gelukkig te maken. Hij had er een hekel aan als ze droevig was.

De voordeur klapte dicht. Mevrouw Brown was vertrokken en tante Vera riep dat hij naar beneden moest komen. Het gemaakte toontje was verdwenen. Haar stem klonk ruw en boos.

Voordat hij gehoorzaamde, staarde hij uit het raam. Boven de spoorweg was de lucht prachtig blauw. Hij stelde zich voor dat zijn vader daar vloog, in een schitterend vliegtuig, en dat hij bommen bij zich had die hij op het hoofd van tante Vera liet vallen.

September. In het volle klaslokaal bestudeerde juffrouw Sims de rijen vijfjarige kinderen. Aan het begin van elk schooljaar deed ze altijd een spelletje.

Na verloop van tijd zouden al deze kinderen een toets moeten maken om te bepalen of ze naar de middelbare school of naar een beroepsopleiding zouden gaan. Op de middelbare school kon een pienter kind zich voorbereiden op de universiteit en een veelbelovende toekomst. De minder begaafde leerlingen kregen een praktijkopleiding en gingen een iets bescheidener carrière tegemoet. Hoewel ze de kinderen nog nauwelijks kende, probeerde juffrouw Sims altijd aan hun gezicht af te lezen welke kant ieder kind op zou gaan.

De knappe Catherine Meadows op de eerste rij telde ze niet mee. De vader van Catherine was effectenmakelaar en hij kon een privéopleiding voor zijn dochter betalen.

Alan Deakins zat op de achterste rij te fluisteren met zijn buurman.

Zijn ogen glinsterden ondeugend. Een intelligent maar kwajongensachtig gezicht. De onruststoker van de klas, waarschijnlijk slim genoeg, maar hij zou het toch niet redden op de middelbare school.

Margaret Fisher in de derde rij onderdrukte een geeuw. Een rond, wezenloos gezicht dat geen interesse in haar nieuwe omgeving vertoonde. Ongetwijfeld werd het voor haar een beroepsopleiding.

Op de tweede rij zat Ronald Sidney haar plechtig aan te staren. Een mooie jongen met prachtige grote ogen. Een heel contrast met zijn niet erg sympathieke Finnigan-neefjes die ze eerder in de klas had gehad. Peter was een deugniet, net als Alan, en Thomas, die dit jaar examen moest doen, was net zo'n leeghoofd als Margaret, zoals uit zijn resultaten zou blijken.

Ronald beantwoordde haar blik met een lach die zijn hele gezicht deed stralen. Zijn ogen glansden alsof hij opgewonden was door het vooruitzicht nieuwe dingen te leren.

O ja, beslist een jongen om door te leren.

Terwijl ze naar hem glimlachte bedacht ze dat het een vreugde zou zijn om hem in de klas te hebben.

Ze stelde een rekenvraag. De meeste leerlingen staarden nietbegrijpend voor zich uit, maar enkele handen werden opgestoken. Een daarvan was van Ronald Sidney.

Iedere vrijdag stortte Anna een deel van haar salaris op een spaarrekening.

Het ging om een heel klein bedrag. Het grootste deel van haar geld ging naar Vera, voor huisvesting en levensonderhoud, en wat er overbleef was nauwelijks genoeg om Ronnie af en toe op iets lekkers te trakteren.

Het meisje achter het loket keek in haar papieren. 'Sidney,' zei ze, naar de naam op de eerste bladzijde wijzend. 'Bent u de moeder van Ronnie?'

'Ja.'

'Hij zit bij mijn tante in de klas. Juffrouw Sims. Ze heeft het altijd over hem. Ze zegt dat hij een echte bolleboos is.'

'Dank u.' Anna glimlachte. 'Ronnie heeft het ook veel over uw tante.'

Feitelijk was dat niet waar. Ronnie sprak zelden over zijn lerares of over de andere kinderen in de klas. Niet dat hij ongelukkig was op school. De mensen die hij daar ontmoette leken gewoon geen indruk op hem te maken.

Hij leerde heel snel. Zijn kennis groeide met de dag. Hij had zelden hulp nodig bij het lezen en in hoofdrekenen was hij al bijna beter dan zijzelf. Zelf was ze niet zo'n knappe kop, maar daarom genoot ze er des te meer van dat ze een kind had dat overduidelijk intelligent was.

Het meisje gaf het spaarboekje terug. Anna keek naar het nieuwe saldo. Nog steeds een schamel bedrag. Niet eens genoeg om een klok van te kopen, laat staan een groot huis. Misschien zou het nooit lukken.

Maar zo mocht ze niet denken. Ook niet heel even.

Ze liep de straat op. Het saaie centrum van een saai stadje. De wind stak op en ze knoopte haar jas dicht. Het was bewolkt en grijs. Alles rondom haar was grijs in deze zielloze voorstad van het voortdurend uitdijende Londen.

Ze wilde ontsnappen. Weg van Vera en haar minachting en alle anderen die haar veroordeelden, al dan niet onbewust. Ze wilde naar een nieuwe plek. Ergens waar het groen en mooi was en waar zij met Ronnie opnieuw kon beginnen. Waar Ronnie alles zou hebben wat ze hem altijd had beloofd.

Op een dag zou ze het klaarspelen. Maar hoe?

December 1951. Ronnies eerste rapport.

'*... heerlijk om in de klas te hebben! Een buitengewoon slimme jongen, die hard werkt en heel beleefd is. Een modelleerling. Zijn familie kan trots op hem zijn.*'

Eerste kerstdag. Ronnie zat met zijn familie in de woonkamer. Een kleine kerstboom stond in de hoek, versierd met de spullen die tante Vera in een doos op zolder bewaarde. Tante Vera had de boom zelf versierd. Ronnie had aangeboden te helpen maar ze had gezegd dat hij vast iets zou breken en hem daarna weggestuurd.

Het was vroeg in de middag. Ze waren net klaar met eten, kalkoen met gebakken aardappelen, doperwten, wortels en gevuld gehakt. Zijn moeder had alles klaargemaakt. Vorig jaar hadden ze alleen rosbief gehad. Tante Vera vertelde aan al haar nieuwe vriendinnen dat ze dit jaar kalkoen aten.

Ronnie zat op de vloer, naast de stoel van zijn moeder. Hij keek naar het cadeau dat ze voor hem had gekocht. Een doosje verf en twee kleine penselen. 'Vind je het leuk?' vroeg ze verwachtingsvol. Hij reageerde met een glimlach.

'Als hij maar niet knoeit met die verf,' zei tante Vera vanaf de sofa bij de open haard. Van tante Vera en oom Stan had Ronnie een sjaal gekregen.

'Dat doet hij niet.'

'Dat is hem geraden.' Tante Vera klonk ruziezoekend. Zij en oom Stan hadden bier gedronken vanaf het moment dat ze die ochtend uit de kerk waren gekomen. Oom Stan lag naast haar op de sofa te snurken. Thomas lag voor de open haard, helemaal verdiept in zijn nieuwe stripboek, terwijl Peter buiten met zijn nieuwe rolschaatsen in de weer was.

Ronnie schoof zijn hand achter de boekenkast en pakte een envelop die hij daar had verborgen. Het was een kaart die hij op school had gemaakt, met een tekening van een mooi huis in de kleuren van de regenboog. Op de binnenkant stond *Gelukkig kerstfeest, mama. Veel liefs, Ronnie Sunshine*. Alle kinderen op school hadden een kerstkaart voor hun moeder gemaakt. Juffrouw Sims had gezegd dat zijn kaart de mooiste was en hij had geantwoord dat het kwam omdat hij de liefste moeder had.

Nu was het haar beurt om te glimlachen. 'Het is het mooiste cadeau dat ik ooit heb gehad.'

Hij wees naar de tekening op de kaart. 'Dat is ons huis. Dat jij gaat kopen.'

'Welk huis?' wilde tante Vera weten.

'Mama gaat een groot huis voor ons kopen.'

'En hoe gaat ze dat doen?'

'Door heel veel geld te sparen. En als ze het huis heeft gekocht, komt mijn vader bij ons wonen.'

Tante Vera nam een slok en zette haar bier toen terug op de tafel, naast de fles duur uitziende parfum die ze van oom Stan had gekregen. Dezelfde parfum als mevrouw Brown. De vorm van de fles deed Ronnie aan iets denken, maar hij wist niet waaraan.

'Je bent een slimme jongen, hè Ronnie? Dat stond toch op je rapport?'

'Ja, tante Vera.'

'Dan heb ik een lesje voor je. Je moeder is een stomkop die nooit iets voor je zal kunnen kopen. Onthou dat maar goed.'

'Mijn moeder is geen stomkop.'

'Laten we je vader dan een brief schrijven. Vooruit, Anna. Wat is zijn adres?'

'Hou op, Vera...' begon Ronnies moeder.

'Of anders? Wat ben je van plan? Weggaan? Ga je gang. Eens kijken hoe lang jij en Ronnie het uithouden zonder ons.'

'Mijn moeder is geen stomkop.'

Tante Vera begon te lachen. Ronnies moeder legde haar hand op zijn schouder. 'Tante Vera zit je maar te plagen.'

Een brokje kool viel uit het vuur, waardoor oom Stan wakker werd. Thomas keek op van zijn stripboek. 'Je snurkt als een varken, pa.' Oom Stan haalde zijn schouders op en sliep weer in.

Tante Vera dronk nog wat bier. Terwijl hij naar haar zat te kijken besefte Ronnie opeens dat die parfum leek op een flesje dat hij in een bibliotheekboek op school had gezien. Een gemene heks had het drankje gegeven aan een mooie vrouw die dacht dat ze daardoor altijd jong kon blijven. In plaats daarvan had het haar maag in brand gezet en was ze in vlammen opgegaan.

Hij stelde zich voor hoe tante Vera per ongeluk van de parfum zou drinken. Een teugje maar. Dan een schreeuw terwijl ze zich bij de keel greep.

Tante Vera zat nog steeds te lachen. Hij begon ook te lachen. Zijn moeder raakte in de war. 'Stil, Ronnie,' zei ze snel.

Hij beet op zijn lip en onderdrukte zijn lach.

Januari 1952.

Anna zat op Ronnies bed en luisterde hoe hij voorlas uit een bibliotheekboek. Het ging over een klein meisje met een magische ring. Ze mocht zeven wensen doen. Ze was bang geweest dat het te moeilijk voor hem was, maar hij las het zonder moeite. De vorige avond ging hij helemaal op in het verhaal, maar nu leek hij afgeleid.

'Wat is er, Ronnie?'

'Wanneer komt papa?'

Ze voelde een doffe pijn. Het overblijfsel van een pijn die ooit onverdraaglijk was geweest. 'Liefje, ik heb je al eens verteld dat hij misschien niet komt. Je moet er niet op rekenen.'

'Ik wil dat hij komt.'

'Dat weet ik, maar we weten niet waar hij is. Misschien is hij wel in de hemel.'

Hij spande zijn kaken. 'Hij is niet in de hemel. Hij komt me helpen.'

'Waarmee?'

'Voor jou te zorgen.'

Buiten regende het. Een stormachtige winteravond. Het was koud in de kamer, maar zijn woorden voelden aan als een warme luchtstroom. Ze nam zijn hand en drukte die tegen haar wang. 'Je hebt geen hulp nodig, Ronnie. Je kunt het heel goed in je eentje. Nu gaan we het verhaal uitlezen. Jemima mag nog maar één wens doen. Wat zou jij wensen als je haar was?'

'Dat tante Vera in de hemel was.'

Ze liet zijn hand los. 'Ronnie, het is heel gemeen om zoiets te zeggen.'

Hij staarde naar de pagina terwijl de regen tegen het raam sloeg.

'Je mag zulke dingen niet zeggen. Nooit. Ik weet dat tante Vera soms boos is, maar zo is ze nou eenmaal. Zij en oom Stan zijn goed voor ons geweest. Ze hebben ons een thuis gegeven.'

Stilte. Zijn pyjama was gestreept en was hem te groot. Een afdankertje van Peter, zoals zoveel van zijn kleren. In het duister raasde een trein voorbij. Hoewel het raam gesloten was vulde het geluid de hele kamer.

'Ronnie?'

Hij keek op. 'We zullen gauw ons eigen huis hebben. Jij gaat het kopen. Dan maakt het niet uit of tante Vera in de hemel is.'

Ze schudde haar hoofd, in de war. 'Ronnie, het is niet goed om zo te praten. Dat mag je niet meer doen. Het maakt me verdrietig.'

Weer stilte. Hij staarde haar aan met ogen die opeens van een vreemde leken.

Toen glimlachte hij. De glimlach van kleine Ronnie Sunshine die zelfs haar somberste bui kon verdrijven.

'Het spijt me, mam. Ik hou van je.' Hij las verder.

Lunchtijd. Op de schemerige speelplaats van het grimmige Victoriaanse schoolgebouw krioelde het van de kinderen. Jongens joegen achter de bal aan of achter elkaar. Meisjes waren aan het touwtjespringen, hinkelen of speelden met poppen.

Catherine Meadows had genoeg van het touwtjespringen en keek naar Ronnie Sidney.

Hij zat alleen en was aan het tekenen. Net als altijd. Juffrouw Sims zei dat hij veel talent had. Juffrouw Sims was op Ronnie gesteld. Als juffrouw Sims er niet bij was, zei Alan Deakins dat Ronnie en Archie Clark de lievelingetjes van de juf waren. Archie huilde en iedereen lachte maar Ronnie haalde gewoon zijn schouders op en ging door met wat hij aan het doen was. Alan, verveeld, begon iemand anders te pesten.

Ze liep naar hem toe. 'Wat ben je aan het tekenen?'

Ronnie antwoordde niet. Ze boog zich naar voren om te kijken maar hij drukte het papier tegen zijn borst om de tekening te verbergen.

'Teken je mij na?'

'Nee.'

Catherine zuchtte. Haar vriendinnen Phyllis en Jean vonden Alan de knapste jongen van de klas maar Catherines favoriet was Ronnie. Soms probeerde ze met hem te praten, maar hij leek nooit geïnteresseerd. Dat was vreemd want ze was knap en haar vader was belangrijk, en verder wilde iedereen met haar bevriend zijn.

Ze stond te dralen maar Ronnie negeerde haar. Catherine was niet gewend genegeerd te worden, dus stak ze haar tong uit en ging weer touwtjespringen.

Tien minuten later ging de bel. Er klonk afkeurend gekreun op de speelplaats. Ronnie stond op. Hij keek bedachtzaam naar de tekening die hij had gemaakt. Hij maakte een prop van het papier, gooide het in een prullenbak en volgde de andere kinderen naar binnen.

Catherine liep naar de prullenbak en haalde het papier eruit, in de hoop een tekening van haarzelf te zien. In plaats daarvan zag ze twee tekeningen van een dikke vrouw met een boos gezicht die in een tuin achter een spoorlijn stond. Op het eerste plaatje stond de vrouw te schreeuwen tegen een kleine jongen. Ze zag niet dat er boven haar hoofd een bommenwerper vloog. Op het tweede plaatje hadden de bommen de vrouw opgeblazen en de jongen zwaaide naar de piloot, terwijl hij met zijn andere hand haar van de romp gescheiden hoofd bij het haar had vastgepakt.

Teleurgesteld gooide Catherine de tekening terug in de prullenbak.

Zomer 1952.

'*... een uitstekend jaar. Voor iemand die zo slim en ijverig is als Ronnie zijn de mogelijkheden onbegrensd. Volgens mij gaat hij een geweldige toekomst tegemoet.*'

November. Ronnie zat met Peter aan de keukentafel. Hoewel de deur van de woonkamer gesloten was, konden ze de stem van tante Vera toch duidelijk horen.

'Stan moest het voor je opnemen! Hij had zijn baan wel kunnen verliezen, en waarom? Omdat jij te stom bent om je werk goed te doen!'

Stilte. Ronnie hoopte dat zijn moeder zou terugschreeuwen, maar ze zei niets.

'Maar jij bent stom geboren, of niet soms?'

Ronnie deed verwoede pogingen te begrijpen wat er was gebeurd. Zijn moeder had iets fout gedaan op haar werk. Een order was zoek of zoiets. Ze was er bijna haar baan door kwijtgeraakt.

'Neem nou Ronnie. Een verstandig iemand had hem laten adopteren. Dan had hij een goede start kunnen maken. Het kan nog steeds, maar je wilt het niet omdat je te stom bent.'

Ronnie huiverde. Naast hem begon Peter te giechelen. Thomas was weg, naar een vriendje van zijn nieuwe school.

Eindelijk zei zijn moeder iets. 'Laat Ronnie erbuiten.'

'Waarom? Het is waar. Je ruïneert niet alleen je eigen leven, je wilt het zijne ook nog verpesten.'

Peter schopte Ronnie onder tafel. 'Niemand zou jou adopteren. Ze stoppen je in een weeshuis, samen met al die andere bastaardkinderen.'

'Zo is het wel genoeg, Vera.' Oom Stan wierp zich in de strijd.
'Hoezo? Zo denkt iedereen er toch over? En waarom neem jij het voor haar op? Je mag me wel eens een keer steunen!'
Peter prikte Ronnie met zijn vinger. 'Je moet naar het weeshuis, bastaard.'
Het geruzie ging door. Toen het geluid van voetstappen. Ronnies moeder rende naar boven. Tante Vera verscheen in de keuken met een rood aangelopen en boos gezicht. 'Ik ga koken. Helpen jullie maar eens mee. Peter, schil de aardappelen. Ronnie, dek de tafel. En wat doen die rolschaatsen op de vloer? Naar buiten met die dingen.'
Peter sprong overeind. Ronnie stond ook op maar hij ging naar de keukendeur waar oom Stan bezorgd stond te kijken.
'En waar ga jij heen?' wilde tante Vera weten.
'Ik ga naar mama.'
'Doe wat je gezegd wordt. Dek de tafel.'
'Ik wil naar mama.'
'Laat hem gaan, Vera.' Weer een zwakke tegenwerping van oom Stan.
Tante Vera sloeg haar armen over elkaar. 'Dek de tafel, Ronnie.'
Ronnie schudde zijn hoofd.
'Nu!'
Even bleef hij standvastig. Zijn handen waren tot vuisten gebald. Peter stond op de achtergrond weer te giechelen.
Toen verdween de spanning uit zijn handen. Hij glimlachte. Een teken van onderwerping, zacht en lief.
'Ja, tante Vera. Het spijt me, tante Vera.'
Gedwee dekte hij de tafel.

Anna zat op haar bed en staarde naar de zilveren ring om haar vinger.
Ze had hem op haar dertiende van haar ouders gekregen. De laatste verjaardag voor die luchtaanval. Verder had ze niets om hen te gedenken. Geen foto's. Geen andere aandenkens of persoonlijke spulletjes. Alles van emotionele waarde was verwoest door de bom.
Alles, behalve haar herinneringen. De stem van haar vader. De glimlach van haar moeder. De lach van haar broer als hij een grap

vertelde of haar plaagde omdat ze dol was op een of andere filmster. Zwakke echo's uit een tijd toen ze niet bang was geweest voor de toekomst. Toen ze wist hoe het voelde om geborgen en veilig te zijn.

Ze moest hier weg. Verhuizen, samen met Ronnie. Maar waar kon ze heen? Wat kon ze doen? Ze had hersens noch talent. Ze zou nooit genoeg verdienen om hen beiden te kunnen onderhouden. Niet zonder de hulp van Stan en Vera.

Ze hoorde voetstappen. Ronnie stond in de deuropening en keek haar angstig aan. Hij had een boterham met jam in zijn hand. Toen ze hem zo zag staan, wist ze dat Vera gelijk had. Ze had hem moeten laten adopteren. Dan had hij een goede start kunnen maken. Ze had hem niet bij zich mogen houden, alleen maar omdat ze te zwak was om in haar eentje door te gaan.

Ze werd overmand door afkeer van zichzelf en barstte in tranen uit.

Hij rende op haar af en omhelsde haar. 'Niet huilen, mam. Alsjeblieft.'

'O, Ronnie...'

Zo bleven ze enige tijd zitten, zonder iets te zeggen. Ze wiegden zachtjes heen en weer. Hij zat op haar knie en een buitenstaander zou denken dat zij hem aan het troosten was.

Haar tranen werden minder. Ze wreef haar ogen droog. 'Let maar niet op mij. Ik doe gewoon raar.'

Hij raakte haar ring aan. 'Je dacht zeker aan oma Mary?'

'Ja.'

'Je mist haar. En opa Ronald en oom John. Je wou dat ze hier waren.'

Ze knikte.

'Ik wil niet geadopteerd worden, mama. Laat me niet adopteren.'

'Nooit.'

'Beloofd?'

'Beloofd.'

'Op je erewoord?'

'Op mijn erewoord.'

Hij legde zijn hoofd tegen haar borst. Ze streelde over zijn haar.

'Het spijt me, Ronnie.'
'Wat?'
'Dat je alleen mij hebt.'
'Mijn vader komt gauw en dan heb ik hem ook.'
'Hij komt niet, Ronnie.'
'Hij komt wel en dan...'
Ze legde haar handen rond zijn gezicht en keek hem diep in de ogen. 'Ronnie, luister eens goed. Je vader komt niet. Nooit. Ik zou er alles voor over hebben als dat niet waar was, maar het is zo. We hebben alleen elkaar.'
Hij keek nu bezorgd. Hij leek opeens veel ouder, als de kleine man die hij voortdurend poogde te zijn. Ze schaamde zich. Wenste dat ze zijn droomwereld niet had verstoord.
'Maak je geen zorgen, mam,' zei hij uiteindelijk. 'We redden het wel. Ik zorg voor je. Dat beloof ik.'
Toen begon hij te zingen. '*Je bent mijn zonnetje, mijn enige zonnetje. Je maakt me gelukkig in sombere tijden.*' Zijn stem was hoog en vals. Een golf van liefde overspoelde haar. Het was zo'n krachtig gevoel dat ze dacht dat haar hart uit elkaar zou klappen.
'Zal ik je een geheim vertellen, Ronnie? Telkens als ik droevig ben, zeg ik tegen mezelf dat ik de gelukkigste persoon ter wereld ben omdat ik de beste zoon ter wereld heb. Knap, slim en goed. En ik beloof je dat je op een dag net zo trots op mij zult zijn als ik op jou ben.'
Het stuk brood lag naast hen op het bed. Hij gaf het haar. Ze had geen honger maar at het om hem een plezier te doen.

Dinsdagavond. Zes dagen later. Anna liep in Moreton Street.
Het was halfzeven. Ze had overgewerkt, in een poging de rampzalige week daarvóór goed te maken.
Stan liep naast haar. Hij was een biertje gaan drinken met een paar vrienden van de fabriek, maar te oordelen aan zijn waggelende gang had hij aanzienlijk meer gedronken dan één biertje. Hoewel Vera zelf ook aardig veel dronk, kon ze erg moralistisch uit de hoek komen als ze Stan dronken aantrof. Anna overwoog hem naar een café in High Street mee te nemen voor een kop koffie, maar ze besloot het toch maar niet te doen. Vera kookte die avond en ze konden niet het risico lopen te laat te komen.

Het was donker. De straat was leeg, op mevrouw Brown na, die gearmd met haar echtgenoot de bankmanager wandelde. Ze droeg nepparels en naaldhakken die dreigden te bezwijken onder haar forse gestalte. Misschien gingen ze uit eten, bij dat nieuwe restaurant in High Street waar de Browns regelmatig heen gingen. Vera probeerde Stan altijd over te halen haar mee uit eten te nemen, maar hij klaagde dat het te duur was.

Terwijl ze elkaar passeerden, wisselden ze kortstondig enkele beleefdheden uit. Mevrouw Brown merkte dat Stan dronken was en haar lachje drukte zowel vermaak als minachting uit. Anna voelde hoe meneer Brown haar altijd met zijn ogen uitkleedde. De vorige december, tijdens het kerstfeestje van Stan en Vera, had hij haar in een hoek van de keuken voorgesteld haar mee te nemen voor een ritje in zijn nieuwe auto, aangezien ze hem wel het type leek voor een beetje lol. Ze had geweigerd en hij was er nooit meer op teruggekomen, maar zelfs nu nog had ze het gevoel dat ze zich moest wassen als ze hem had gezien.

Ze liepen door naar nummer 41. De lichten waren aan. Thomas zat bij zijn slaapkamerraam en worstelde met zijn huiswerk. Hij zwaaide. Ze zwaaide terug terwijl Stan naar zijn sleutel zocht. Hij opende de deur. Zij ging als eerste naar binnen.

En hoorde de schreeuw.

Het geluid kwam uit de keuken. Hoog en schel. Een mengeling van angst en vreselijke pijn.

Ze rende ernaartoe, gevolgd door Stan. Vera lag op de grond, de frituurpan naast zich. Kokend vet stroomde over de vloer. De misselijkmakende geur van verbrand vlees hing in de lucht.

Stan was beneveld en leek zo geschokt dat hij niets meer kon ondernemen. Anna nam de leiding. 'Ga naar de Jacksons. Bel daar een ambulance. Schiet op!' Hij draaide zich om en rende weg terwijl zij neerhurkte en Vera in veiligheid bracht.

Thomas verscheen, gevolgd door Peter en Ronnie. 'Ga weg,' zei Anna tegen hen. Vera jammerde en begon te trillen. Ze raakte in shock. 'Iemand moet een deken halen. Snel!'

Terwijl ze wachtte, troostte ze Vera en maakte ze sussende geluidjes terwijl ze probeerde niet naar de verbrande linkerarm te kijken. In plaats daarvan viel haar oog op de rolschaatsen van Peter, die half onder de pan lagen alsof ze hun schuld wilden verbergen.

Anna zat bij Vera op bed en vernieuwde het verband om haar arm.
Ze trok iets harder aan dan ze had bedoeld. Vera kromp ineen. 'Voorzichtig!'

'Sorry.'

'Je bent niet zo erg als die vervelende zuster. Waar hebben ze jou opgeleid? vroeg ik haar. In Belsen?' Vera lachte om haar eigen grap maar haar gezicht bleef grauw. De pijnstillers leken niet te werken. Stan had tegen Anna gezegd dat ze 's nachts regelmatig wakker werd van de pijn.

Peter verscheen in de deuropening. 'Gaat het, mam?' vroeg hij bezorgd.

'Ja.' Vera klonk kortaf.

'Echt waar? Eerlijk?'

'Dat zei ik toch? En nu wegwezen.'

Peter gehoorzaamde. Anna verbond de wond. 'Klaar. Sorry dat ik je pijn heb gedaan.'

'Je deed het niet met opzet. Bovendien heb ik liever jou dan Stan.'

Weer een lach. 'Als hij dit zou doen, zou ik de hele straat bij elkaar schreeuwen. Nutteloze vent.'

'Peter heeft het ook niet zo bedoeld.'

Vera's mond verstrakte. 'Ik heb al honderd keer gezegd dat hij die dingen moet opruimen. Als hij maar wilde luisteren...'

'Maar hij was zo van streek, en...'

'Schiet ik daar soms iets mee op?'

'Dat weet ik wel, maar...'

'Toen ik nog op school zat, was er een meisje in mijn klas met littekens van een brandwond. Ze zaten aan de zijkant van haar hoofd, zodat haar haar niet goed groeide. We noemden haar de vogelverschrikker. We maakten haar aan het huilen en dan zei ze dat die littekens op een dag zouden verdwijnen en dat haar haar zou gaan groeien en dat ze dan mooier dan wie dan ook zou worden. Zielig dom kind.'

Gedurende de negen jaar dat ze samen in een huis hadden gewoond, had Vera heel wat emoties in Vera's ogen gezien. Maar nu zag ze voor het eerst angst. Terwijl ze het opmerkte, voelde ze zelf ook een nieuwe emotie: medelijden.

'Het trekt wel weg, Vera. Het heeft tijd nodig.'

'Ik heb eigenlijk nog geluk gehad. Het is mijn arm maar. Stel je voor dat het mijn gezicht was geweest, net als bij die vogelverschrikker.'

Stilte. Buiten op straat klonk het gelach van twee jonge mannen die voorbijliepen.

'Ik zal hem vergeven,' zei Vera uiteindelijk. 'Wat moet ik anders? Hij blijft niet eeuwig mijn verantwoordelijkheid. Hoe zei mijn moeder dat toch altijd? "Een zoon is een zoon totdat hij een vrouw vindt." Op een dag neemt een of andere meid hem van me af, en dat zal ook met Thomas gebeuren en dan heb ik alleen Stan nog. God sta me bij.'

'Ronnie laat me nooit in de steek.'

'Is dat zo?'

Anna stelde zich Ronnie als volwassene voor. Knap en slim. Getalenteerd en charmant. Talloze meisjes zouden voor hem vallen. Hij zou haar niet langer nodig hebben.

Opeens voelde ze zich weer dertien. Staande voor de puinhoop die haar huis was geweest. Ze proefde het stof in haar mond. Voelde de leegte in haar.

Ze keken elkaar lang aan. Oude vijandigheden waren tijdelijk vergeten in hun gezamenlijke angst.

'Mogelijk. Ronnie is een goeie jongen.' Een spoortje bitterheid klonk door in haar stem. 'Eén ding is zeker. Je kunt trotser op hem zijn dan ik op die twee van mij.'

'Ik ga maar koken. De rest zal wel honger krijgen.'

Vera knikte. Anna liep naar beneden.

Soms, als ze Ronnie wilde trakteren, nam Anna hem mee naar café Amalfi in High Street.

Het café was eigendom van de Luca-familie die uit Napels naar Engeland was geëmigreerd. Mevrouw Luca maakte heerlijke gebakjes die in een vitrine op het buffet stonden. Ondanks Anna's aansporingen om eens iets avontuurlijker te zijn, koos Ronnie altijd een jamgebakje, dat hij wegspoelde met een flesje limonade.

Ze zaten aan een tafeltje bij het raam. Ronnie at het deeg en liet de jam tot het laatst liggen. 'Is het niet lekkerder om het samen te eten?' stelde Anna voor. Hij gaf geen antwoord. Ze herinnerde zich dat haar ouders haar en haar broer ooit hetzelfde hadden aangeraden en dat ze hetzelfde antwoord hadden gekregen.

'Koningin Elizabeth wordt gekroond, hè?' vroeg hij tussen twee happen door.

Ze knikte. De kranten schreven over de voorbereiding op de kroning van volgend jaar. Stan had het er tijdens het ontbijt over gehad.

'Als ze gekroond is, wordt ze dan de Virgin Queen genoemd?'

Ze dacht aan prins Charles en prinses Anne. 'Dat denk ik niet, schat.'

'Waarom niet?'

Ze voelde dat ze bloosde. 'Eet je gebakje op,' zei ze. Een man aan het tafeltje naast hen hoorde het gesprek en lachte haar geamuseerd toe.

Het café zat vol. Aan een tafeltje vlakbij zat een meisje van Ronnies leeftijd met een ijscoupe, in gezelschap van een goedgekleed stel, waarschijnlijk haar ouders. Het meisje zwaaide naar Ronnie. 'Ken je haar?' vroeg Anna.

'Dat is Catherine Meadows.'

'Zit ze bij jou in de klas?'

'Ja.'

'Ben je met haar bevriend?'

'Ja, zoiets.'

'Net zo goed als met Archie?'

Hij haalde zijn schouders op en at door. Zijn nieuwe leraar had gezegd dat Ronnie best populair was bij zijn klasgenootjes maar dat hij nog geen echte goede vrienden had. Hij was een keer op de thee geweest bij Archie Clark maar had hem nog niet teruggevraagd. In zekere zin was dat maar goed ook. Vera klaagde altijd over de vriendjes van Peter en Thomas. Als Ronnie vriendjes mee naar huis wilde nemen, zou dat het effect hebben van een rode lap op een stier.

Terwijl ze van haar thee nipte, dacht ze aan Peter. Stan had hem de mantel uitgeveegd en Vera had heel koel tegen hem gedaan, hoewel ze nu weer wat bijdraaide.

Maar het had zoveel erger kunnen zijn. Een gewonde arm was beter dan een gezicht met littekens.

Ze huiverde. Ronnie keek bezorgd. 'Wat is er?'

'Ik dacht aan tante Vera.'

'Je hebt medelijden met haar, hè?'

Ze knikte. Haar vriendin Kate wandelde buiten voorbij, arm in arm met Mickey Lee. Kate zou over twee weken met Mickey trouwen. Beiden zwaaiden naar haar.

'Waarom?'

Even besefte ze niet wat hij had gezegd. Toen het tot haar doordrong, zette ze haar kopje neer.

'Waarom? Ronnie, wat een vraag.'

Hij staarde haar aan, zijn ogen ernstig.

'Vind je het niet erg voor haar?'

Stilte. Hij knipperde niet met zijn ogen en keek haar diep aan, alsof hij een antwoord zocht.

'Ronnie?'

'Ze doet afschuwelijk tegen jou. Ze heeft je aan het huilen gemaakt.'

'Dat is niet waar. Ik deed gewoon een beetje raar, dat heb ik je toch gezegd.'

'Ze wilde me laten adopteren.'

'Ze was boos, ze meende het niet.'

'Ze meende het wel.'

Opnieuw dacht ze aan Peter. Na het ongeluk had hij stellig beweerd dat hij zijn rolschaatsen had opgeruimd. Dat iemand anders ze daar had laten liggen. Thomas misschien, of Ronnie.

Maar dat was belachelijk. Ronnie had geen belangstelling voor rolschaatsen. Hij zou ze nooit op zo'n gevaarlijke plek hebben laten slingeren.

Tenzij hij het met opzet had gedaan.

Er roerde zich iets in haar geest. Flarden van een herinnering die ze in de duistere kant van haar geheugen had weggestopt. Een gesprek tussen Ronnie en haar over een verhaal.

Jemima mag nog maar één wens doen. Wat zou jij wensen als je haar was?

Dat tante Vera in de hemel was.

Ze zag een scène voor zich. Ronnie stond bij de keukendeur. Hij keek naar Vera. Wachtend tot ze haar rug naar hem toe keerde. Zorgvuldig koos hij het juiste moment...

Ze onderdrukte het beeld en verbood zichzelf ooit nog zo te denken. Hoe kon ze zo over haar eigen kind denken? Haar schat. Haar kleine Ronnie Sunshine.

De enige ter wereld van wie ze hield.

Iemand riep Ronnies naam. Catherine Meadows vertrok. Ze wuifde nogmaals naar Ronnie. Deze keer reageerde hij. Catherine glimlachte. Ze was een mooi meisje en ze zou vast een nog mooiere vrouw worden. Het soort vrouw dat op een dag Ronnie van haar zou afpakken.

'Je zit me gewoon te plagen, Ronnie. Jij vindt het ook erg voor tante Vera.' Het was meer een verklaring dan een vraag.

Hij knipperde. Hij leek even in de war. Misschien was het schaamte.

'Ja, mam.'

En hij meende het. Natuurlijk meende hij het. Ze wist het zeker.

Hij nam nog een slokje. Hij kreeg koolzuur in zijn neus en begon te proesten. Iedereen keek. 'Hé, Ronnie, wil je dat iedereen denkt dat ik je vergiftig?' riep meneer Luca vanachter de toonbank. Ze veegde zijn mond af met een zakdoek en beiden begonnen te lachen.

Middernacht. Op Moreton Street 41 was het stil, op Ronnie na, die via de overloop naar de laatste deur aan de linkerkant liep.

De deur was dicht. Hij drukte de klink naar beneden en duwde de deur open. Een klein stukje. Niet verder want dan ging hij piepen. Dat had hij die middag getest toen de rest beneden zat. Maar hij had genoeg ruimte om de kamer binnen te gaan.

In het midden van de kamer stond een tweepersoonsbed. Oom Stan sliep aan de rechterkant, tante Vera links. Het was donker in de kamer, maar de gordijnen waren dun en de straatlantaarns gaven voldoende licht.

Hij liep voorzichtig naar tante Vera toe. Hij moest de krakende plank bij het raam vermijden en hij probeerde niet te huiveren. Het was koud en hij had geen kamerjas aan. Als ze wakker werden zou hij net doen of hij slaapwandelde. Toen Thomas zo oud was als

Ronnie had hij veel geslaapwandeld. Ronnie had dat gehoord toen tante Vera het er met mevrouw Brown over had.

Tante Vera lag op haar rug, met open mond. Ze maakte raspende geluiden terwijl oom Stan ronkend lag te snurken. Haar rechterarm lag over zijn borst. Maar die arm interesseerde hem niet.

Voorzichtig tilde hij de sprei en de dekens op. Haar linkerarm lag naast haar lichaam. Er zat geen verband meer om. Het licht was zwak maar toch kon hij de beschadigde huid zien. Hij strekte zijn vingers uit om haar arm aan te raken, maar hij hield zich in om haar niet wakker te maken. Zien was al genoeg. Te weten dat het waar was.

Veel kinderen in zijn klas hadden rolschaatsen. De oma van Sally Smith was erover gestruikeld en had haar enkel gebroken. Sally had er in de klas over verteld en een vaag idee had opeens vorm gekregen. Een gebroken enkel zou goed zijn geweest, maar een arm met littekens was nog beter.

Zijn moeder zei dat tante Vera het allemaal niet zo bedoelde. Dat ze eigenlijk een goed mens was. Maar hij geloofde haar niet. Tante Vera vond dat zijn moeder stom was. Tante Vera hield ervan zijn moeder aan het huilen te maken. Tante Vera wilde dat zijn moeder hem liet adopteren. Dan moest hij naar vreemde mensen en zouden ze elkaar nooit meer zien.

Maar hij zou nooit bij zijn moeder weggaan. Ondanks de twijfels van zijn moeder zou zijn vader op een dag verschijnen om voor hen te zorgen. Tot die dag moest hij voor haar zorgen. En tante Vera kon maar beter niet proberen hem weg te sturen, want anders…

Nou ja, dat kon ze maar beter niet doen. Dat was alles.

Terug in zijn eigen kamer keek hij naar zijn moeder. Ze lag op haar zij, zachtjes ademend, en zag eruit als een prinses in een sprookjesboek. Een haarlok stak omhoog. Met een natte vinger streek hij hem glad.

Niemand zou haar pijn doen. Hij zou het niet toelaten, want ze was zijn moeder en hij hield van haar. En zij hield van hem omdat hij haar kleine Ronnie Sunshine was, die haar gelukkig maakte in sombere tijden. Hij was de beste jongen ter wereld, had ze gezegd, en zij was trots op hem omdat hij knap was en slim en goed.

Maar hij was niet altijd goed. Soms deed hij slechte dingen en daar had hij dan geen spijt van. Hij wilde dat zij er blij om was en hem erom zou prijzen, maar als hij ook maar de geringste toespeling maakte was ze geschokt, want kleine Ronnie Sunshine deed nooit slechte dingen. Kleine Ronnie Sunshine had zelfs geen slechte gedachten.

Als ze wist wat hij dacht en deed, zou ze misschien niet meer zo trots op hem zijn.

Ze glimlachte in haar slaap. Haar gezicht was zacht en lief. Hij stelde zich voor hoe het zou verharden. Koud zou worden. '*Ga weg, Ronald. Je bent slecht en gemeen en ik haat je. Je bent mijn kleine Ronnie Sunshine niet meer.*'

Dan was er niemand die van hem hield en zou hij alleen zijn.

Het idee beangstigde hem. Hij barstte in tranen uit.

In haar droom was het kerstochtend. Ze was negen jaar oud en keek in haar kous met cadeautjes. Haar vader rookte een pijp en haar moeder zei hoezeer hij op Ronald Colman leek terwijl de kat luid miauwde alsof ze over de geur wilde klagen. Haar broer John had een mondharmonica gekregen en probeerde 'Hark the Herald Angels Sing' te spelen en iedereen lachte en zong mee...

Toen ze wakker werd, leek ze nog steeds het gelach te horen. Maar toen haar hoofd helderder werd, besefte ze dat ze gehuil hoorde. Ronnie stond naast haar bed, huiverend in de kille kamer. Hij snikte alsof zijn hart zou breken.

Ze nam hem in haar armen en bedekte zijn natte wangen met kussen. 'Alles is in orde, Ronnie. Mammie is bij je.' Zachtjes wiegde ze hem en maakte sussende geluidjes, terwijl buiten een trein voorbijraasde en de kamer met geluid en licht vulde.

'Wat is er, schat? Een nachtmerrie? Had je een enge droom?'

Hij knikte.

'Wat heb je gedroomd?'

Hij opende zijn mond en sloot hem weer, zijn hoofd schuddend.

'Je hoeft het me niet te vertellen. Het enige wat telt is dat het voorbij is en dat ik hier ben en dat je veilig bent.' Ze streelde over zijn haar. Zijn ogen waren groot en angstig. Ze herinnerde zich haar gedachten in het café en schaamde zich. Hij was nog maar een kind. Hij zou nooit doelbewust iemand pijn doen.

'Wil je bij mij in bed slapen? Ik hou de enge monsters wel op afstand. Dat beloof ik.'

Ze gingen liggen. Ze trok de dekens over hem heen terwijl hij zich tegen haar aan vlijdde. Ze bleef over zijn haar strelen en neuriede een slaapliedje om hem weer in slaap te helpen komen.

Maandagavond, twee weken later. Ronnie zat op de vloer naast de stoel van zijn moeder een boek te lezen. Tante Vera en oom Stan zaten samen op de bank voor de open haard.

De radio stond aan. Een programma met klassieke muziek. 'Nu een symfonie van Haydn,' zei de fluwelen stem van de omroeper. Tante Vera knikte goedkeurend. Haydn was een van de favorieten van mevrouw Brown. Oom Stan, die liever naar jazz op de andere zender luisterde, probeerde enthousiast te lijken.

Tante Vera droeg een dikke trui. Vroeger, zelfs als het echt koud was, zou ze de mouwen hebben opgestroopt. Maar nu niet. Terwijl ze naar de muziek luisterde, streek ze met haar vingers over de wol die de beschadigde huid bedekte.

Ze merkte dat Ronnie haar zat aan te kijken. Hun blikken kruisten elkaar.

'Doet het pijn?' vroeg hij.

'Een beetje.'

'Ik wou dat het geen pijn deed.'

Zijn moeder zat te naaien. Ze verstelde een van zijn overhemden. Ze streelde over zijn haar. Hij keek naar haar op, met een droevig gezicht. Het soort gezicht dat ze verwachtte bij de kleine Ronnie Sunshine.

'Lieve jongen,' fluisterde ze.

Hij probeerde zich te concentreren op de woorden op de pagina. Maar de beweging van tante Vera's hand bleef zijn aandacht verstoren. Het trok zijn blik aan als motten naar het vuur.

Lente 1953.

Langley Avenue was een straat met elegante huizen van grijze steen, die rond de eeuwwisseling waren gebouwd. De bewoners van Langley Avenue zeiden graag dat het het beste adres in Hepton was, maar aangezien Hepton zelf nogal een troosteloos oord was, wilde dat niet veel zeggen.

June en Albert Sanderson waren er veertig jaar geleden naartoe verhuisd toen Albert een ambitieuze, jonge advocaat was en hun twee zonen nog klein waren. Nu waren die zelf advocaat en hadden hun eigen gezin en Albert, wiens gezondheid zwak was, bracht zijn dagen door met het uitbreiden van zijn postzegelverzameling en met het raden van de dader in detectiveromans.

Tot zes maanden geleden was Doris Clark hun werkster geweest. Ze kwam elke zaterdag en verrichtte wonderen in het chaotische huishouden. Toen Doris aankondigde dat ze met pensioen ging, was een kennis, een zekere Sarah Brown, met de naam van een mogelijke opvolgster gekomen. Een jonge vrouw die Anna heette. Ze was ongetrouwd, had een zoontje te onderhouden en ze kon het geld goed gebruiken.

Die zaterdag zat June in de keuken een brief te schrijven aan haar nicht Barbara. Anna zat naast haar en poetste het zilver.

Toen ze klaar was met schrijven stond ze op en strekte haar stijf geworden hand. 'Theetijd,' kondigde ze aan.

'Ik zet het wel,' zei Anna.

'Laat maar. Ik sta al.' June vulde de ketel en zette hem op het vuur. Vanuit de woonkamer klonk de stem van Ivor Novello in harmonie met het gesnurk van Albert. Anna ging verder met poetsen. Ze deed het grondig. Ze was een harde werker. En had een vriendelijk karakter. Ze was altijd bereid te luisteren naar twee oudere mensen die hun zonen misten en vaak alleen elkaar en de radio als gezelschap hadden. June prees zich gelukkig dat ze haar hadden gevonden.

'Hoe gaat het met Stan?' vroeg ze. 'Is zijn verkoudheid over?'

'Al veel beter, dank u.'

'En Vera? Hoe gaat het met haar?'

'Ook goed.' Anna's ogen bleven op het zilverwerk gericht. Hoewel ze zelden sprak over haar leven in Moreton Street, was June opmerkzaam genoeg om te weten dat ze het daar niet gemakkelijk had. Sarah Brown had haar verteld dat Vera een verschrikkelijke snob was, die niet blij was dat ze een familielid had dat bijverdiende als werkster. De pot verwijt de ketel dat hij zwart ziet, had June bij zichzelf gedacht.

Het water kookte, ze vulde drie kopjes, deed limoenkwast in een glas en legde wat koekjes op een schaal. 'Kom maar,' zei ze tegen

Anna. 'Je hebt wel een pauze verdiend.'

Toen ze de woonkamer binnenkwam, schraapte ze haar keel. Alberts ogen gingen open. 'Ik sliep niet,' zei hij haastig. 'Of wel, Ronnie?'

Ronnie schudde zijn hoofd. Hij zat aan een tafel bij het raam te tekenen. Anna bracht hem vaak mee, uitvoerig haar verontschuldigingen makend, maar hij gedroeg zich altijd voorbeeldig. Een buurvrouw van June, Penelope Walsh, had gezegd dat ze nooit een werkster in dienst zou nemen met een onwettig kind, maar June weigerde iemand te veroordelen voor iets wat niet meer was dan een menselijke zwakte.

Ze gaf Ronnie zijn kwast en hield hem de schaal met koekjes voor, erop aandringend dat hij er twee zou nemen. 'Dank u zeer, mevrouw Sanderson,' zei hij. Hij was heel beleefd. Zijn moeder kon trots op hem zijn. Op zijn schetsblok stond een tekening van schepen op zee. Voor een jongen van nog geen acht was het opvallend goed.

'Dat is heel mooi, Ronnie,' zei ze.

'Het is voor u.'

'Wat een prachtig cadeau. Kijk eens hoe goed, Albert.'

Albert knikte. 'Je zoontje heeft talent,' zei hij tegen Anna. Haar gezicht straalde van trots, waardoor ze opeens zelf op een kind leek.

Ronnie zat naast zijn moeder. Ze sloeg haar arm om hem heen, terwijl Albert vertelde over de televisie die ze gingen kopen om de kroning van de koningin te kunnen volgen. Ronnie zei dat de ouders van een jongen in zijn klas, Archie Clark, er net een hadden gekocht, maar dat ze niet wisten hoe het apparaat werkte.

Anna keek glimlachend omlaag naar Ronnie, haar ogen vol ongecompliceerde liefde. Eens, tijdens een van de weinige keren dat ze echt vertrouwelijk was geworden, had ze June verteld dat ze Ronnie had beloofd dat ze een groot huis op het platteland voor hem zou kopen. Wie weet, maar met haar schamele inkomentje vroeg je je af hoe ze dat wilde doen.

June wilde dat ze kon helpen. Maar dat ging niet.

Zomer 1953.

'... altijd beleefd en oplettend. Ronnie leert zijn lessen erg goed.'

7 oktober 1953. De avond dat Thomas niet thuiskwam.

Eerst was niemand nog ongerust. Terwijl ze aan tafel gingen, was tante Vera eerder kwaad dan iets anders. 'Wat zonde van het eten! Ik zal een hartig woordje met hem spreken als hij komt opdagen.'

Maar tegen het einde van de maaltijd was haar stemming veranderd. Boosheid was vervangen door vrees. Dergelijk gedrag paste niet bij Thomas. 'Hij is vast bij die deugniet van een Johnny Scott. Peter, ga naar hun huis om hem te halen.' Peter deed wat hem gezegd werd en kwam terug met het nieuws dat niemand bij de Scotts enig idee had waar Thomas kon zijn.

De tijd verstreek. Andere vrienden werden bezocht en ze gaven allemaal hetzelfde antwoord. Vera werd steeds banger. Stan probeerde haar te kalmeren. 'Hij redt zich wel. Hij is geen klein kind meer.' Het mocht niet baten. 'Hij is pas twaalf! Hij hoort zo laat niet weg te zijn. Niet zonder ons iets te zeggen. God, waar kan hij zijn?' Ronnies moeder stelde voor de politie te bellen. Vera raakte in paniek. 'Je denkt zeker dat hem iets ergs is overkomen? Toch?' Ronnies moeder ontkende het. Zei dat het alleen een voorzorgsmaatregel was. Ronnie zat bij Peter en bekeek het tafereel. Dat het voor hen al lang bedtijd was, werd vergeten in de sfeer van toenemende vrees.

De rest van de avond verliep chaotisch. Het huis raakte vol met mensen. Mevrouw Brown en haar man. De Jacksons, hun buren. Buren van Baxter Road die ze nauwelijks meer hadden gezien sinds ze waren verhuisd. Overal klonken angstige stemmen. Vera klonk steeds schriller. De klok boven de haard tikte maar door. Tien uur. Elf. Middernacht.

De politie kwam. Er werden vragen gesteld. Aantekeningen gemaakt. Een van hen adviseerde Vera wat rust te nemen. Ze viel schreeuwend tegen hem uit. Noemde hem een idioot. 'Hoe kan ik slapen als mijn kind wordt vermist?' Ze wreef voortdurend met haar hand over haar linkerarm. Het leek haar niet te kunnen schelen dat de mouw van haar blouse omhoog was geschoven en dat de beschadigde huid voor iedereen zichtbaar was.

Ten slotte ging iedereen weg. De vijf bewoners bleven alleen achter. Stan en Vera zaten hand in hand bij het haardvuur en probeerden elkaar met angstige stem te overtuigen kalm te blijven. Peter zat aan hun voeten en Ronnie zat op de knie van zijn moeder. 'Je moet gaan slapen,' fluisterde ze. Hij schudde zijn hoofd en ze drong niet verder aan.

Uiteindelijk viel hij in slaap en hij droomde dat de politie terugkwam, met de mededeling dat Thomas was gevonden en dat hem niets mankeerde. Daarna droegen ze een skelet de kamer in, gekleed in de zondagse kleren van Thomas. Toen hij wakker werd was het bijna ochtend. Iedereen sliep, behalve tante Vera die haar bezeerde arm zat te wrijven terwijl de tranen over haar wangen stroomden.

Een tijdje keek hij haar alleen maar aan. 'Niet huilen,' zei hij ten slotte.

'Ik kan er niets aan doen. Het is niet te verdragen. Het ergste dat me kon overkomen.'

'Nog erger dan uw arm?'

'Veel erger.'

Hij boog zich naar haar toe. 'Waarom?'

'Omdat dat mij overkwam. Ik was degene die gewond was. Nu kan Thomas gewond zijn.' Ze begon te snikken. 'Misschien is hij wel dood en ik kan niets doen. Dat is de ergste pijn. Als iemand van wie je houdt iets ergs overkomt. Het doet meer pijn dan mijn arm ooit heeft gedaan.'

'Maar...'

Ze veegde haar wangen droog. 'Ga slapen, Ronnie. Ik wil niet meer praten.'

Gehoorzaam als altijd sloot hij zijn ogen.

9 oktober. Mevrouw Jennings keek toe hoe de derde klas bad voor de veilige terugkeer van Thomas Finnegan in hetzelfde klaslokaal waar Thomas vijf jaar geleden had gezeten.

Er was nog steeds geen nieuws. Hoewel Thomas niet een van haar favoriete leerlingen was, moest mevrouw Jennings er niet aan denken dat hem iets ergs was overkomen en ze bad dat het niet meer dan een kwajongensstreek zou zijn en niet iets veel ergers.

Een onderdrukte giechel haalde haar uit haar concentratie. Alan Deakins, de lastigste jongen van de klas, trok gekke gezichten tegen zijn vriendjes, Robert Bates en Stuart Hopkins. Mevrouw Jennings wierp ze een strenge blik toe en drie paar ogen werden snel gesloten. Nu had iedereen zijn ogen dicht, op twee na.

Mooie Catherine Meadows op de eerste rij bleef maar naar Ronnie Sidney kijken. Catherine was verliefd op Ronnie en leefde duidelijk met hem mee.

En Ronnie zelf, naast de kleine Archie Clark in de tweede rij, zat voor zich uit te staren. Hij fronste, alsof de gedachten die in zijn hoofd rondspookten diepe rimpels trokken. Mevrouw Jennings was dol op Ronnie. Hij was een goede jongen: beleefd, hardwerkend en slim. Hij had ook veel verbeeldingskracht. Genoeg om bezorgd te zijn voor het welzijn van zijn neef Thomas.

Ze probeerde zijn blik te vangen en hem vriendelijk toe te lachen. Maar hij bleef in gedachten verzonken en merkte niets.

10 oktober. Thomas kwam thuis.

Hij was bij Harry Fisher geweest, een oudere jongen die regelmatig spijbelde en die op een andere school zat. Harry's moeder was overleden, zijn vader was een dronkelap die een week was verdwenen en Harry aan zijn eigen lot had overgelaten. Maar Harry had zijn eigen plan getrokken: hij stal wat spaargeld van zijn vader en was van plan een paar dagen plezier te maken in het West End. Daar zocht hij iemand bij die hem gezelschap kon houden. Hij had Thomas gekozen, die makkelijk te beïnvloeden was.

De politie was boos. 'Je hebt je heel dom gedragen, jongeman. Je hebt onze tijd verspild en iedereen ongerust gemaakt.' Tante Vera was over haar toeren. 'Ik weet niet of ik je moet omhelzen of vermoorden!' Ze koos uiteindelijk toch maar voor het eerste en overstelpte Thomas met taart en limonade. Peter was verontwaardigd en kondigde aan dat hij ook zou weglopen als dit het resultaat was. Hij kreeg een mep van oom Stan omdat hij zijn moeder van streek maakte.

Anna was bijna even opgelucht als Vera en omhelsde Ronnie. 'Jij mag me nooit zo laten schrikken, Ronnie. Ik moet er niet aan denken dat jou iets zou overkomen.'

Hij knuffelde haar. 'Dat zal ik nooit doen, mam. Dat beloof ik.'

December. Twee dagen voor de kerstvakantie. Mevrouw Jennings las een verhaal voor over een man die Horatio heette. Hij was van zijn geld beroofd en werd voor dood achtergelaten. Na jaren van zoeken had hij de dader gevonden en hij doodde hem in een duel. Haar collega, juffrouw Sims, vond het verhaal wat te gewelddadig, maar mevrouw Jennings wist uit ervaring dat zelfs de liefste kinderen dol waren op bloederige verhalen.

'Vonden jullie het mooi?' vroeg ze.

Iedereen riep ja en knikte. Alan Deakins vond dat Horatio de rover in kokende olie had moeten dompelen en Catherine Meadows zei hem dat hij niet zo afschuwelijk moest doen.

'Horatio had wraak genomen, Alan. Daar gaat het om.' Mevrouw Jennings sloot haar boek. 'En nu...'

'Niet waar,' zei Ronnie Sidney.

'Jazeker, Ronnie. Hij doodde sir Neville.'

Ronnie schudde zijn hoofd. 'Sir Neville was getrouwd. Hij hield van zijn vrouw. Horatio had háár moeten doden. Dat zou sir Neville meer pijn hebben gedaan en dat was een betere wraak geweest.'

Mevrouw Jennings stond versteld. 'Nou, dat weet ik niet, hoor, Ronnie...'

'Zeker weten.'

Alan floot. Meer gegiechel. Catherine zei dat hij zijn mond moest houden.

'Misschien heb je wel gelijk, Ronnie. Nu wil ik dat jullie een tekening maken van het kasteel van sir Neville.'

Vijf minuten later waren alle hoofden over het tekenpapier gebogen, ook dat van Ronnie Sidney. Mevrouw Jennings keek naar hem. Zijn commentaar had haar verrast, maar misschien was het niet echt zo verrassend. Ze wist dat hij veel las met zijn moeder. Misschien hadden ze al wat van Shakespeare gelezen. Wellicht de tragedies. Hoewel Ronnie te jong was om het echt te kunnen waarderen, had hij er vast wel iets van opgestoken. Hij was tenslotte een slimme jongen, die goed kon leren.

Ze begon te bedenken wat ze die avond zou koken.

September 1954.

'Anna,' zei June Sanderson, 'we moeten eens praten.'

'Heb ik iets verkeerds gedaan?'

'Integendeel. Ik heb een voorstel.'

Ze zaten in de keuken van June. Albert was boven en liet Ronnie zijn nieuwe postzegels zien.

'Ik heb een nichtje, Barbara Pembroke. Ik heb het geloof ik wel eens over haar gehad.'

'Die naar Oxfordshire is verhuisd?'

'Inderdaad. Ze woont in een stadje dat Kendleton heet. Haar huis staat aan de rivier.'

Anna knikte.

'Ik heb Barbara over jou verteld. Over hoe dol Albert en ik op jou en Ronnie zijn geworden. Barbara is een oude vrouw. Haar gezondheid is niet best. Ze heeft een zwak hart en ze heeft niet lang meer te leven.'

Nog een knikje. Ze keek verward.

'En ze is eenzaam. Ze heeft geen familie in de buurt. Haar enige zoon werkt in Amerika en ze zoekt iemand die haar gezelschap kan houden. Iemand die bij haar intrekt, gewoon voor de gezelligheid. Er zit ook wat huishoudelijk werk aan vast, maar niet veel. Ze is rijk en ze heeft al een kok en een werkster. En ook een tuinman. Er is zelfs een verpleegster die regelmatig langskomt. Ze zoekt vooral gezelschap.'

'En u dacht aan mij?'

'Ze betaalt goed, Anna. Heel goed, als ze de juiste persoon heeft gevonden. Het is een goede vrouw. Ze heeft zo haar vaste gewoonten, maar ze is aardig. En...' June aarzelde en koos haar woorden zorgvuldig. 'En genereus. Een vrouw die haar dankbaarheid in haar testament zou laten blijken.'

'Ik begrijp het.'

'Ik weet dat je daar weg wilt. Dat je een nieuw leven wilt opbouwen. Een eigen huis. Dit zou de manier kunnen zijn om dat te verwezenlijken.'

Anna zette de schaal die ze aan het poetsen was neer. 'Denkt u dat ze mij zou willen?'

'Je moet haar natuurlijk eerst een keer ontmoeten. Maar ik ben er zeker van. Zoals ik al zei, ik heb haar uitgebreid over jou verteld. En ik heb je uitbundig geprezen.' Weer een lach. 'Niet in mijn eigen belang, eigenlijk, want ik raak je niet graag kwijt.'

Anna keek treurig. 'Toen ik nog klein was, net voor de oorlog, namen mijn ouders mijn broer en mij mee voor een vakantie op een kanaalboot. We voeren door de kanalen van Londen en naar het platteland. Het was een heerlijke vakantie. Het weer was prachtig. Als we bij de sluizen kwamen, mochten we meehelpen op de boot. We kwamen door Oxfordshire en dat was zo mooi.'

'Dat is het nog steeds. De Chilterns. De Goring Gap. Oxford zelf. De beste universiteit van het land.'

'Beter dan Cambridge?'

June keek verontwaardigd. 'Duizend keer beter.' Toen glimlachte ze. 'Maar mijn broer en Albert deden dezelfde studie in Oxford. Ze raakten bevriend en zo hebben we elkaar leren kennen. Misschien mag ik dus een beetje bevooroordeeld zijn.'

Anna glimlachte ook. 'Ik denk het wel.'

'Het is daar een heel andere wereld dan hier.'

Anna's ogen begonnen te stralen. 'Het soort wereld dat ik voor Ronnie wil. Ergens waar het groen en mooi is. Hoe zijn de scholen in Kendleton?'

June voelde dat haar maag zich samentrok. 'Er zit een addertje onder het gras, Anna. Barbara heeft rust nodig en de dokter staat erop dat ze geen kinderen in huis neemt. Ronnie zou bij Stan en Vera moeten blijven.'

De glimlach verdween even snel als hij was verschenen. 'Dan moet ze iemand anders zoeken.'

'Maar...'

'Nee.'

'Anna, denk na...'

'Nee! Absoluut niet. Ronnie is alles wat ik heb. Ik zou hem nooit achterlaten. Nooit!' Anna werd rood, ze dempte haar stem. 'Het spijt me. Ik bedoelde het niet zo. U bent altijd goed voor ons geweest en ik ben u dankbaar, maar dit kan niet.'

Anna pakte de schaal op en ging door met haar werk. June hoorde Albert boven lachen om iets wat Ronnie had gezegd. Aan de muur hing een tekening van de Tower van Londen. Een werkstukje van Ronnie. Uitzonderlijk goed voor een jongen die nog geen negen was.

'Het zou niet voor altijd zijn, Anna. Een paar jaar, misschien minder. Je kunt altijd langskomen. Kendleton is niet zo ver weg. Albert en ik kunnen een oogje op Ronnie houden. Hij mag hier altijd komen. Je weet hoe dol we op hem zijn. Je moet het idee niet meteen afwijzen. Beloof me dat je er nog eens over nadenkt.'

Stilte. Boven klonk nog steeds gelach.

'Wat is er, mam?'

'Niks, Ronnie.'

'Jawel, er is wel iets.'

Ze zaten aan het raam in café Amalfi. Ronnie had de jamgebakjes achter zich gelaten en at nu roomsoesjes met chocolade. Het was druk. De gesprekken overstemden bijna het geluid van een plaat van Alma Cogan die op de zojuist geïnstalleerde jukebox werd gespeeld.

Ze vertelde hem wat June Sanderson had gezegd. 'Ga je?' vroeg hij, toen ze klaar was met haar verhaal.

'Nee. Ik heb tegen mevrouw Sanderson gezegd dat haar nicht maar iemand anders moet zoeken.'

Hij knikte.

'Dat lukt haar wel.'

'Ze vindt niet zo'n aardig iemand als jij.'

'Dank je, Ronnie.' Anna nipte van haar thee. Aan een tafeltje vlakbij zat Emily Hopkins, de zus van haar vroegere aanbidder Harry, te praten met een jonge vrouw die Peggy heette. Beiden keken steeds, en dat gaf Anna een ongemakkelijk gevoel. Harry was een jaar geleden met Peggy getrouwd en met kerst zou hun eerste kind geboren worden. Peggy had dof haar en een zuinig mondje. Anna's vriendin Kate vond dat Harry een stomkop was. Dat Peggy niet zo mooi was als Anna, en ook niet zo aardig. Maar ze had ook geen onwettig kind.

Ronnie zat haar aan te staren. Hij keek verdrietig. Nu was het haar beurt om bezorgd te zijn. 'Wat is er?'

Hij gaf geen antwoord.

'Ronnie?'

Hij slikte. 'Je moet gaan.'

Ze zette haar kopje neer. 'Wil je dat ik ga?'

'Nee. Maar...' Hij maakte zijn zin niet af. Het was niet nodig. Ze wist wat hij dacht. Wat ze zelf dacht.

'Ik wil je niet in de steek laten, Ronnie.'

'Ik red me wel. Ik ben geen klein kind meer.'

Er zat slagroom op zijn lip. Ze veegde het weg. 'Nee, dat klopt,' zei ze zacht. 'Je bent mijn grote, slimme, grote jongen.'

Emily en Peggy zaten nog steeds naar hen te kijken. Ronnie was blijkbaar in een rare bui en trok een gek gezicht. Beiden keken snel weg. Anna onderdrukte een lach. 'Dat was stout,' zei ze. 'Nu ben ik heel boos.'

Hij trok ook een gek gezicht tegen haar. Een leuk gezicht deze keer. Ze dacht wat ze eraan gehad zou hebben als ze met Harry was getrouwd. Een fatsoenlijke, hardwerkende echtgenoot. Een eigen huis. Aanzien. Misschien meer kinderen. De prijs zou geweest zijn dat ze Ronnie voor altijd kwijt was.

Zijn hand lag op de tafel. Ze kneep erin. Hij kneep terug.

'Ik hou van je, kleine Ronnie Sunshine. Meer dan van wie dan ook ter wereld.'

'Ik hou ook van jou, mam. Ik wil niet dat je weggaat. Maar als je het toch doet, is het ook goed.'

'Eet je soesje op. We praten er wel een andere keer over.'

Hij nam een hapje. Deed alsof hij at. Maar toen ze het café verlieten lag er nog een half soesje op zijn bord.

Oktober. Terwijl haar echtgenoot zat te snurken tijdens een quizprogramma op hun nieuwe televisie, bestudeerde mevrouw Fletcher het resultaat van een tekenwedstrijd die ze aan de vierde klas had opgegeven. Het onderwerp was: een belangrijke persoon in mijn leven. De winnaar kreeg vijf shilling en zijn tekening zou een week lang op het mededelingenbord hangen.

De meeste kinderen hadden hun moeder getekend. De ondeugende Alan Deakins had een tekening gemaakt van die hoerige Marilyn Monroe, maar Alans moeder leek op een hoer, dus dat was wel toepasselijk. Stuart Hopkins, de slechtste van de klas die hoopte in het gevlij te komen, had een tekening gemaakt die zijn juf moest voorstellen. Het leek meer op een waterspuwer. Sommigen hadden hun vader getekend. De patriottische Catherine Meadows had voor de koningin gekozen. Archie Clark had een tekening van zijn kat gemaakt.

Eén tekening stak met kop en schouders boven de rest uit: de tekening die Ronnie Sidney had gemaakt van zijn neef Thomas.

Het was een ongewone tekening. Thomas zelf kwam er niet op

voor. Ronnie had een kerkhof getekend. In het midden een grafsteen, geflankeerd door een stenen engel met gespreide vleugels en de handen samengevouwen in gebed. Op de steen stond gegraveerd: THOMAS STANLEY FINNEGAN. GEBOREN 12 NOVEMBER 1940. OVERLEDEN 7 OKTOBER 1953.

Mevrouw Fletcher dacht terug aan vorig jaar oktober toen Thomas vermist was. Haar collega, mevrouw Jennings, had haar verteld hoe de hele klas voor Thomas had gebeden en hoe bezorgd Ronnie was geweest. Bang dat Thomas dood was. Gelukkig was het allemaal goed afgelopen.

Maar het had heel anders kunnen gaan. Dat was wat de tekening liet zien.

Het was goed gedaan. Met veel verbeeldingskracht. Net als Ronnie zelf.

Maar het was ook verontrustend. Niet het soort tekening dat op een mededelingenbord thuishoorde. Het zou de eerstejaars nachtmerries kunnen bezorgen.

Ze besloot de eerste prijs aan een ander kind toe te kennen. Ronnie zou nog wel andere wedstrijden winnen.

Januari 1955.

Ronnie stond op een perron van Paddington Station met zijn moeder te praten bij het raampje van de trein. Oom Stan en Peter, die hadden geholpen haar bagage te dragen, stonden verderop te wachten.

'Ik zal elke dag schrijven,' zei ze. 'Zeg het me als je me nodig hebt. Ik kan terugkomen. Ik hoef niet te blijven.'

'Maak je geen zorgen, mam.' Hij toonde zijn beste Ronnie Sunshine-lach. 'Ik red me wel.'

De conducteur blies op zijn fluitje. Het was tijd. Ze leunde uit het raampje. Omhelsde hem zo goed als ze kon, terwijl late reizigers zich langs haar heen drongen op zoek naar een zitplaats.

De trein zette zich in beweging en zond witte stoomwolken de lucht in. Ze bleef bij het raam staan wuiven. Hij wuifde terug, zich verzettend tegen de neiging achter haar aan te rennen en te smeken of ze wou blijven.

Toen liep hij terug naar de anderen.

'Alles goed, Ronnie?' zei oom Stan op geforceerde joviale toon.
Hij knikte.
'Zullen we ergens patat eten? Ik weet zeker dat je tante dat niet erg vindt voor een keer.'
'Graag, oom Stan.'
'Wachten jullie hier. Ik ga even sigaretten kopen.'
'Moet je niet huilen?' vroeg Peter toen ze alleen waren.
'Nee.'
'Jawel. Vooruit, huilebalk. Bastaard. Begin maar te snotteren om je mammie.'
Ronnie schudde zijn hoofd.
'Je bent alleen maar bij ons omdat pa en ma een slechte indruk zouden maken als we je niet zouden laten blijven. Anders zou je in het weeshuis zitten, bij al die andere bastaards.'
Ronnie voelde dat er een brok in zijn keel kwam. De tranen waar hij de hele dag tegen gevochten had, waren niet ver weg. Peters ogen glommen alsof hij dit aanvoelde. Terwijl Ronnie in zijn ogen keek, herinnerde hij zich tante Vera die op de keukenvloer lag. Hij stelde zich voor hoe Peter daar lag: schreeuwend terwijl kokend vet over zijn gezicht liep.
Hij voelde een lach omhoogkomen en de brok in zijn keel verdween.
Peters gezicht betrok. Hij raakte in de war. 'Huil!'
'Waarom? Ga je een van je rolschaatsen laten slingeren zodat ik erover struikel?'
Peter liep rood aan. 'Klootzak!' Hij liep naar zijn vader.
Ronnie draaide zich om. Hij wilde nog een laatste glimp van de trein van zijn moeder opvangen. Maar het perron was leeg en ze was verdwenen.

4 februari 1955

Lieve mama,
Bedankt voor je brief. Hij kwam deze ochtend en ik heb hem tijdens het ontbijt gelezen. Tante Vera was boos maar dat kon me niet schelen. Ik heb hem mee naar school genomen en daar heb ik hem nog drie keer gelezen. Ik ga hem ook in bed lezen!

Het gaat goed met mij. Thomas is verkouden en heeft oom Stan aangestoken maar mij niet. Mevrouw Fletcher heeft me een boek gegeven dat King Solomon's Mines *heet. Het is heel goed. We hebben een repetitie rekenen gehad en ik was de beste van de klas, samen met Archie. Gisteravond kwamen meneer en mevrouw Brown eten en tante Vera heeft een visstoofpot gemaakt uit een kookboek. Het kostte haar de hele dag en ik hoorde mevrouw Brown tegen meneer Brown zeggen dat het het vieste was dat ze ooit had gegeten.*

Gisteren heb ik meneer en mevrouw Sanderson gezien. Ik moest je de groeten doen, ook van tante Mabel en oom Bill. Meneer Sanderson gaf me een rode postzegel van vijf cent en een paar Amerikaanse postzegels en een album om ze in te doen. Er zijn verschillende bladzijden voor verschillende landen. De oom van Archie woont in Australië en hij gaat me ook postzegels geven.

Catherine Meadows zat vandaag naast me op school. Ze zei dat ze voor me gaat zorgen zolang jij in Oxfordshire bent maar ik heb gezegd dat dat niet hoeft. Ik moet voor jou zorgen.

Heel veel liefs,
Ronnie Sunshine

Mabel Cooper stond in haar hoekwinkeltje te luisteren naar Emily Hopkins, die vertelde over de pasgeboren zoon John van haar broer Harry. 'Zo'n prachtige baby. En nog slim ook. Weet je...' Mabel knikte beleefd, terwijl ze zich afvroeg of Emily nog iets zou kopen.

Ronnie Sidney kwam in zijn schooluniform de winkel binnen. Emily's mond verstrakte. Ze bekeek hem van top tot teen, alsof ze naar iets zocht waar ze kritiek op kon hebben. 'Alles goed met je moeder?' vroeg ze kortaf.

'Heel goed, dank u.'

'Nou, ik moet gaan. Mabel, de volgende keer neem ik een foto van John mee.'

'En een boodschappenlijstje,' mompelde Mabel terwijl Emily vertrok. Toen glimlachte ze tegen Ronnie. 'Is die brief voor je moeder?'

'Ja.' Hij toonde de shilling in zijn hand. 'Mag ik een postzegel?'

Ze gaf hem een zegel. 'Heb je haar de groeten gedaan van ons?'

Hij knikte terwijl hij de zegel op de envelop plakte.

'Hoe gaat het met jou, Ronnie?'

Hij hield zijn hoofd omlaag. 'Wel goed.'

'Echt?'

Hij keek op. Forceerde een lachje. 'Echt.'

Ze gaf hem een chocoladereep. De grootste die ze hadden. 'Neem maar.'

'Bedankt, tante Mabel.'

'Je moet gauw thee komen drinken. En neem wat tekeningen mee. We zijn er heel benieuwd naar.'

'Dat zal ik doen. Tot ziens, tante Mabel. De groeten aan oom Bill.'

Ze keek hem na terwijl hij de winkel uit liep. Zijn tweedehands schooluniform was te groot maar hij zou er nog wel in groeien. Een groep jongens voetbalde op straat, in het laatste daglicht. Een van hen riep dat hij mee moest doen maar hij schudde zijn hoofd en liep door.

Ze had ooit een psychiater op de radio horen zeggen dat creatieve mensen vaak eenzaamheid behoeven om de muziek van hun innerlijk goed te kunnen horen. Ronnie was een eenling en hij was creatief. Haar man, Bill, dacht dat Ronnie op een dag beroemd zou worden. Misschien had hij gelijk. Misschien zouden de mensen over twintig jaar vragen aan haar stellen over Ronnie Sidney en dan zou ze antwoorden: 'Hij was altijd introvert. In zichzelf gekeerd. Maar hij kon niet anders. Hij wilde geen energie verspillen aan alledaagse dingen. Dan zou hij zijn innerlijke muziek niet meer kunnen horen.'

Kleine Ronnie Sidney. Een toekomstig belangrijk man? Ze hoopte het. De tijd zou het leren.

Er kwam een andere klant binnen. Ze maakte zich op om iets te verkopen.

Alle lichten waren uit in Moreton Street 41. Ronnie zat in zijn kamerjas in de vensterbank een tekening voor zijn moeder te maken bij het licht van de maan.

Het was een kopie van zijn favoriete schilderij. Ophelia die verdronk, met bloemen in haar haar. Het was niet zo volmaakt als het origineel. Hij was niet zo goed als Millais. Nog niet. Maar op een dag zou hij een beroemde schilder zijn en iedereen ter wereld zou zijn naam kennen. Dat was wat zijn moeder voor hem wenste. Hij wilde het ook, voor haar.

Haar bed was nu afgehaald. Oom Stan had gezegd dat hij er in mocht slapen, als hij dat wilde. Het veldbed was nu bijna te klein voor hem. Maar hij had geweigerd. Het was het bed van zijn moeder. Hij wilde niet dat het door iemand anders werd beslapen, zelfs niet door hemzelf.

Het was volle maan. Een grote witte bol in de koude nachthemel. Hij stopte met tekenen en keek ernaar. Hij stelde zich voor dat hij het silhouet van het vliegtuig van zijn vader voorbij de maan zag trekken. Op een dag zou zijn vader komen en dan zouden ze samen zijn. Hij en zijn moeder zouden eindelijk bij een echt gezin horen en niet langer als ongewenste gasten bij vreemden wonen.

Op een dag zou het gebeuren. Hij wist het zeker.

Een trein denderde voorbij in het duister. De kamer was vol van geluid en licht. In zijn verbeelding liep hij naar een prachtig herenhuis aan een rivier waar zijn ouders stonden te wachten terwijl de trein ontspoorde en omlaag stortte, tegen het huis aan botsend dat hij achter had gelaten. Alle mensen die daar lagen te slapen kwamen om, zoals een achteloze hand een groepje insecten verpletterde.

De tekening was klaar. Goed, maar niet goed genoeg. Hij verscheurde hem en begon opnieuw. Hij richtte al zijn energie op het vel papier en sloot zich af voor alle geluiden op de achtergrond zodat hij beter naar de muziek van zijn innerlijk kon luisteren. Een mengelmoes van noten die na verloop van tijd zouden uitgroeien tot een concert of een symfonie. De tijd zou leren waar die melodieën hem heen zouden voeren.

Kleine Ronnie Sunshine, met zijn zak vol snoep.
Kleine Ronnie Sunshine, die lieve, knappe vent.
Kleine Ronnie Sunshine, een Mozart in de dop.
Kleine Ronnie Sunshine...

DEEL II

Oxfordshire, 1952

Osborne Row. Een rustige straat met rijtjeshuizen aan de westkant van Kendleton. Susan Ramsey woonde op nummer 37, samen met haar ouders en talloze foto's.

De hele ruimte was bedekt met ingelijste afbeeldingen. Vergeelde portretten van de grootouders die ze nooit echt had gekend. Foto's van haar vader als ondeugende schooljongen en als knappe man in het uniform dat hij tijdens de oorlog had gedragen. Kinderfoto's van haar moeder tijdens vakanties en voor de kerk op haar trouwdag. Maar er waren vooral veel foto's van Susan zelf. Tientallen. Elk van haar zes jaren was liefdevol vastgelegd.

Soms, als er bezoek kwam, verwijderde haar vader haar foto's uit de gang en woonkamer terwijl haar moeder glimlachte en hoofdschuddend toekeek. Als het bezoek arriveerde trok Susan zich terug op de trap met een boek en wachtte tot ze naar beneden werd geroepen.

En als ze de kamer binnenkwam, nieuwsgierig rondkijkend naar de vreemde gezichten, stokte de gesprekken van de volwassenen.

Dan begon het, zoals altijd. Het gepraat over actrices die iedereen kende, behalve zijzelf. Vivien Leigh. Gene Tierney. Jean Simmons. Ava Gardner. De meesten kwamen kort ter sprake, maar Elizabeth Taylor werd altijd uitvoerig besproken. Susan wist niets van Elizabeth Taylor, behalve dat ze ooit een prachtige collie had gehad die Lassie heette, maar die had ze weggegeven aan een jongen die Roddy McDowall heette. Dat betekende dat Elizabeth Taylor heel stom was. Als Susan een hond had gehad, zou ze die nooit hebben weggegeven. Een hond hebben was haar grootste wens.

Nou ja, op één na.

Ze zat vaak naast haar moeder op de bank, at cake en vertelde het bezoek over wat ze op school leerde en over Charlotte Harris die bij haar in de klas zat. Ze woonde in dezelfde straat en ze was haar beste vriendin. De gasten glimlachten en knikten terwijl haar moeder over haar haar aaide. Haar vader trok, zonder dat iemand het zag, gekke gezichten zodat ze uiteindelijk in lachen uitbarstte en de kruimels cake in het rond vlogen. Dan keek haar vader opeens serieus en merkte op hoe snel vergif zijn werk deed en dan moest ze nog harder lachen.

Soms, als ze de kamer had verlaten, zat ze voor de kaptafel van haar moeder en bestudeerde ze het gezicht dat zoveel opwinding bij anderen veroorzaakte. Het was hartvormig, met loshangend, dik, donker haar. Zwartblauw, volgens haar vader. De huid was bleek, de lippen rood en vol, de neus smal en elegant. Grote ogen met donkere wimpers, zo blauw dat ze bijna paars waren. Violet, zei haar moeder. Het soort gezicht waar mannen voor zouden willen sterven.

Maar voorlopig was het gewoon haar gezicht. Ze raakte al snel verveeld en ging terug naar haar eigen kamer, met de sprei die was versierd met manen en sterren, de planken vol met boeken en speelgoed en de schelp die haar vader van een vakantie in Cornwall had meegenomen. Ze hoefde hem alleen maar tegen haar oor te drukken om het geluid van de zee te horen.

In het midden van de kamer stond een houten wiegje dat haar opa van vaderskant had gemaakt. Onder een dekentje lag een porseleinen pop die ze van haar oma had gekregen. Beiden waren overleden voor haar tweede verjaardag. Ze kon zich geen van tweeën herinneren, maar toch miste ze hen. Haar vader sprak vaak over hen, waardoor ze voor haar levend bleven.

Ze knielde vaak neer naast het wiegje en liet het zachtjes schommelen. Ze zong de liedjes die ze op school had geleerd en voelde zich opeens bedroefd omdat het haar liefste wens was een broertje of zusje te hebben. Een echte, levende pop waarvan ze kon houden en die ze kon beschermen, net zoals haar ouders van haar hielden en haar beschermden.

Er zou nooit een baby komen. Dat had haar vader gezegd.

'Waarom zouden we nog een kind willen?' had hij gevraagd. 'Jij bent toch al ons volmaakte kind?' Hij glimlachte erbij maar zijn ogen stonden droevig en ze wist dat dit alles deel uitmaakte van een vreemd mysterie van de volwassenen dat ze nog niet begreep en dat ze alleen maar kon accepteren.

Maar het verlangen bleef en terwijl ze zong voor de pop, staarde ze in de geverfde ogen en wenste dat hij tot leven zou komen en dat haar droom werkelijkheid zou worden.

Net als de meeste kleine stadjes had Kendleton ook deftige straten.

De deftigste was The Avenue: de chique huizen ten zuidoosten van het centrum, met enorme tuinen die uitkwamen bij de Theems. De ouders van Susan waren niet bevriend met mensen die op The Avenue woonden, maar een van Susans klasgenootjes, Alice Wetherby, woonde er en Susan en haar vriendin Charlotte waren bij Alice thuis geweest toen er een feestje was. Tijdens het feest had de oudere broer van Alice, Edward, de bril van Charlotte in de rivier gegooid en haar aan het huilen gemaakt. Susan had Edward in zijn gezicht gestompt zodat hij ook moest huilen. Ze was meteen uit de gratie en werd naar huis gestuurd, en zo kwam er een einde aan haar omgang met de elite van Kendleton.

Maar ze had nog steeds connecties. Het op één na deftigste adres was Queen Anne Square: een vierkant plein met mooie huizen van rode baksteen in de schaduw van Kendleton Church. Susans peettante Emma en oom George woonden daar. Die twee waren de vorige zomer getrouwd en Susan was bruidsmeisje geweest, samen met een meisje dat Helen heette en dat driftig was geworden omdat ze haar jurk niet mooi vond. Ze had voor groot spektakel gezorgd door halverwege het gangpad in de kerk over te geven.

Het hart van Kendleton werd gevormd door Market Court: een groot, ovalen plein in het centrum van de stad met straten die alle kanten op liepen, als de draden van een spinnenweb. De rijkere inwoners van de stad woonden aan de oostzijde, waar de huizen groter waren en de straten breder. 'De Court oversteken' was de wens van menige inwoner aan de westkant.

Market Court had veel winkels, waaronder Ramsey's Studio, waar de vader van Susan de eigenaar van was. Hij was fotograaf, gespecialiseerd in portretten. Twee jaar daarvoor had een lokale krant een wedstrijd uitgeschreven om te bepalen wie 'Little Miss Sparkle' zou worden en Susans vader had haar portret ingestuurd. Ze had gewonnen en ontving tien shilling, een sprookjesboek en de eer dat haar foto in de krant stond met het bijschrift: *De kleine Susan Ramsey straalt als een ster*. Haar vader had het artikel ingelijst en het aan de muur van zijn winkel gehangen zodat iedereen het kon lezen.

En vanaf die dag was ze altijd zijn kleine Susie Sparkle.

Juli 1952.

Susan had geen enkel vermoeden dat haar moeder ziek was. Er waren geen duidelijke aanwijzingen. Hoewel haar moeder had geklaagd dat ze zo moe was, sliep ze vaak slecht. Ze was misschien iets rustiger dan anders, maar Susans vader was altijd al de meest uitbundige geweest.

Het gebeurde op een woensdagmiddag. Een hete, plakkerige middag, twee dagen voordat de grote vakantie zou beginnen. Susan en Charlotte liepen naar huis met Charlottes moeder, die aan de beurt was om hen van school te halen. Hun schooltassen botsten tegen hun benen terwijl ze plannen maakten voor de zomer. Charlottes nichtjes uit Norfolk kwamen logeren en Susan zei dat ze een hut moesten maken in de bossen ten westen van de stad. Haar vader had daar als jongen hutten gebouwd en had beloofd dat hij een goed plekje zou aanwijzen.

Ze kwamen bij nummer 22: het huis van Charlotte. Charlottes moeder vroeg Susan of ze wilde binnenkomen om te spelen, maar Susan zei dat ze beloofd had meteen naar huis te gaan. Nadat ze afscheid had genomen rende ze naar nummer 37 en klopte op de deur.

Ze wachtte maar de deur bleef gesloten. Nadat ze tot twintig had geteld, klopte ze opnieuw. Nog steeds niets. Ze opende de brievenbus. 'Mam, ik ben het. Laat me erin.' Ze kon de radio horen op de achtergrond. Haar moeder moest er zijn. Waarom deed ze niet open?

Ze stond bij de voordeur, niet wetend wat ze moest doen. Mevrouw Bruce van nummer 45 liep voorbij. Ze droeg een boodschappentas en worstelde met haar hond, Warner, die de lijn de andere kant op trok. Ze wuifde naar Susan. Susan zwaaide terug terwijl ze zich afvroeg of ze Charlottes moeder moest bellen.

Toen ging de deur open. Maar twee centimeter. Achter de deur hoorde ze voetstappen. Langzaam en zwaar. Als van een oud vrouwtje. Het klonk helemaal niet als haar moeder.

Even aarzelde ze. Ze begon bang te worden.

Toen duwde ze deur open en liep naar binnen. Vanuit de woonkamer klonk geluid dus ze ging naar binnen.

Haar moeder zat in haar nachtpon op de bank. Haar voeten waren bloot. Met een hand plukte ze steeds in haar haar. Op de salontafel stonden een theepot en twee kopjes, een groot blad met sandwiches en een appel waarin een brandende kaars was gestoken.

'Mam?'

Geen antwoord. Op de radio was een hoorspel over zeemannen bezig.

Susan liep naderbij. Haar moeder draaide zich om. Even was haar blik zo leeg dat het leek of ze haar eigen dochter niet herkende. Toen een blijk van herkenning. Maar zwak. Als een flikkerend peertje dat elk moment kon doven.

'Ga zitten. Eet wat.' De stem was vlak. Leeg. Heel anders dan de stem van haar moeder. Ze bleef met een hand aan een haarlok trekken.

Susan keek naar de tafel. De sandwiches, netjes gesneden, waren niet belegd. Gewoon stukken brood die krom waren getrokken door de warmte in de kamer. Was van de kaars droop over de appel en omlaag langs de tafel.

De angst in haar bleef groeien. Ze begreep het niet. Wat was er aan de hand? Waarom deed haar moeder zo?

Haar moeder wees naar de appel. 'Doe een wens.'

'Mam?'

'Doe een wens. Wens iets leuks. Wens...'

De stem stierf weg. Het haar was zo futloos dat het begon te breken. De radio speelde maar door terwijl buiten jongens voorbij fietsten. Ze rinkelden met hun bel en lachten.

'Mam, ik begrijp het niet.'

Haar moeder begon te huilen. Een zacht, jankend geluid als van een gewond dier. Susan sloeg haar armen om haar heen, drukte haar zo dicht als ze kon tegen zich aan en begon ook te huilen.

De telefoon in de gang begon te rinkelen. Ze rende erheen om de hoorn op te nemen en hoorde de stem van haar vader.

'Pap, er is iets mis met mama. Kom gauw naar huis. Alsjeblieft, kom naar huis...'

De rest van de dag was een waas. Van haar vader moest ze op haar kamer gaan spelen. Tante Emma arriveerde om haar mee te nemen naar Queen Anne Square. 'Het is alleen maar voor vannacht,' zei men tegen haar. 'Maak je geen zorgen over je moeder. Alles komt goed.'

Uiteindelijk bleef ze het grootste deel van de zomer bij tante Emma. Haar vader kwam elke avond langs. Haar moeder kwam nooit.

Tante Emma en oom George waren heel aardig. Tante Emma, jong en knap, nam haar mee om te picknicken bij de rivier en ze maakten uitstapjes naar Oxford om nieuwe kleren en speelgoed te kopen en ook een keer om Peter Pan te zien in de schouwburg. Oom George, een onopvallende man van bijna middelbare leeftijd, was architect en hielp haar bij het tekenen van fantasiesteden en vertelde verhalen over New York waar hij drie jaar had gewoond en dat de opwindendste stad ter wereld was.

Tante Emma en oom George hadden een vriend die meneer Bishop heette. Hij was jurist en woonde ook op Queen Anne Square. Toen hij op bezoek kwam zei hij tegen Susan dat ze hem oom Andrew mocht noemen. Hij had een sportwagen en nam Susan en tante Emma een keer mee voor een ritje op het platteland met het dak naar beneden. De wind blies in hun gezicht. Hij vond ook dat Susan op Elizabeth Taylor leek.

Telkens als ze vroeg hoe het met haar moeder ging, zeiden ze dat ze zich geen zorgen hoefde te maken. 'Mammie is op vakantie maar ze komt gauw thuis want ze wil alle nieuwtjes horen.' Ze zeiden dit met glimlachjes die net even te stralend waren en ze wist dat ze logen.

Soms, als ze niet kon slapen, kroop ze de trap af om hun gesprekken af te luisteren. Daaruit maakte ze op dat haar moeder iets had wat een zenuwinzinking werd genoemd, dat ze in een speciaal ziekenhuis zat en dat iedereen zich veel zorgen maakte.

Ze vertelde nooit wat ze had gehoord want ze wist dat ze niet wilden dat zij het wist. Niemand mocht het weten.

Maar natuurlijk wist iedereen het.

Een warme maandag in september. De eerste schooldag. De lerares van Susan nam de klas mee naar buiten voor een natuurwandeling.

Ze namen het pad langs de rivier dat de stad uit liep en verder richting Kendleton Lock. Ze liepen in paren, de jongens droegen petten, de meisjes hoedjes, als bescherming tegen de zon. Hun lerares, mevrouw Young, vertelde voortdurend over de fauna in de omgeving maar niemand luisterde. Iedereen had het druk met het uitwisselen van groeten en zwaaien naar de mensen op de bontgekleurde kanaalboten, die wachtten bij de sluizen om verder de rivier af te zakken.

Uiteindelijk sloeg de uitgelaten stemming om in balorigheid. Terwijl ze door een veld met verveeld uitziende koeien liepen, begon een jongen die vooraan liep de petten van zijn vriendjes in de rivier te gooien. Iedereen stopte abrupt toen mevrouw Young hem een standje gaf en een vriendelijke man op een boot de snel afdrijvende petten uit de rivier probeerde te halen met een vishaak.

Achter in de groep bespraken Susan en Charlotte welke kanaalboot ze het mooist vonden. Susan vond een boot die Merlin heette het mooist, niet zozeer vanwege de kastelen die op de zijkant waren geschilderd, maar vanwege de geelblonde hond die op het dek lag te zonnen. Charlotte zei net welke boot haar voorkeur had toen Alice Wetherby verkondigde dat mensen die een bril droegen lelijk waren.

Charlotte viel stil. Ze was de enige in de klas die een bril droeg en ze had daar een grote hekel aan. Charlottes moeder en Susan zeiden voortdurend dat de bril leuk stond, maar ze geloofde hen niet.

'Mensen met een bril zijn lelijk,' zei Alice nogmaals. Luider deze keer.

'Ik ben niet lelijk,' zei Charlotte tegen haar.

Alice grijnsde, blij dat ze een reactie had geprovoceerd. Ze was een knap meisje met blond haar. 'Dat ben je wel. Je bent de lelijkste ter wereld.'

'Niet waar!'

Alice begon Charlotte te porren met haar vinger. 'Lelijk, lelijk, lelijk.' De kliek rond Alice begon mee te doen. Ze gingen om Charlotte heen staan en begonnen haar ook te porren. Ze vonden het leuk om te pesten. In het vorige schooljaar hadden ze een meisje dat Janet Evans heette tot slachtoffer gekozen en alle andere meisjes overgehaald niet meer met haar te praten. Janet was heel erg overstuur geweest.

Charlotte nu ook. Ze schudde haar hoofd, bijna in tranen. Charlotte was bang voor Alice. Maar Susan niet. Ze werkte zich naar voren in de kring en duwde Alice opzij. 'Laat haar met rust. Je bent zelf lelijk.'

'Hou je kop!'

Susan begon Alice te duwen. 'Dwing me dan.'

'Hou op!'

'Doe dan iets!'

'Hou op, jij met je gekke moeder!'

Susan hield op. 'Wat?'

'Je moeder is gek.'

'Dat is niet waar.'

'Wel waar. Ze zit in een gekkenhuis.'

'Ze is met vakantie.'

'Ze zit in een gekkenhuis. Iedereen weet het.'

'Niet waar!'

De ogen van Alice begonnen te schitteren. 'Gekke moeder! Gekke moeder!' Weer begon haar kliek mee te zingen. De hond sprong in het water om achter de eenden aan te gaan die bij de boot zwommen. 'Samson!' schreeuwde zijn baasje. 'Kom terug!'

'Gekke moeder!' ging Alice door. Ze begon vlak voor Susan te dansen en trok gekke gezichten. 'Gek! Gek!'

Susan greep Alice bij het haar en trok haar mee naar het weiland waar de koeien stonden. 'Laat me los!' schreeuwde Alice. 'Laat haar met rust!' schreeuwden de vriendjes van Alice. 'Susan Ramsey! Laat dat onmiddellijk!' riep mevrouw Young. Susan negeerde iedereen. Ze sleepte Alice mee tot ze de juiste plek had gevonden en gaf haar toen een harde duw. Alice viel voorover. Ze viel midden in de koeienstront, tot verbazing van de koe die in de buurt stond te grazen.

'Koeien eten mensen die onder de poep zitten,' verkondigde Susan. 'Kom op, koeien. Etenstijd!'

Alice sprong op en rende schreeuwend door het weiland. De

koeien schrokken en weken naar twee kanten uit voor haar, als de Rode Zee voor Mozes. 'Alice Wetherby, kom terug,' schreeuwde mevrouw Young. Ze liep zo hard als haar weelderige figuur toeliet achter haar aan en leek zelf wel op een voortsjokkende koe.

Susan begon te lachen. Anderen deden hetzelfde, terwijl Samson uit de rivier klom, zichzelf droog schudde en iedereen nat spatte.

'Ze zeiden dingen over mama.'

'Wat voor dingen?'

'Afschuwelijke dingen.'

Het was zes uur. Ze zat op de knie van haar vader in de woonkamer. Nu de school weer was begonnen woonde ze weer bij hem.

'Wat voor dingen, Susie?'

'Dat mama gek was. Dat ze in een gekkenhuis zit.'

'Ze is met vakantie.'

'Dat heb ik ook tegen Alice gezegd.'

'Brave meid.' Hij lachte haar toe. Zijn ogen waren grijs, zijn haar lichtbruin. Zij had de kleur ogen en haren van haar moeder. Ze wilde hem niet overstuur maken maar ze moest het weten.

'Wat is een zenuwinzinking?'

De lach verdween.

'Ze zit in een gekkenhuis, hè?'

'Susie...'

'Is het zo?'

'Luister...'

'Is het mijn schuld?'

'O, Susie.' Hij trok haar naar zich toe en kuste haar boven op het hoofd. 'Nee, schat, het is niet jouw schuld. Helemaal niets is jouw schuld.' Ze liet haar hoofd tegen zijn borst rusten. Aan zijn vinger zat een zegelring die ooit van haar opa was geweest. Ze draaide eraan en keek hoe het licht erop viel.

'Pap, wat is een zenuwinzinking?'

'Niks ernstigs, Susie. Laat ze maar kletsen. Het betekent dat mama... dat mama...'

'Wat?'

Stilte. Haar ogen stonden bedachtzaam. Ze wachtte verwachtingsvol af.

'Toen je met Alice vocht, was je toen bang?'
'Ik ben niet bang voor haar.'
'Maar Charlotte wel?'
'Ja.'
'Maar je vindt Charlotte toch nog steeds aardig? Je denkt niet slecht over haar omdat ze bang was.'
'Nee. Ze is mijn beste vriendin.'
'Als iemand een zenuwinzinking heeft, Susie, betekent dat dat die persoon voor alles bang is. Dat is er met mama gebeurd. Dus is ze ergens heen gegaan waar ze leert hoe ze weer dapper kan worden. Als dat gelukt is, komt ze terug naar huis.'
Hij lachte weer. Een geruststellend gezicht. Ze beantwoordde het niet.
'Wat gebeurt er als ze daarna opnieuw bang wordt?'
'Dat gebeurt niet.'
'En als het toch gebeurt?'
'Dat gebeurt niet, dat beloof ik.'
'En als ze toch bang wordt? Krijgt ze dan weer een zenuwinzinking? Ik wil niet dat ze nog een keer weggaat. Nooit meer.'
'Ze wordt niet bang meer, Susie. Zal ik je vertellen waarom?'
'Waarom?'
'Omdat we het niet laten gebeuren. We beschermen haar. Net zoals jij Charlotte beschermde.'
Ze knikte. Dat zouden ze doen. Hoe dan ook, dat zouden ze doen.

Na het eten wandelden ze langs de rivier. Hetzelfde pad dat ze eerder die dag had gelopen. De wind stak op en grote wolken raasden langs de hemel.
Ze zaten bij de rivieroever en lieten hun voeten in het water bungelen. Ze gooiden stukjes brood naar de eendjes terwijl de laatste boten de sluis passeerden. Haar vader verzon verhalen, alsof het piratenschepen waren die op zoek gingen naar een schat in Zuid-Amerika. Een van de schepen kwam langszij. Een oude man zat op de achtersteven een pijp te roken en glimlachte om de verhalen, terwijl zijn vrouw stond te koken in de kombuis en hun kleine zwarte hond heen en weer over de oever rende.

'Je kunt het beste vertellen van iedereen,' zei ze toen hij klaar was.
'Nee, dat was je grootvader. Toen ik net zo oud was als jij nu, nam hij me mee hiernaartoe. Je grootmoeder maakte altijd sandwiches voor ons. Terwijl we die opaten, vertelde hij de verhalen die ik nu aan jou vertel. Alleen vertelde hij ze veel beter. Je grootmoeder vond dat hij ze moest publiceren maar dat heeft hij nooit gedaan. Hij zei dat ze alleen voor mij waren bestemd. Nu zijn ze voor jou.'
De hond kwam naast hen zitten. De oude man zei dat hij Bosun heette. 'Hij vindt je aardig,' zei hij, naar Susan wenkend. Zijn vrouw verscheen met mokken thee en koekjes voor Bosun.
Het werd laat. Het begon te schemeren. Een zwaan landde op het water, waardoor er cirkels op het oppervlak verschenen. Het oude stel ging de kombuis in om te eten, Bosun op de oever achterlatend met zijn kop in de schoot van Susan. Ze maakte een ketting van bloemen die ze om zijn nek hing, terwijl het koele water rond haar tenen speelde.
'Ik wou dat je mijn vader had gekend, Susie. Hij zou heel trots op je zijn geweest.'
'Waarom?'
'Omdat je sterk bent.'
'Ik ben sterker dan Alice.'
Hij raakte haar borstkas aan. 'Ik bedoel sterk daar. Sterk vanbinnen. Sterker dan je moeder of ik. Je grootvader was ook zo. Hij was een rustige man. Verlegen. Op zichzelf. Niet zo levendig als jij. Maar hij had een innerlijke kracht. Iets wat maar weinig mensen hebben. Je voelde je veilig bij hem omdat je wist dat hij je nooit in de steek zou laten.'
De wind blies haar haar in het gezicht. Hij streek het weg.
'Je begrijpt toch wat ik bedoel?'
'Nee.'
'Dat komt nog wel.' Hij draaide zich af en keek naar het weiland achter hem. De koeien lagen in het gras, klaar voor de nacht. 'Heb je Alice daar omvergeduwd?'
'Ja.'
Hij deed net alsof hij boos keek, daarna verscheen de glimlach die zo typisch voor hem was. 'Ik hou van je, Susie Sparkle. Je mag niet veranderen. Blijf altijd wie je bent.'

Plotseling tilde hij zijn voet op en bespatte hij haar met water. Zij deed hetzelfde. Al snel waren ze kletsnat terwijl Bosun liep te blaffen. Die arme koeien schrokken ervan, net zoals ze van Alice waren geschrokken.

Middag, de volgende dag. In de klas van Susan zaten de leerlingen met zijn tweeën de namen van de hoofdsteden van Europa op te schrijven.

'Ik ga even weg,' zei mevrouw Young. 'Werk rustig door tot ik terugkom.'

Een tijdje bleef het stil. Toen zei Alice Wetherby: 'Ik ben blij dat mijn moeder niet gek is.'

'Ik ben blij dat ik niet lelijk ben,' zei een van haar vriendinnetjes.

Susan wees naar het raam en zei met stokkende adem: 'Rennen, Alice! De koeien komen eraan!'

Iedereen lachte. Enkele jongens maakten loeiende geluiden. Charlotte lachte naar Susan zoals alleen beste vriendinnen kunnen doen. Susan glimlachte terug en ging door met haar werk.

In november kwam haar moeder thuis.

Het was op een vrijdag. De hele week had Susan zich niet kunnen concentreren. Haar hoofd zat te vol met alle dingen die ze haar moeder wilde vertellen als ze eindelijk weer herenigd waren. Maar toen ze haar moeder zag staan, wist ze niet meer wat ze moest zeggen. Ze begon te huilen en kon niet meer ophouden. Alle angst van de afgelopen vier maanden ontlaadde zich in een golf van pure vreugde.

Op zondag gingen ze op de thee bij tante Emma. Tante Emma had hapjes gemaakt en terwijl Susan at vertelde ze haar moeder over de steden die ze had getekend met oom George en de picknicks met tante Emma. Haar moeder wilde hen bedanken, maar daar wilden ze niet van horen. 'We vonden het zelf leuk,' zei oom George. 'Nou en of,' zei tante Emma. 'We hebben hele leuke plekjes gevonden, hè Susie? We hebben ze speciale namen gegeven. Je moet ze aan je moeder laten zien.'

'Volgend jaar zomer gaan we met zijn allen picknicken,' zei Susans moeder.

Susan knikte. 'We kunnen naar het piratennest gaan. Dat is mijn lievelingsplek.'

Terwijl ze sprak zag ze dat haar vader bezorgd keek. Oom George ook.

Maar tante Emma glimlachte. 'Natuurlijk.' Ze bood Susan nog een taartje aan. 'Eet op. Ik heb ze speciaal voor jou gemaakt.'

Susan keek weer naar haar vader en naar oom George. Beiden knikten bemoedigend. 'Toe maar, Susie,' zei oom George. 'Je wordt nooit architect als je je taartjes niet eet. Mijn ouders gaven me nooit iets anders en moet je me nu eens zien.'

Iedereen lachte. Ze deed wat haar werd gevraagd.

December. Susan stond op Market Court, hield de hand van haar moeder vast en luisterde naar het kerkkoor van Kendleton dat bij het Normandische kruis op het plein kerstliederen stond te zingen.

Het was laat in de middag en al donker. Een laagje rijp bedekte de grond. Het koor zong 'Once in Royal David's City', en gebruikte ouderwetse lantaarns als verlichting. Hun ademwolken dansten voor hen als geesten in de lucht. Onder het publiek waren veel mensen met boodschappentassen vol cadeautjes. De bus uit Oxford arriveerde en de meeste uitstappende passagiers bleven ook staan luisteren.

De dirigent vroeg een van de kinderen om het volgende kerstlied te kiezen. 'Hark the Herald Angels Sing,' riep Susan, wetende dat dat het lievelingslied van haar moeder was. Het koor begon te zingen. 'Dank je wel, Susie,' zei haar moeder en ze gaf haar een kneepje in de hand.

Haar vader kwam erbij staan, zijn wangen rood van de kou. 'Wat een afschuwelijk klaaglied,' zei hij en hij begon vals mee te neuriën, terwijl haar moeder lachte en zei dat hij moest ophouden.

De kerstliederen waren afgelopen. De menigte verspreidde zich. Samen keken ze omhoog naar de koude donkere hemel. Haar vader vertelde dat toen hij en haar moeder elkaar voor het eerst ontmoetten, ze een roeiboot hadden gestolen en de hele nacht op de rivier naar de sterren hadden gekeken. Haar moeder zei dat de eigenaar van de boot de politie had gewaarschuwd en dat haar ouders haar hadden verboden dat ze elkaar ooit weer zouden zien.

‘Maar daar trok je je niks van aan,’ zei Susans vader.

Susans moeder schudde haar hoofd.

‘Ben je belazerd.’

Ze kusten elkaar. Haar moeder lachte weer. Ze zag er mooi en gelukkig uit. Nergens bang voor.

Terwijl ze een weg door de menigte zochten, zag Susan Alice Wetherby met een ouder echtpaar dat ze niet kende. Waarschijnlijk familie. Alice trok aan de jas van de vrouw en wees op Susans moeder. De vrouw begon te staren. Susan stak haar tong uit. De vrouw keek snel weg. Alice trok een raar gezicht. Susan deed een keer ‘boe’ en Alice keek stuurs opzij.

Haar moeder, die over de kerstliedjes sprak, had niets in de gaten. Haar vader wel. Hij luisterde en knikte af en toe. Terwijl ze doorliepen, gaven ze elkaar af en toe een knipoog.

April 1953.

Het was zaterdag. Susans moeder bracht de dag door in Lyndham, een dorp in de buurt, op bezoek bij een oude tante. Susan en haar vader gingen naar de bioscoop.

Er was geen bioscoop in Kendleton dus ze hadden de bus naar Oxford genomen. De film die ze gingen zien was *Singing in the Rain*. Susan was er het vorige weekend met haar ouders heen geweest en ze had er zo van genoten dat ze er dolgraag nog een keer heen wilde.

Ze zaten samen in de zaal te wachten tot de lichten uitgingen en de film zou beginnen. De meeste plaatsen waren bezet. Een van de weinige lege plaatsen was naast Susan. ‘Smudge had daar kunnen zitten,’ zei ze tegen haar vader.

‘Jij altijd met die kat!’

Smudge was een bruinrood gestreepte kat met een zwarte vlek bij zijn neus. Tante Emma had hem in januari aan Susan gegeven voor haar zevende verjaardag. Haar vader had een foto genomen van haar op de bank met Smudge op haar knie en met tante Emma en oom George naast haar. Ze hadden allemaal feesthoedjes op en lachten naar de camera.

Dat was de laatste keer geweest dat ze hen had gezien. Twee dagen later hadden ze Engeland verlaten en waren ze naar Australië gegaan, waar oom George een belangrijke baan had. Tante Emma had haar verzekerd dat het niet voor altijd zou zijn. Ze zouden gauw terugkomen. Ze had al drie brieven ontvangen en een foto van een kangoeroe die ze op school aan haar klasgenootjes had laten zien. Mevrouw Young had Australië aangewezen op de kaart. 'Het is aan de andere kant van de wereld,' had ze tegen de klas gezegd en Susan wist opeens zeker dat ze, ondanks alle beloften, tante Emma en oom George nooit meer terug zou zien.

Dat gevoel kwam nu terug, als een klap van een onzichtbare vuist. Ze liet haar hoofd zakken en keek naar haar handen. Om haar pols zat een armbandje. Ook een cadeau van tante Emma, dat ze had gekregen toen haar moeder de vorige zomer opgenomen was.

'Wat is er, Susie?'

'Ik vind het vreselijk als mensen weggaan.'

'Maar ze komen terug. Je moet alleen geduld hebben.' Hij nam haar kin in zijn hand en vormde haar lippen voorzichtig tot een glimlach. Het kriebelde en het verbeterde haar stemming. Hij aaide over haar haar en vertelde over de tijd dat hij nog een kind was en in deze bioscoop stomme films had gezien, net als de films die ze aan het begin van *Singing in the Rain* maakten.

'Dat lijken me geen leuke films,' zei ze.

'Je zou het vast leuk hebben gevonden. Er speelde een orkest bij en het publiek schreeuwde en joelde. Je had toen echt geweldige sterren. Buster Keaton was mijn favoriet, maar je had ook Charlie Chaplin en Douglas Fairbanks. Volgens je grootvader kon niemand van de moderne sterren aan hen tippen.'

'Elizabeth Taylor ook niet?'

Hij kneep in haar neus. 'Nou, zij misschien wel.'

De lichten doofden. Ze voelde zich fijn met hem in het donker, wachtend op de opwinding van het scherm.

De film was prachtig. De tweede keer was hij zelfs nog mooier. Toen Donald O'Connor 'Make 'em Laugh' zong en per ongeluk door een muur viel, lachten ze zo hard dat de vrouw in de rij achter hen begon te klagen. Tijdens de pauze kocht hij chocolade-ijsjes van een meisje dat met een blad rondging. Terwijl ze het ijsje aten zwaaide ze naar een jongen in haar klas die verderop zat.

Het regende toen de bus hen afzette op Market Court.

'Wil je nog een slagroomgebakje?' vroeg hij.

Ze dacht aan het avondeten dat op hen wachtte. 'Mama zal boos zijn.'

'Niet als we haar niets vertellen.' Hij nam haar hand en begon het liedje van *Singing in the Rain* te neuriën. Ze deed hetzelfde en ze dansten in de regendruppels terwijl voorbijgangers geamuseerd toekeken.

Ze zaten in Hobson's Tea Shop. Hij dronk koffie en zij koos een gebakje van het karretje dat door een serveerster in uniform werd gebracht.

'Heb je een leuke dag gehad, Susie?'

'Ja. *Singing in the Rain* is de beste film die ooit is gemaakt!' Ze hapte in haar gebakje. Zoete room en deeg mengden zich in haar mond. Een echtpaar van middelbare leeftijd aan het tafeltje tegenover hen bleef maar naar haar kijken. Ze hoorde dat de vrouw het woord 'knap' fluisterde.

Haar vader hoorde het ook en glimlachte. 'Misschien speel jij ook nog wel eens in een film. Dan woon je in Hollywood en je moeder en ik zien je in de bioscoop en zeggen tegen iedereen dat de grote ster op het scherm onze kleine Susie Sparkle is en dat we ontzettend trots op haar zijn.'

Ze at verder. Hij keek naar haar. Een vriendelijke man met slordig haar, glinsterende ogen en een glimlach die een hele kamer kon opvrolijken, zoals nu ook het geval was.

Toen, opeens, was de glimlach weg.

Ze legde haar vork neer. 'Papa?'

Zijn ogen waren opengesperd, alsof hij in een shocktoestand verkeerde.

'Papa?'

Hij legde een hand tegen zijn borst en alle kleur trok weg uit zijn gezicht.

'Papa!'

Hij gleed zijdelings van zijn stoel af, zijn andere hand greep het tafelkleed vast. Hij trok alles naar beneden terwijl hij op de vloer viel.

De man van het andere tafeltje hurkte naast hem neer. Susan deed hetzelfde, maar de vrouw die had gezegd dat ze mooi was trok haar weg. 'Het komt wel goed, liefje,' zei ze sussend. 'Mijn man is arts. Hij weet wat hij moet doen.'

De eigenaar van de zaak kwam aanrennen. 'Hij heeft een hartaanval,' zei de man. 'Bel een ambulance. Snel!'

Susan probeerde zich los te worstelen. Er liepen allerlei mensen rond en ze kon haar vader niet meer zien. Ze zei tegen zichzelf dat ze niet bang moest zijn. Dat dit gewoon een van zijn grappen was. Dat hij gauw weer zou opstaan en haar zou plagen dat ze een aanstelster was.

Maar toen de mensen uiteengingen lag hij daar nog steeds. En deze keer kon ze zijn gezicht niet langer zien. De eigenaar van de zaak had zijn gezicht bedekt met een handdoek.

In de dagen daarna leek het of de hele wereld zijn stem had verloren. Iedereen sprak fluisterend, alle gezichten leken overdreven maskers van verdriet. In de verwarde staat waarin ze zich bevond, begon ze te geloven dat ze gevangenzat in een van die stomme films waarvan haar vader zoveel had gehouden.

Zijn begrafenis was als een droom. Een lange, vermoeiende ceremonie die het gebeurde niet werkelijker kon maken. Ze zat naast haar moeder op de eerste rij van Kendleton Church, luisterend naar de dominee die zei dat haar vader nooit echt zou sterven zolang hij voortleefde in hun hart. Ze probeerde het te begrijpen, maar het leek of haar hoofd barstte van alle gedachten die over elkaar heen buitelden. Haar vader was overleden en dat betekende dat hij verdwenen was en nooit meer zou terugkeren. Maar als hij niet terugkwam, zou ze hem nooit meer terugzien en dat was onmogelijk. Maar als hij wel terugkwam, zou hij niet dood zijn en...

Toen het allemaal te veel werd, sloot ze haar ogen, zich verstoppend in haar eigen duisternis en troost zoekend bij de herinnering aan zijn warme glimlach. Maar toen ze haar ogen weer opende, zat ze nog steeds in de kerk, de dominee sprak nog steeds, haar moeder huilde en de pijn in haar hoofd was zo hevig dat ze het wel kon uitschreeuwen.

Mevrouw Young zei tegen de klas dat ze heel dapper was en dat het niet erg was als ze niet goed kon opletten tijdens de lessen. De andere kinderen maakten een grote kaart voor haar en versierden die met bloemen. Iedereen deed aardig tegen haar, hoewel sommigen haar behoedzaam aankeken, alsof haar verlies besmettelijk was.

Ze wou dat tante Emma en oom George kwamen, maar dat gebeurde niet. Haar moeder zei dat Australië te ver weg was. Anderen kwamen wel. Een eindeloze stroom bezoekers kwam opdraven, graag bereid naar hun eigen platitudes te luisteren en zich in andermans drama te wentelen. 'Wat een schok,' zeiden ze tegen haar moeder. 'We konden het niet geloven toen we het hoorden. Pas zesendertig, die arme man. Het zijn altijd de besten die jong sterven. Maar het leven gaat door.'

Ze bekommerden zich met veel omhaal over Susan en prezen haar omdat ze 'zo'n groot meisje was'. 'Hou je taai,' zei een buurtbewoner die ze nauwelijks kende. 'Je moeder heeft je steun nodig.' Ze had geknikt en beloofd dat ze dapper zou zijn.

Maar het was haar moeder die dapper moest zijn.

Op een vroege avond in juni. Ze zaten op de bank in de woonkamer, terwijl Smudge met een prop papieren aan hun voeten speelde. Uit het huis naast hen klonk gezang. Een feestje ter ere van de kroning. Haar moeder had gewild dat Susan erheen ging, maar ze had geweigerd.

'We redden het wel, mam.'

'Hoe dan, zonder geld?' Haar moeder doofde haar sigaret en stak een nieuwe op. Ze had altijd weinig gerookt, maar de laatste weken was ze steeds meer gaan roken. Tijdens het roken draaide ze aan haar trouwring.

'Mam...'

'Je grootmoeder zei altijd dat ik gek was om met hem te trouwen. Hij was niet praktisch. Een dromer met zijn hoofd in de wolken. Ze had gelijk.'

'Niet waar.'

Ze bleef de ring ronddraaien. 'Is het zo dan goed? Ons achterlaten met nauwelijks genoeg geld om te overleven. Welke man doet zijn gezin zoiets aan? Een zwakke, egoïstische man, dat was hij.'

'Dat is niet waar! Zeg dat niet over hem!'

Het gezicht van haar moeder was in schaduw gehuld. Even leken de ogen net zo uitdrukkingsloos als op de dag van die zenuwinzinking. Het kwam door het licht, maar het was genoeg om Susan angst aan te jagen. Bij de buren lachten mensen terwijl iemand het volkslied zong. Toen haar vader nog leefde was hun huis vol met gelach geweest, maar nu was hij gestorven en had hij alle vrolijkheid met zich meegenomen.

'Wees maar niet bang, mam. Niet bang zijn.'

Stilte. Ze staarde naar het gezicht van haar moeder. Een zachte, nerveuze versie van haar eigen gezicht. 'Susan heeft het uiterlijk van haar moeder maar het karakter van haar vader.' Dat zeiden de mensen. Misschien hadden ze gelijk. Ze wist alleen dat ze van beiden hield en nu ze een ouder verloren had, zou ze het niet overleven als ze de ander ook nog verloor.

'Mam?'

'Het spijt me, Susie. Ik meende het niet. Je vader was een goede man. Ik mis hem, dat is het.'

Ze kreeg een brok in haar keel. Ze probeerde hem weg te slikken. Als ze huilde, was ze niet dapper en ze moest per se dapper zijn. Voor hen beiden.

'We redden ons wel, mam. Ik zorg voor je. Ik laat het niet toe dat je bang wordt.'

Ze omhelsden elkaar. Haar moeder begon te huilen. Ondanks haar vaste voornemen huilde ze mee, terwijl in het huis naast hen gejoel opklonk na het einde van het volkslied.

Een zaterdagmiddag in augustus. Susan was bij Charlotte geweest en liep naar huis. Ze klopte op de deur en wachtte, terwijl ze keek naar mevrouw Bruce van nummer 45 die in haar gebruikelijke strijd met Warner was verwikkeld.

Haar moeder liet haar binnen. 'Meneer Bishop is er, Susie.'

'Wie?'

'Meneer Bishop. Die vriend van je tante Emma en oom George.'

Ze liep de woonkamer in. Meneer Bishop, of oom Andrew zoals zij hem kende, zat op een stoel bij het raam. Hij aaide Smudge die op zijn knie zat.

Hij lachte breed naar haar. 'Hallo, Susie.'

'Hallo.' Op de salontafel stond een groot poppenhuis. 'Van wie is dat?'

'Het is voor jou.'
'Meneer Bishop heeft het voor je meegebracht,' zei haar moeder. 'Is het geen prachtig cadeau?'
'Dank u wel, oom Andrew.'
'Meneer Bishop,' corrigeerde haar moeder.
'Oom Andrew is prima. We zijn oude vrienden, hè Susie?'
Smudge sprong van oom Andrews schoot en holde naar haar toe. Ze pakte hem op en ging op de bank zitten. 'Oom Andrew heeft tante Emma en mij een keer meegenomen voor een ritje in zijn auto,' zei ze tegen haar moeder.
Het poppenhuis had drie verdiepingen en negen kamers. 'Het is van mijn grootmoeder geweest,' zei oom Andrew. 'Het is honderd jaar oud.'
'Het is ontzettend aardig,' zei Susans moeder. 'Vind je ook niet, Susie?'
Ze knikte. Oom Andrew leek in zijn nopjes. Hij had een rond gezicht, donker haar en grijze ogen, net als haar vader. Anders dan bij haar vader kon zijn glimlach een kamer vol mensen niet opvrolijken, maar het was toch een aardige glimlach.
Haar moeder sneed een plakje cake voor haar af. 'Hoe is het buiten?' vroeg oom Andrew. Susan vertelde over mevrouw Bruce en Warner. Haar moeder schudde het hoofd. 'Het is gekkenwerk. Ze is over de zestig, kleiner dan een meter zestig en die hond is een Duitse herder! Hij loopt altijd weg en veroorzaakt problemen.'
'Een keer,' zei Susan, 'sprong hij op tegen mevrouw Wetherby op Market Court en liet ze al haar boodschappen vallen. Het was heel grappig.'
Haar moeder keek bedenkelijk. 'Het was niet grappig.'
'Wel waar. Mevrouw Wetherby is afschuwelijk.'
'Susie!'
'Dat is gewoon zo. Ze wilde dat Warner doodgeschoten zou worden terwijl hij gewoon aan het spelen was.'
'Is dat die mevrouw Wetherby die in The Avenue woont?' vroeg oom Andrew.
'Ja. Haar dochter Alice zit bij mij in de klas. Ook een afschuwelijk iemand.'
'Susan Ramsey!'

Oom Andrew begon te lachen. Even later lachte Susans moeder ook mee. Susan at haar cake en keek naar het poppenhuis. In elke kamer zaten kleine poppetjes, alle gekleed in Victoriaans kostuum, zittend op miniatuurstoeltjes. Ze had nooit veel opgehad met poppen, behalve met de pop die ze van haar grootmoeder had gekregen, maar oom Andrew zat haar verwachtingsvol aan te kijken, dus speelde ze omslachtig met zijn cadeau terwijl Smudge zich op haar knie vlijde en tevreden spon.

De tijd verstreek. Oom Andrew zei dat hij moest gaan omdat hij werd verwacht bij een diner in Oxford. 'Met een aantal confrères,' lichtte hij toe.

'Dat is vast heel leuk,' zei Susans moeder.

'Helaas niet. Drie uur debatteren over de laatste ontwikkelingen op wettelijk gebied aangaande waterafvoer en riolering. Niet bepaald iets om naar uit te kijken.'

Iedereen lachte. Hij stond op. 'Bedankt voor het cadeau,' zei Susan.

'Misschien willen jullie volgend weekend mee voor een ritje in mijn auto.'

Susans moeder keek onzeker. 'Dat is heel aardig. Ik weet niet...'

'Kom op, mam. Dat is vast leuk.'

'Nou, misschien. Als het goed weer is.'

Het was goed weer.

Ze reden over landweggetjes. Susan zat achterin, haar moeder zat voorin bij oom Andrew. Het dak was open, de wind blies in haar gezicht, verwarde haar haar en deed haar wangen tintelen.

Later die dag wandelden ze in de bossen ten westen van de stad. Dennen stonden als rijen pilaren in een kathedraal en de bloemen die de grond bedekten leken op gekleurd marmer. Ze rende vooruit, op zoek naar haar favoriete eikenboom terwijl haar moeder en oom Andrew achter haar aan liepen. Toen ze bij de boom kwam, wilde ze erin klimmen. Ze keek omhoog, kneep haar ogen samen tegen het zonlicht tussen de takken en voelde de vertrouwde opwinding.

Toen stopte ze abrupt.

Haar vader was dol geweest op dit bos. Samen hadden ze heel

wat middagen doorgebracht met het zoeken naar nieuwe bomen die ze konden beklimmen. Deze boom had hij de naam *The Golden Hind* gegeven omdat de takken leken op het tuig van een groot schip. Ze klom zo hoog als ze kon, net alsof ze in het kraaiennest zat terwijl hij beneden stond, zogenaamd met een telescoop in zijn hand. Ze waren samen op ontdekkingsreis en hun ontdekkingen werden alleen beperkt door de kracht van hun gezamenlijke verbeeldingskracht.

Nu was het gewoon een boom. Alle magie was verdwenen. Hij had die meegenomen en die zou nooit terugkeren.

Ze stond bij de stam, op het punt in huilen uit te barsten. Maar ze vocht ertegen, ze wilde dapper zijn.

Oom Andrew naderde met haar moeder. Hij had een sympathieke blik in zijn ogen, alsof hij haar gevoelens begreep. 'Toe maar, Susie,' zei hij teder. 'Ik zou je graag zien klimmen.'

Even aarzelde ze. Maar haar moeder glimlachte. Ze zag er ontspannen en blij uit. En dat maakte haar ook blij.

Ze greep de laagste tak en begon zich op te trekken.

'Wat een heerlijke middag,' zei haar moeder die avond.

'Gaan we volgend weekend weer? Oom Andrew zei dat hij ons mee zou nemen.'

'Dat denk ik niet, schat. Oom Andrew is een drukbezet man. We mogen niet te veel van zijn tijd in beslag nemen.'

Maar in de weken die volgden namen ze steeds meer tijd van hem in beslag.

Er volgden meer tochtjes en wandelingen in de bossen. Ze aten in een luxe hotel in Oxford en Susan mocht een slokje wijn proeven en ze keek haar ogen uit naar al die verschillende messen en vorken naast haar bord. Op een zondag maakte hij bij hem thuis een warme lunch voor hen klaar. 'Niet veel soeps,' grapte hij terwijl hij de rosbief aansneed. Hij maakte veel grapjes. Ze waren niet zo leuk als die van haar vader, maar ze moest er toch om lachen. Zijn huis was heel netjes, vol met oude meubels en met schilderijen aan elke wand. Susan morste limonade op het tapijt, tot grote schrik van haar moeder, maar oom Andrew zei dat hij zelf ook altijd morste en dat het helemaal niet erg was.

Er waren ook cadeautjes. Een boek over beroemde ontdekkingsreizigers. Een nieuwe mand voor Smudge. Een fiets met een rood zadel en een glanzende bel. Haar moeder was bang dat ze werd verwend, maar oom Andrew zei dat ze wel een beetje verwend mocht worden na het verlies van haar vader. En toen knikte haar moeder en vond ze het goed.

Op een zaterdag gingen ze naar de bioscoop om een Disney-film te zien. De eerste voorstelling ging over de geschiedenis van filmkomedies, met fragmenten van Buster Keaton en Charlie Chaplin, die ze net zo geweldig vond als haar vader had gezegd. In de pauze kocht haar moeder ijsjes. Een bescheiden bedankje voor oom Andrew die de kaartjes had betaald.

'Je denkt aan hem, hè?' zei hij toen ze alleen waren.

Ze knikte.

'Het doet zeker pijn?'

'Ja.'

'Dat gevoel gaat weg, Susie. Je gelooft me waarschijnlijk niet, maar het is waar.'

Ze keek naar hem op. Hij glimlachte. Ze lachte terug.

'Je moeder is heel trots op je. Ze vindt je de dapperste meid ter wereld.'

'Zij is ook dapper.'

'Je houdt zeker veel van haar?'

'Meer dan van wie dan ook.'

'Ze is een keer weg geweest, hè?'

'Ja, ze was bang.'

'Bang?'

'Bang voor alles. Dat zei papa. Maar toen werd ze dapper en kon ze weer thuiskomen.'

Ze herinnerde zich de lege blik in de ogen van haar moeder. Ze voelde een rilling over haar rug gaan. 'Ik zorg ervoor dat ze niet meer bang wordt.'

Een lok haar was over haar wang gevallen. Hij streek het haar terug. 'Dat is een hele verantwoordelijkheid voor iemand die zo jong is als jij.'

'Ik ben geen baby.'

'Dat weet ik. Maar het blijft een zware last. Misschien kan ik helpen.'

'Hoe?'
'Door je vriend te zijn. Iemand met wie je kunt praten nu je vader er niet meer is. Jij bent toch ook wel eens bang?'
Stilte.
'Ja, toch? Daar hoef je je niet voor te schamen. Zelfs het dapperste meisje ter wereld mag soms bang zijn.'
Ze wilde het ontkennen. Maar de blik in zijn ogen was sympathiek. Begrijpend. Net als de blik van haar vader.
'Ik ben soms bang dat mama weggaat en nooit meer terugkomt.'
'Is dat je grootste angst?'
'Ja.'
Hij pakte haar hand en kneep er zachtjes in. 'Bedankt voor je vertrouwen, Susie. Ik hou het geheim. Je kunt me vertrouwen. Dat weet je toch?'
Ze knikte.
'Goed zo.'
In een opwelling kuste ze hem op de wang. Hij bloosde een beetje. Een vrouw naast haar glimlachte tegen haar. Ze glimlachte terug en ze was blij dat ze een vriend als oom Andrew had.

Een natte dag in november. De klas van Susan bracht de ochtendpauze in het schoolgebouw door.
Susan zat op een lessenaar met Charlotte en praatte met Lizzie Flynn en Arthur Hammond. Lizzie was klein, donker en levendig en woonde boven de kleine pub van haar vader. Arthur was klein, blond en verlegen en woonde in een van de grote huizen op The Avenue.
'Ik wou dat ik niet hoefde te gaan,' zei Arthur. Na het semester zou hij Kendleton verlaten en naar een kostschool in Yorkshire gaan waar zijn familie al drie generaties lang heen ging.
'Ik ook,' zei Lizzie.
'Als je hier bleef,' zei Susan, 'kon je naar Heathcote gaan. Volgens mijn moeder is dat echt goed.' Heathcote Academy was een privé-school net buiten de stad voor jongens en meisjes vanaf elf jaar. De meeste ouders in Kendleton wilden hun kinderen naar die school sturen, maar de hoge kosten waren voor velen een bezwaar.
Arthur schudde zijn hoofd. 'Mijn vader zegt dat ik naar Yorkshire moet.'

'Dan is je vader stom,' zei Lizzie bot.

'Henry zegt dat ze nieuwe jongens in elkaar slaan en hun hoofd in de toiletpot stoppen.'

'Henry probeert je bang te maken,' zei Lizzie. 'Hij is ook stom.'

Susan knikte. 'Dat moet wel. Hij is bevriend met Edward Wetherby.'

Lizzie lachte. Regen sloeg tegen de ruiten. De lucht was donker. Alice Wetherby, die vlakbij zat, keek naar hen. 'Waar hebben jullie het over?' wilde ze weten.

'Bemoei je met je eigen zaken,' antwoordde Susan.

'Ja. Ga maar in de koeienstront zitten,' voegde Lizzie eraan toe.

Ze lachten allemaal, behalve Charlotte, die stiller dan anders was. 'Wat heb jij?' vroeg Susan.

'Mijn moeder zegt dat jouw moeder met meneer Bishop gaat trouwen.'

'Nee. Hij is gewoon een vriend.'

'Dat zegt mijn moeder ook en ze zegt dat jij en je moeder gaan verhuizen naar Queen Anne Square.'

'Mijn moeder trouwt niet met meneer Bishop.'

'Maar mijn moeder zegt...'

'Het kan me niet schelen wat je moeder zegt.'

Alice kwam erbij staan met een meisje dat Kate heette. Ze was de enige van het groepje dat bij Alice hoorde die geen griep had. 'Je krijgt een gek als buurvrouw,' zei Alice tegen Kate, die ook op Queen Anne Square woonde.

'Ze gaat vast iedereen vermoorden,' zei Kate.

'Nee, Kate,' zei Susan poeslief. 'Alleen jou.'

Zelfs Charlotte moest nu lachen. Lizzie begon 'Old MacDonald had a farm' te neuriën. Alice, zonder de steun van haar vriendinnen, trok haar neus op en liep weg.

'Ik hoop niet dat je moeder met hem trouwt,' zei Charlotte, 'want als je op Queen Anne Square woont hoor je bij de deftige buurt en dan zijn we geen vriendinnen meer.'

'Jawel,' zei Arthur. 'Lizzie en ik zijn toch ook vrienden?'

'Dat duurt niet lang meer,' zei Lizzie, 'nu je naar dat stomme Yorkshire gaat.'

'Ik wou dat ik niet hoefde.'

'Ik ook.'
'Als je hier bleef,' zei Susan, 'kon je naar Heathcote...'
En zo kwamen ze weer bij hetzelfde onderwerp uit.

Avond. Susan lag in bed. Haar moeder zat bij haar op de rand. Smudge, die in zijn mand hoorde te liggen, lag te spinnen op het kussen.
'Ga je trouwen met oom Andrew?'
'Waarom vraag je dat?'
'Omdat ze dat op school zeiden.'
'En wat zei jij toen?'
'Dat het niet waar was. Dat oom Andrew gewoon een vriend is.'
Ze wachtte op een instemmende reactie van haar moeder, maar die bleef uit.
'Ga je met hem trouwen?'
'Hij heeft me gevraagd.'
'O.'
Stilte. Haar moeder staarde haar aan terwijl op straat iemand schreeuwde naar een motorrijder die te hard reed.
'Wat zou je ervan vinden, Susie?'
Ze gaf geen antwoord. Het was te ingewikkeld om uit te leggen. Ze vond oom Andrew leuk. Hij was aardig en royaal en hij was haar vriend.
Maar hij was niet haar vader.
'Je vindt oom Andrew toch leuk?'
'Ja.'
'Ik ook.'
'Net zo leuk als papa?'
'Nee, niet zo leuk als je vader. Zo bijzonder kan niemand zijn.'
Ze knikte. Haar vader was bijzonder geweest. De meest bijzondere man ter wereld.
'Maar oom Andrew is ook bijzonder, Susie.' Een korte stilte. 'Op zijn eigen manier. Bij hem voel ik me... ik weet het niet...'
Dapper?
Misschien wel. Maar de zin bleef onafgemaakt.
'Als je met hem trouwt, gaan we dan in zijn huis wonen?'
'Ja.'

Ze dacht aan oude meubels en schilderijen. Alles schoon. Orde en netheid. Haar vader was slordig geweest. Een van de eigenschappen die ze van hem had geërfd. Haar moeder werd er gek van. Maar toen ze op het tapijt van oom Andrew had gemorst, vond hij het helemaal niet erg.

'Moet ik dan "papa" tegen hem zeggen?'

'Niet als je dat niet wilt.'

'Nee. Hij is mijn vriend maar niet mijn vader. Ga je met hem trouwen, mam?'

'Ik weet het nog niet, Susie.'

Ze omhelsden elkaar. Haar moeder verliet de kamer en deed het licht uit. Susan lag in het donker te wachten tot haar ogen aan het duister waren gewend en ze de bekende dingen kon zien. De klerenkast. De planken met haar boeken en speelgoed. De wieg die door haar opa was gemaakt. Alles even bekend als haar eigen gezicht in deze slaapkamer, de enige die ze ooit had gehad.

Ze stond op en liep naar de boekenplanken. Ze nam Smudge op haar schouder en voelde zijn nagels prikken terwijl ze de grote schelp pakte en hem tegen haar oor drukte. Het bulderen van de zee klonk in haar hoofd. Ze stelde zich voor dat ze aan een strand in Cornwall zat. Een prachtig strand met kilometers wit zand, waar zij en haar vader een reusachtig zandkasteel hadden gebouwd, versierd met schelpen en stenen. Daarna hadden ze lachend toegekeken hoe de golven kwamen opzetten, hun voeten nat maakten en hun creatie wegspoelden.

Het was een magische dag geweest. Elke dag met hem was magisch geweest. Haar vader. De enige die ze ooit had gehad en ooit zou willen hebben. Degene die ze zo erg miste dat ze het soms wel kon uitschreeuwen van pijn.

Maar schreeuwen bracht hem niet terug. Niets bracht hem terug.

Ze begon te huilen terwijl ze in het donker stond met de schelp tegen haar oor.

Februari 1954.

Ze trouwden voor de burgerlijke stand in het stadhuis, twee weken na Susans achtste verjaardag. Susan, de ongetrouwde tante Ellen van haar moeder en een collega van oom Andrew die meneer Perry heette, waren de enige gasten. Na de ceremonie gingen ze lunchen in een hotel in de buurt. Een strijkkwartet speelde in de foyer. Oom Andrew bestelde champagne en stond erop dat Susan ook een glas kreeg. Susan verwachtte dat haar moeder zou protesteren, maar dat gebeurde niet. Alleen een knikje en een stijf glimlachje.

Tante Ellen, over de tachtig en niet bekend om haar tact, dronk twee glazen snel achter elkaar. 'Je moeder is erg stil,' zei ze, zogenaamd fluisterend maar in werkelijkheid hard genoeg om de doden tot leven te wekken. 'Ach ja, ze heeft natuurlijk gemengde gevoelens, de arme schat. Die vent is maar saai vergeleken met je vader, maar hij heeft tenminste wel geld.' Oom Andrew en Susans moeder deden of ze het niet hoorden, maar meneer Perry verslikte zich in de champagne en moest op zijn rug worden geklopt door een ober.

Later, toen haar moeder even met tante Ellen naar het toilet ging en meneer Perry terug naar zijn werk was, zat Susan alleen met oom Andrew. Hij had ook veel champagne gedronken en leek in een opperbeste stemming. Hij deed een cellist na die met zijn strijkstok op de snaren sloeg als een houthakker die bomen omkapte. Ze moest erom lachen. Hij lachte ook.

'Je moeder ziet er prachtig uit vandaag, hè?' zei hij.

'Ja.'

'Jij ook. Het mooiste bruidsmeisje van Oxfordshire.'

'Ik was geen bruidsmeisje.'

'Een soort bruidsmeisje.' Hij streelde haar wang. 'Ik ben trots op je. Ik had nooit gedacht dat ik nog eens zo'n mooi dochtertje zou hebben.'

'Ik ben uw dochter niet,' zei ze.

'Dat is waar. Ik ben je vriend. Je speciale vriend, die je vertrouwt. Je vertrouwt me toch, Susie?'

Ze knikte.

Opnieuw streelde hij haar wang. Zijn hand was warm en droog. Met een vinger kietelde hij in haar nek, waardoor ze moest giechelen. Hij glimlachte naar haar met ogen die net zo zacht en warm waren als die van haar vader. Hij was haar vader niet, maar hij was wel haar vriend. En ze vertrouwde hem.

Haar moeder en tante Ellen kwamen terug. Ze zwaaide naar hen en oom Andrew trok snel zijn hand weg.

Ze gingen op huwelijksreis naar Parijs. Susan logeerde bij Charlotte en haar familie.

Het was een leuke logeerpartij. Ze fietste op en neer door de straat met Smudge in het mandje voorop en Charlotte achterop. Ze hielp het broertje van Charlotte, Ben, in bad doen en las hem verhaaltjes voor als hij naar bed moest. Ze bezocht Charlottes vader in zijn schoenenzaak en probeerde op hoge hakken te lopen. En het leukste van alles was dat ze 's avonds in bed lag te kletsen met Charlotte. Ze vertelden elkaar spookverhalen en maakten plannen voor de toekomst.

Er was maar één ding dat haar vreugde verpestte. Als ze langs nummer 37 liep, zag ze nieuwe gordijnen voor het raam. Het huis was nu van het gezin Walters dat uit Lincolnshire kwam. Ramsey's Studio was nu een kledingzaak. Ze wist dat dergelijke veranderingen onvermijdelijk waren. Maar toch deed het pijn.

'Je blijft toch wel mijn beste vriendin?' vroeg Charlotte toen ze op de laatste nacht van haar logeerpartij in bed lagen. 'Zelfs nu je aan de andere kant van de Court woont?'

'Natuurlijk. We blijven altijd vriendinnen.'

'Beloof het.'

'Ik zweer het. Als ik lieg, zal God me dood laten neervallen.'

'Ik wou dat God Alice Wetherby dood liet neervallen.'

'Ik wou dat hij haar in een koe veranderde. Dan moest ze de hele dag in de wei staan en proberen deftig te doen terwijl ze koeienvlaaien staat te poepen.'

Ze begonnen allebei te lachen en maakten zoveel herrie dat Charlottes moeder tot stilte moest manen.

Het huis van oom Andrew had drie verdiepingen. Oom Andrew en haar moeder sliepen op de eerste verdieping. Ze hadden aparte slaapkamers. 'Ik snurk als een misthoorn,' legde oom Andrew uit. 'Je arme moeder zou geen oog dichtdoen als ze bij mij moest liggen.' Susan wist dat haar moeder vaak slecht sliep en was blij met de regeling.

Haar eigen slaapkamer was op de bovenste verdieping, aan het einde van een gang waar ook oom Andrews studeerkamer was, met een badkamer ertussen. Haar kamer was groter dan de vorige, met degelijk meubilair en een raam dat uitkeek op Kendleton Church. Het bed was ook groter. 'Een groot bed voor een groot meisje,' zei oom Andrew. Haar speelgoed en boeken stonden in dozen op de vloer. Haar moeder hielp haar bij het uitpakken. 'Je moet je kamer netjes houden, Susie. Oom Andrew heeft een hekel aan rommel.' Ze beloofde het te proberen.

's Avonds aten ze in de eetkamer. Rundvlees dat haar moeder had klaargemaakt. Het lievelingskostje van haar vader, dat oom Andrew ook lekker vond. Er stonden kaarsen op tafel en duur porselein. Oom Andrew stond erop dat Susan ook een glaasje wijn zou nemen. 'Ik heb iets te vieren. Ik krijg niet elke dag nieuwe familieleden.' De kamer was donker en streng. Nergens hingen foto's. De foto's uit Osborne Row waren in dozen gepakt, behalve een foto van Susans vader die ze naast haar bed wilde hebben.

Onder het eten vertelde oom Andrew over Parijs. 'Er zijn prachtige cafés waar kunstenaars je portret tekenen. Een van hen tekende je moeder en zei dat ik de mooiste vrouw ter wereld had.' Susan zei dat die kunstenaar gelijk had en haar moeder gaf oom Andrew een vluchtig kusje op de wang. Hij glimlachte maar beantwoordde de kus niet.

'Bevalt je nieuwe kamer je?' vroeg haar moeder terwijl ze haar in bed stopte.

'Ik wou dat Smudge hier was. Hij is vast bang in de keuken.'

'Binnenkort vindt oom Andrew het ongetwijfeld goed dat hij naar boven komt. Je moet niet vergeten dat hij nog nooit een huisdier heeft gehad. Ga nu maar liggen en droom zacht.'

Het raam was achter haar bed. De volle maan scheen door een kier tussen de gordijnen en zette de kamer in een bleek licht. Alles leek vreemd en koud. Ze kon zich niet voorstellen dat ze hier zou slapen. Maar dit was nu haar thuis en ze zou er na verloop van tijd wel aan wennen.

De foto van haar vader stond op het nachtkastje. Ze drukte hem tegen haar borst, sloot haar ogen en probeerde te slapen.

Zo begon haar leven op Queen Anne Square.

In de weken daarna begon zich een vaste gewoonte te ontwikkelen.

Elke ochtend maakte haar moeder haar wakker. Na het aankleden aten ze hun ontbijt in de keuken. Oom Andrew werkte in Oxford en was meestal al weg voordat ze opstond, maar soms begon hij later en konden ze gedrieën ontbijten.

Haar route naar school was nu anders. Ze moest Market Court oversteken en kon niet meer Charlotte ophalen. Soms liep haar moeder mee, maar omdat ze nu een grote meid van acht was ging ze steeds vaker alleen. Soms wachtte Charlotte haar op bij het Normandische kruis zodat ze de rest van de weg samen konden lopen, hand in hand en hun schooltassen tegen elkaar botsend zoals vroeger.

Na school was het tijd om huiswerk te maken. Een vol uur tussen vijf en zes. Oom Andrew stond daarop. Als ze klaar was, wilde ze met Charlotte spelen maar daar was nooit genoeg tijd voor. Het avondeten, opgediend in de eetkamer, was altijd om halfzeven. Daar hield oom Andrew strikt aan vast. Charlotte had thuis televisie en zat onder het eten vaak te kijken, maar volgens oom Andrew was televisie dodelijk voor de conversatie en hij weigerde er een in huis te nemen.

Niet dat er zoveel gesproken werd. Oom Andrew was het meest aan het woord terwijl hij de gebeurtenissen van de afgelopen dag beschreef. Haar vader had hetzelfde gedaan, hoewel ze zich niet kon herinneren dat hij zoals oom Andrew kwaad werd over van alles en nog wat. Als hij met stemverheffing begon te praten, werd ze bezorgd, maar dan maakte hij een grap om de spanning te verdrijven en dan lachte ze en voelde ze zich weer ontspannen.

Soms kwamen er gasten eten. Cliënten van oom Andrew aan wie ze werd voorgesteld. Het was hetzelfde als die keer toen haar ouders gasten hadden in Osborne Row, hoewel haar vader haar niet zo uitbundig prees als oom Andrew. 'Is ze niet prachtig?' vroeg hij altijd. 'Is het niet het mooiste kind dat je ooit hebt gezien?' De gasten waren het ermee eens. 'Dat komt omdat ze op haar moeder lijkt,' zei een oudere man met slaperige ogen. Susans moeder bloosde en schudde haar hoofd. Oom Andrew zei dat ze niet bescheiden moest zijn. 'Je bent mooi, liefje. Die kunstenaar in Parijs zei dat ik de mooiste vrouw ter wereld had. Ik laat zijn tekening inlijsten en dan hang ik hem op in mijn kantoor.' Daar had hij het voortdurend over, maar hij leek nooit de tijd te vinden om het daadwerkelijk te doen.

Charlotte was twee keer komen spelen. Bij het tweede bezoek was Lizzie Flynn meegekomen en ze had per ongeluk een vaas omgestoten. Oom Andrew was van kwaadheid begonnen te schreeuwen, maar toen Charlotte in huilen uitbarstte, had hij zich verontschuldigd en trakteerde hij op milkshakes. 'Hij bedoelde het niet zo,' zei Susans moeder achteraf. 'Hij had een drukke dag achter de rug en hij is niet gewend aan kinderen. Misschien moet je hen niet meer vragen. Voorlopig dan.'

Ze ging om acht uur naar bed, na haar bad. Haar moeder stopte haar altijd in. Smudge bleef in de keuken slapen. Haar moeder beloofde dat ze oom Andrew zou vragen of hij bij Susan mocht slapen maar op de een of andere manier kwam het er niet van.

Soms, als het laat was, werd ze wakker van het geluid van voetstappen. Oom Andrew, die de trap opkwam om te gaan werken in zijn studeerkamer. Ze lag in bed en keek naar de gloed van het licht op de overloop dat onder de deur scheen en ze wist dat hij er stond.

Op een avond hoorde ze dat de voetstappen de studeerkamer voorbijliepen en stopten bij haar deur. Ze riep hem welterusten, maar het antwoord was niets dan stilte. De voetstappen verwijderden zich, ze ging weer slapen en in de ochtend was haar herinnering van het incident zo vaag dat het niet meer leek dan een fragment uit een verstoorde droom.

In mei werd tante Ellen ziek.

Het was niet ernstig, gewoon een maagkwaaltje, maar Susans moeder besloot er een weekend heen te gaan. Ze wilde Susan meenemen, maar oom Andrew overreedde haar dat niet te doen. 'Ze zal zich vervelen en bovendien zit ik hier dan maar alleen. Susie kan me gezelschap houden.'

Zaterdag was het warm en zonnig. 's Ochtends gingen ze een eindje rijden en ze wandelden in de bossen die vol stonden met wilde hyacinten. Oom Andrew hielp haar enkele te plukken. Ze vonden *The Golden Hind* en ze klom in de boom terwijl oom Andrew beneden bleef staan. Ze speelden dat ze ontdekkingsreizigers waren, het spel dat haar vader had bedacht. Het deed nog steeds pijn als ze aan hem dacht, maar niet meer zoveel als vroeger. De pijn werd minder, precies zoals oom Andrew had gezegd.

Ze aten in een pub, aan een tafeltje buiten. Ze dronken cola met een rietje. 's Middags gingen ze naar de bioscoop voor een film met Elizabeth Taylor. 'Je bent net zo mooi als zij,' fluisterde oom Andrew terwijl ze in het donker zaten. 'Op een dag zie ik jou daar op het scherm.'

'Dat zei mijn vader ook altijd,' fluisterde ze terug.

'Natuurlijk. Hij was heel trots op je, Susie. Net als ik.'

Die avond kookte hij. Later zaten ze in de woonkamer en las hij een verhaal voor over smokkelaars. Hij gebruikte verschillende accenten voor de verschillende personages, net zoals haar vader gedaan zou hebben. Zijn stem was zacht en geruststellend. Ze werd er slaperig van. De klok op de muur gaf aan dat het allang bedtijd voor haar was. Ze wachtte tot hij haar naar boven zou sturen, maar hij bleef voorlezen en onderbrak dat alleen om zich nog een cognac in te schenken uit de fles op tafel. Terwijl ze steeds vaker begon te gapen, sloeg hij een arm om haar heen en trok hij haar naar zich toe. Zijn vingers speelden met haar haar. Hij voelde warm en veilig, net als haar vader. Ze vlijde haar hoofd tegen zijn borst en viel in slaap.

Toen ze wakker werd, streelde hij haar haren nog steeds.

Ze lag in bed. De dekens waren tot aan haar kin opgetrokken. Hij zat op de rand en keek haar aan.

'Het is tijd,' zei hij.

De kamer was halfdonker. Het enige licht kwam van haar leeslampje. Toen haar vermoeide ogen aan het duister waren gewend, zag ze dat hij een kamerjas droeg. Zijn blote benen staken eronder uit. Hoe laat was het? Ging hij ook naar bed?

Zijn hand gleed door haar haar, speelde met de krullen en streelde haar wang. 'Je bent zo mooi. Ik heb nog nooit iemand gezien die zo mooi is.' Zijn vingers waren klam. Ze voelde zich ongemakkelijk. Ze wriemelde in bed, voelde de lakens tegen haar huid en besefte dat ze naakt was. Haar pyjama zat onder haar kussen. Waarom droeg ze die niet? Wist hij niet dat hij daar lag?

Hij glimlachte, maar er was iets vreemds in zijn ogen. Ze leken meer te stralen. Helderder. Alsof ze hem tot die tijd altijd door een scherm had gezien.

En dat maakte haar bang.

'Mama moet komen.'

Hij schudde zijn hoofd.

'Mama moet komen.'

'Vanavond niet. Deze avond is van ons. Ik hou van je, Susie. Hou jij ook van mij?'

'Nee. Ik hield van mijn vader. U bent mijn vader niet.'

'Je kunt ook van mij houden. Je hebt zoveel liefde te geven. Ik voelde het vanaf het eerste moment. Het was ongelooflijk. Alsof God je alleen voor mij heeft gemaakt.'

Zijn hand lag op haar keel en streelde haar huid. Met een vinger tilde hij de dekens op. Automatisch hield ze de dekens met haar handen strak tegen zich aan. 'Je hoeft niet bang te zijn,' zei hij. 'We weten allebei dat dit moest gebeuren.' Zijn stem klonk zacht maar toch gespannen. Fluweel met staal.

Hij boog zich naar haar toe. Hij rook naar zweet en alcohol en nog iets wat ze niet kon thuisbrengen. Een bedompte, rijpe geur die haar neusgaten vulde zodat ze bijna geen lucht meer kreeg. Donker borsthaar krulde boven zijn kamerjas uit.

'Niet doen,' fluisterde ze.

'Ik doe je geen pijn. Ik wil je alleen maar aanraken.'

'Toe nou.'

'Sst. Lig stil.' Hij boog over haar heen. Zijn lichaam schoof voor de lamp en nam het laatste restje licht weg.

Toen het voorbij was, bleef hij op het bed zitten, met zijn rug naar haar toe. Hij staarde naar de muur. Na een tijdje begon hij te praten.

'Ik ben geen slecht mens.'

Ze reageerde niet. Ze lag daar alleen maar.

'Ik ben geen slecht mens. Alleen zie ik dingen in jou die anderen niet zien. Omdat je mooi bent, denken ze dat je een goed mens bent. Maar dat is niet zo. Je bent slecht. Net zo verdorven als de koningin in *Sneeuwwitje*.'

Ze slikte. Ze had een droge keel. Ze wilde een glas water. Ze wilde dat hij wegging.

'Je hebt me hiertoe gedwongen. Je wilde dat dit gebeurde.'

Ze vond haar stem terug. 'Nee...'

Hij keerde zich naar haar toe. Zijn ogen leken niet langer vreemd. Ze waren weer warm en geruststellend. Ogen die ze had leren vertrouwen. En toen hij sprak, klonk zijn stem ook warm en geruststellend.

'Het is waar, Susie. Je bent slecht. Een speciaal soort verdorvenheid die maar weinig kinderen hebben. Ik zie het in alles wat je doet. En als anderen te weten komen wat er vanavond is gebeurd, herkennen ze het ook. Als je moeder het zou weten...'

Hij zweeg. Zuchtend schudde hij zijn hoofd.

'Als je moeder erachter zou komen, wordt ze weer bang. Dan krijgt ze weer een zenuwinzinking. Maar deze keer zal het veel ernstiger zijn. Ze zal nooit meer beter worden. Ze zal hier weg moeten, je zult haar nooit meer zien en dat zou jouw schuld zijn. Daarom moeten we dit geheimhouden, Susie. Niemand mag het ooit weten, want anders vertellen ze het aan je moeder. Je kunt toch wel een geheimpje bewaren?'

Ze knikte.

'Ik ook. Het kan me niet schelen dat je slecht bent. Ik hou toch nog van je, Susie. Ik zal je leren hoe je een goed mens wordt. Het zal tijd kosten, maar ik doe het. Je hoeft me alleen maar te vertrouwen.'

Stilte. Ze staarden elkaar aan. Ze probeerde zich een leven zonder haar moeder voor te stellen, maar dat lukte niet. Het was te verschrikkelijk om aan te denken. De ergste nachtmerrie die ze ooit had gehad.

Ze begon te huilen. Teder veegde hij haar tranen weg.

'Ik wil niet dat mama weggaat.'

'Dat gebeurt ook niet. Niet als we ons geheimpje bewaren. Ik zal het tegen niemand verklappen. Je kunt me vertrouwen, Susie. Kan ik jou vertrouwen?'

'Ja.'

Hij kuste haar voorhoofd. Zijn lippen waren koel en droog. 'Ik heb dorst,' fluisterde ze.

'Ik zal een glas water halen.'

Hij stond op en liep naar de deur. Daar draaide hij zich om.

'Ik hou van je, Susie. Meer dan van wie ook. Je bent mijn oogappel, weet je.'

En weg was hij.

Halftwaalf de volgende ochtend. Ze zaten samen in de woonkamer aan een laat ontbijt. Bacon, eieren, tomaten en geroosterd brood. Alles wat ze lekker vond. Ze had geen honger maar at toch maar. Op zondag ontbeten ze altijd in de eetkamer, zodat hij de krant kon lezen en kon zien wat er op straat gebeurde.

Het erkerraam keek uit op het plein. In het midden lag een klein parkje waar een ouder stel op een bank zat. Mevrouw Hastings van nummer 22 duwde haar zoontje die op de schommel zat. Anderen wandelden over het trottoir: ze kwamen terug uit de kerk of genoten van de zon.

Haar bord was bijna leeg. Ze kauwde op geroosterd brood dat naar kalk smaakte. Een foto van de koningin stond op de voorpagina van zijn krant. Ze probeerde de koppen te lezen, maar haar hersens weigerden de woorden te verwerken. De wilde hyacinten stonden in een vaas midden op tafel. Een verrassing voor haar moeder, die na de lunch thuis zou komen, nieuwsgierig naar wat ze allemaal hadden gedaan tijdens haar afwezigheid.

Hij vouwde de krant dicht. 'Klaar?'

'Ja.'

'Goed zo.' Hij glimlachte. Dat deed hij de hele ochtend al. Hij was opgewekt en vrolijk en maakte geen enkele opmerking over de vorige avond. Hij hield het inderdaad geheim, zelfs tussen hen beiden.

'Wat zullen we vandaag doen?'

'Ik weet het niet.'

'We kunnen langs de rivier gaan lopen. Op zo'n mooie dag is het zonde om binnen te blijven.' De bel ging. 'Wie kan dat zijn?'

Terwijl hij naar de voordeur liep keek zij naar mevrouw Hastings, die Paul hoger en hoger duwde. Paul had blond haar en blauwe ogen. Haar moeder vond Paul een heel knappe jongen.

Ze vroeg zich af of Paul ook slecht was.

Er klonken voetstappen in de gang. Hij kwam binnen met achter hem aan mevrouw Christie van nummer 5 en haar dochter Kate, die bij de vaste club van Alice Wetherby hoorde. Beiden hadden hun zondagse kleren aan. Mevrouw Christie nam Kate elke zondag mee naar de kerk. Soms twee keer. Kate klaagde er altijd over op school.

'We zaten nog te ontbijten,' zei oom Andrew tegen mevrouw Christie. 'We zijn ontzettend lui vandaag, hè Susie?'

Ze knikte. Kate keek stuurs. Ze had dikke donkere krullen en grove gelaatstrekken. Alice noemde haar 'vogelverschrikker'. Alice kon wreed zijn, ook tegen kinderen van haar eigen clubje.

Mevrouw Christie had het over een bazaar die de kerk van de zomer zou houden. Geld ophalen voor een goed doel. Oom Andrew zei dat hij graag zou helpen. Mevrouw Christie was in de wolken. 'Het wordt heel leuk voor de kinderen. Kates vriendinnen doen ook allemaal mee. Bridget, Janet en Alice Wetherby. Het zou leuk zijn als Susan ook meedeed.' Daar was oom Andrew het mee eens.

Kate, veilig naast haar moeder, trok een raar gezicht tegen Susan. Normaal gesproken zou Susan iets terug hebben gedaan, maar deze keer niet.

Was Kate slecht? Waren Bridget, Janet en Alice slecht?

Of ben ik de enige?

Mevrouw Christie wees op de hyacinten. 'Wat een mooie bloemen.' Oom Andrew vertelde dat Susan ze de vorige dag had geplukt. 'Een cadeautje voor haar moeder, het zijn haar lievelingsbloemen.' Mevrouw Christie keek stralend naar Susan. 'Wat aardig. Je moeder boft maar met zo'n dochter.'

'Nee, ze boft niet.' De woorden waren eruit voor ze er erg in had.

Oom Andrew fronste zijn wenkbrauwen. Mevrouw Christie ook. 'Waarom niet, schat?'

Omdat ik slecht ben. Omdat ik verdorven ben.

En ik weet niet waarom.

Iedereen keek naar haar. Ze kon het niet verdragen en rende de kamer uit.

Het zonlicht viel op de libellen die boven de rivier vlogen, tot ergernis van de zwanen die langs de kanaalboten gleden die bij de sluizen lagen te wachten. Een boot meerde aan voor de andere. De eigenaren spraken met elkaar.

Ze hurkte neer bij een boom, uit het zicht. Ze wilde alleen zijn en haar gedachten, die als een zwerm boze bijen in haar hoofd wemelden, op een rijtje zetten.

Ze was slecht. Dat had oom Andrew gezegd. Hij was volwassen. Hij was haar vriend en ze vertrouwde hem. Als hij het zei, moest het waar zijn.

Maar ze wist niet waarom.

Als haar vader nog had geleefd, zou ze nog steeds in Osborne Row wonen. Haar moeder zou niet met oom Andrew zijn getrouwd en de vorige avond zou nooit gebeurd zijn.

Of wel?

Opeens lag ze weer in bed, kijkend naar het gezicht van oom Andrew dat dichterbij kwam. Alleen was het deze keer niet oom Andrew. Het was haar vader.

Als haar vader geweten zou hebben dat ze slecht was, zou hij haar dan hebben vergeven? Zou hij nog steeds van haar hebben gehouden, net als oom Andrew?

Ze wilde het geloven. Maar in haar hoofd kreeg hij een kille uitdrukking. 'Je bent slecht, Susan. Slecht en verdorven en ik haat je. Je bent niet langer mijn Susie Sparkle.'

De stemmen in haar hoofd werden luider en luider. Een orkaan van geluid, dat haar hoofd in tweeën leek te splijten. Ze begroef haar hoofd tussen haar knieën en begon te snikken, terwijl een spin tegen haar been opkroop en een web begon te weven in de plooien van haar jurk.

Toen ze te moe was om nog langer te huilen, keek ze op. Het was koeler. Er stak wind op uit het oosten. Wolken kwamen aanrollen en de boten schommelden in het water. De wind woei tussen de takken van de bomen, tilde haar haren op en blies in haar gezicht. Ze streek haar haren glad.

Op dat moment was haar vader weer bij haar. Ze zaten samen op de rivieroever op de dag dat ze met Alice Wetherby had gevochten.

Ik wou dat je mijn vader had gekend, Susie. Hij zou heel trots op je zijn geweest.

Waarom?

Omdat je sterk bent. Je grootvader was ook zo. Je voelde je veilig bij hem omdat je wist dat hij je nooit in de steek zou laten.

Sterk.

Ze stond op, alsof dat woord een touw was dat haar optrok.

Sterk.

Sterk zijn was niet slecht. Sterk zijn was goed.
Dat was toch zo?
Het was tenminste een begin.
Haar vader had gezegd dat ze hun moeder zouden beschermen. Dat ze nooit meer bang mocht worden. Maar nu was hij weg en moest zij het doen.
En ze zou het doen. Wat het ook kostte. Hoeveel geheimen ze ook moest bewaren. Dat was wat hij gevraagd had en ze zou hem niet in de steek laten. Ze was sterk. Ze zou bewijzen dat ze goed was.
Het geluid in haar hoofd was weggezakt. Ze voelde zich leeg. Helemaal leeg, op één gedachte na.
Ik ben sterk en ik zal dit overleven.
Ze droogde haar tranen. Vanaf nu geen gehuil meer. Tranen waren voor de zwakken en ze moest sterk zijn. Voor haar vader. Voor haar moeder. En voor haarzelf.
Ze keerde zich om en liep naar huis.

De voordeur was open. Haar moeder stond met oom Andrew in de deuropening.
'Susie, waar ben je geweest?'
'Bij de rivier.'
'Je had niet zo lang weg moeten blijven. We waren ongerust. Dat was stout.'
Slecht.
'Sorry, mam.'
'Al goed. Nu ben je er tenminste. Heb je het leuk gehad terwijl ik weg was?'
Oom Andrew keek naar haar. Hij zag er bezorgd uit. Was hij bang dat ze hun geheim zou verklappen? Ze zette haar vrolijkste glimlach op.
'Ik heb bloemen voor je geplukt, mam. Wilde hyacinten. Oom Andrew heeft me geholpen. We hebben ze in een vaas gezet. Wil je ze zien?'
Haar moeder glimlachte ook. 'Ja, heel graag.'
Ze liep voor haar moeder uit naar de eetkamer. Oom Andrew liep achter hen aan.

Juni.

Het was bijna middernacht. Ze lag op haar zij in bed naar de deur te staren. Ze lette op het licht. Luisterde naar de voetstappen. Zich afvragend of het vannacht weer zou gebeuren.

Hij was vier keer geweest. Of was het vijf? Naarmate de weken voorbijgingen vond ze het steeds moeilijker om de tel bij te houden.

Als het voorbij was, vroeg ze altijd waarom ze slecht was. Of ze de enige was. Wat ze moest doen om goed te worden. 'Help me alstublieft om goed te zijn.' Hij gaf wel antwoord, maar zijn woorden waren verwarrend. Ze zei dat ze het niet begreep en dan glimlachte hij en zei dat ze het later wel zou begrijpen.

Het licht ging aan. Hij was in aantocht. Haar hart begon te bonzen. Ze wist dat hij haar vriend was. Dat hij haar wilde helpen. Maar het vooruitzicht van zijn bezoek maakte haar angstig.

Ze reikte onder het bed en pakte de schelp die ze daar verborgen had. Toen de voetstappen dichterbij kwamen, drukte ze hem tegen haar oor, luisterend naar het geluid van de zee. Ze dacht aan de dag bij de rivier met haar vader. Ze wist dat ze sterk was.

Ze wist dat ze zou overleven.

Juli.

Kwart voor negen op een dinsdagmorgen. De zon stond al hoog aan de wolkeloze hemel. Edith Bruce stond op Market Court met haar boodschappenmandje en ze had moeite om haar hond Warner in bedwang te houden, die achter een ongeïnteresseerde poedel wilde aangaan die werd uitgelaten door een al even ongeïnteresseerd uitziende vrouw. Toen de poedel uit het zicht verdween, sprong hij op, likte haar gezicht en duwde haar bijna omver.

'O, Warner, wat moet ik toch met jou beginnen?'

Ze kende het antwoord. Ze moest hem bij iemand onderbrengen die hem in bedwang kon houden. Waarschijnlijk een zwaargewicht worstelaar. Maar ze kon het niet. Haar echtgenoot was overleden en Warner was de enige familie die ze nog had. Hij was vreselijk, maar hij was wel van haar en ze zou verloren zijn zonder hem.

Het werd drukker op het plein: vrouwen met boodschappenmanden die stonden te wachten tot de winkels opengingen, ouders die hun kinderen met schooltassen naar de lagere school brachten in het westen van de stad. De kinderen waren meestal vrolijk. Uitgelaten bij het vooruitzicht van de zomervakantie die over een paar dagen zou beginnen. De kleine Susan Ramsey, haar vroegere buurmeisje, liep met haar stiefvader, Andrew Bishop. Edith wuifde naar haar en liet prompt Warners riem los.

'Verdomme! Warner, kom terug!'

Warner ging ervandoor, achter een geschrokken mopshond aan. Meneer Bishop wist hem te pakken en bracht hem terug.

'Dat is een levendig beestje,' zei hij.

'Zeg dat wel. Bedankt. Hallo, Susie.'

Susan streelde Warners kop. 'Hallo, mevrouw Bruce.'

'Verheug je je op de vakantie?'

'Ja.'

'We krijgen een heerlijke zomer, hè Susie?' zei meneer Bishop. 'Met veel lol.'

Susan knikte maar zei niets. Normaal kletste ze honderduit, maar vandaag niet.

'Ik begin laat vandaag,' legde meneer Bishop uit. 'Dus help ik mijn vrouw door Susie naar school te brengen.'

'Hoe gaat het met je moeder, Susie?'

'Goed, dank u.'

'Doe haar de groeten.'

Weer knikte Susan. Ze zag er moe uit. Alsof ze slecht had geslapen. Waarschijnlijk opwinding vanwege de vakantie. Warner begon haar gezicht te likken. Meneer Bishop leek geamuseerd. 'Je hebt een vriendje, Susie.'

'Typisch mannelijk,' grapte Edith. 'Hij valt op een knap gezicht.'

Meneer Bishop deed of hij zijn wenkbrauwen fronste. 'Knap?'

'Mooi.'

'Zeker. Het mooiste meisje ter wereld. Dat is mijn Susie.' Hij keek op zijn horloge. 'We moeten gaan. Tot ziens, Warner. Wees braaf voor je baasje.'

Ze liepen langzaam weg. Edith keek hen na. Rechts van haar had de fotostudio van John Ramsey gezeten. Arme John. Een goede man met het hart op de juiste plaats, een levendige geest en een glimlach die een hele mensenmenigte kon opvrolijken. Een man die ze altijd had gemogen en die ze nog steeds miste.

Hoewel niet zoveel als ze haar dochter miste.

Maar de tijden veranderden. Susan had nu een nieuwe vader. Ook een goede man, hoe je het ook bekeek. Een nieuw thuis. Was het voldoende om de pijn te verlichten?

Ze hoopte het.

'Tot ziens, Susie.'

Susan draaide zich om. Een fractie van een seconde keek ze gespannen uit haar ogen. Zelfs angstig.

Maar de zon was fel en ze kon het mis hebben.

Toen verscheen de glimlach. Even breed en warm als die van haar vader was geweest. En de manier waarop ze daarna zwaaide was ook hartverwarmend.

Kleine Susie Sparkle, zo lief en zacht.
Kleine Susie Sparkle, altijd beleefd en aardig.
Kleine Susie Sparkle, heel verdorven achter haar glimlach.
Kleine Susie Sparkle…

DEEL III

Hepton, 23 juni 1959

Lieve mama,
Bedankt voor je brief. Sorry dat ik zo laat reageer, maar de proefwerken zijn nu eindelijk voorbij. Vandaag kregen we drie uitslagen. Ik was de beste bij wiskunde (88%), derde bij Engels (80%) en vierde bij Frans (76%). Meneer Cadman zegt dat ik de wiskundeprijs krijg. Hopelijk win ik ook geschiedenis. Tekenen krijg ik zeker. Archie deed het goed maar ik denk niet dat hij prijzen wint. Een jongen die Neville Jepps heet, is er bij het tentamen Latijn uitgegooid wegens spieken. Meneer Bertrand onderbrak het tentamen en heeft een toespraak gehouden over dat middelbareschooljongens nooit spieken, maar dat was raar want de helft van de klas zat met spiekbriefjes!

Alles gaat goed hier. Peter vindt Eddie Cochrane nu beter dan Little Richard, maar volgens hem is de dag dat Elvis het leger in moest nog steeds de ergste dag van zijn leven. Gisteren zei ik tegen hem dat Elvis was neergeschoten door een ontsnapte nazi en hij was helemaal van slag! Thomas heeft een nieuw vriendinnetje: ze heet Sandra. Ze werkt in een schoenenwinkel in High Street en ze is erg saai. Ze kwam dit weekend theedrinken en bleef zo lang doorzeuren over de verschillende soorten hakken dat oom Stan in slaap viel! Tante Vera doet een schriftelijke cursus Engelse literatuur. Het is dezelfde cursus die mevrouw Brown volgt. Vorige week liet ze mevrouw Brown haar eerste essay zien. Ik weet niet wat mevrouw Brown zei, maar toen ze vertrokken was gooide tante Vera het in de vuilnisbak! Oom Stan was een tijdje thuis met rugpijn, maar hij is nu weer beter.

Tante Mabel zei dat ik oom Bill en haar in de zomer in de winkel mag helpen om wat geld te verdienen. Ik heb het gras voor de Sandersons niet kunnen maaien omdat het veel geregend heeft, maar ik doe het als het weer beter wordt.

Dat was het. Ik mis je, maar alles gaat goed dus maak je geen zorgen over mij.

Veel groetjes,
Ronnie Sunshine

P.S. De vader van een jongen in mijn klas zegt dat meneer Brown een verhouding heeft met zijn secretaresse. Dit is geheime informatie!

Kendleton, 28 juni 1959

Lieve Ronnie,
Bedankt voor je brief. Ik was heel blij met de resultaten van je proefwerken en heb tegen iedereen opgeschept over mijn briljante zoon. Die arme vrouwen op het postkantoor zullen nu onderhand wel genoeg van me hebben! Mevrouw Pembroke was erg onder de indruk en een van de biljetten van tien shilling is van haar. Die andere is natuurlijk van mij afkomstig.

Jammer dat het zo slecht weer is geweest. Ik hoop dat het op tijd beter wordt voor je vakantie. Hier is het zonnig en warm en ik heb prachtige wandelingen gemaakt in de bossen. De tijd voor wilde hyacinten is helaas voorbij, maar er groeien veel andere wilde bloemen en het is een en al kleur op het platteland. Ik wou dat je het kon zien, maar ik weet zeker dat dat nog wel een keer gebeurt.

Vanmiddag kwam mevrouw Hammond van hiernaast theedrinken. We hebben in de tuin gezeten en naar de boten gekeken. Het krioelt ervan en volgens meneer Logan, de sluiswachter, is het nog nooit zo'n drukke zomer geweest. Mevrouw Hammond vertelde over haar zonen, Henry en Arthur, die naar kostschool in Yorkshire gaan. Ik geloof dat ik het al eerder over hen heb gehad. Arthur is maar een maand jonger dan jij. Zij hadden laatst ook hun proefwerktijd gehad en ze hebben het kennelijk aardig gedaan, maar lang niet zo goed als iemand anders die ik zou kunnen noemen! Ik geloof niet dat mevrouw Hammond het erg leuk vond dat ik er was. Ze is een nog ergere snob dan mevrouw Brown, maar mevrouw Pembroke is heel aardig en staat erop dat ik overal bij betrokken word.

Ik hoop dat thuis alles goed gaat. Je weet dat je het me kunt vertellen als dat niet zo is. Ik maak me wel zorgen over je, mijn schat, hoewel je zegt dat ik dat niet moet doen. Er gaat geen uur voorbij waarin ik niet aan je denk, me afvraag wat je doet en wens dat we samen waren.

Ik tel de dagen tot mijn volgende bezoek.

Veel liefs,
mama

P.S. Ik begrijp niet waarom een vrouw een verhouding met meneer Brown zou willen hebben. Dit is ook geheime informatie!!!

Juli. Het was zomer in Hepton en de hitte lag als een deken over Moreton Street. In de slaapkamer aan de voorkant, die hij deelde met Peter, zat Ronnie bij het raam zijn huiswerk te maken.

Het was niet eenvoudig. Peter lag op zijn bed, meezingend met een plaat van Eddie Cochrane. Ze deelden al drie jaar een kamer, nadat Thomas een eigen kamer had geëist, en Peters grootste genoegen was Ronnie van zijn werk te houden.

Het raam stond open. Een groep jongetjes speelde cricket op straat, met een oud krat als pitch. 'Ik ben Freddie Trueman,' riep de werper, de bal naar het hoofd van de slagman gooiend, die wegdook om een hersenschudding te voorkomen. Een vrouw schreeuwde dat ze niet zoveel herrie moesten maken.

Het was kwart voor zes. Het einde van de werkdag. Stan en Thomas liepen naar huis. Thomas, bijna achttien en even lang, dun en astmatisch als zijn vader, was na zijn eindexamen in de fabriek gaan werken. Ze praatten met een buurman. Stan rookte. Hij mocht thuis niet roken.

Ronnies blik gleed terug naar het opstel dat hij schreef. Een beschouwing over de eenwording van Italië. Schoolboeken lagen op het bureau. De prijs voor geschiedenis moest nog worden toegekend en die wilde hij zeker niet missen.

De plaat was afgelopen. Peter zette hem opnieuw op en bekeek zichzelf in de spiegel aan de binnenkant van de kastdeur. Hij was net zestien. Hij had de lengte van zijn vader en de zware bouw van zijn moeder. Zijn donkere haar, met een overdadige vetkuif, glom van het vet. Hij pakte een handhalter op en trainde zijn biceps. Hij bewonderde de krachtige spieren onder zijn witte hemd. Zijn helft van de kamer was volgeplakt met foto's van zangers en bodybuilders. Aan Ronnies kant hingen zijn eigen tekeningen. Tijdens de eerste maanden dat ze de kamer deelden, had Peter ze vaak besmeurd en pas nadat Ronnie 'per ongeluk' een lievelingsplaat van Peter kapot had geslagen was er een wapenstilstand ingetreden.

Eddie Cochrane zong over de Summertime Blues. Ronnie had daar nu last van en probeerde zich te concentreren. Hij legde het opstel terzijde en begon de laatste brief van zijn moeder te herlezen. Peter zag wat hij deed. 'En wat zegt mammie?'

'Dat gaat je niks aan.'

'Is ze trots op haar kleine Ronnie?'

'Ze heeft tenminste iets om trots op te zijn.'

Peter, die op het punt stond bij zijn vader en broer in de fabriek te gaan werken, lachte spottend. 'Wat dan? Een paar stomme prijzen. Daar kom je nergens mee in de echte wereld.'

'Verder dan jij zult komen met grote spierenballen en vet haar.'

'Ik zal het verder schoppen dan jij.'

'Natuurlijk. Binnenkort ben jij de nieuwe Charles Atlas. Je hebt er de hersens voor.'

'Ik ben tenminste geen flikker. Alleen flikkers houden van tekenen.'

Ronnie las verder. Omdat hij geen reactie kreeg, ging Peter verder met het trainen van zijn biceps.

Vijf minuten gingen voorbij. Ronnie staarde uit het raam. Thomas zei de buurman gedag en Stan nam het laatste trekje van zijn peuk.

'Kijk je uit naar je vader, Ronnie? Hij komt nooit. Hij weet niet eens dat je bestaat.'

Ronnie hield zijn blik op de straat gericht. Het spelletje cricket viel uiteen en er klonken beschuldigingen van vals spel.

'En zelfs als hij dat wel wist, zou hij niet komen. Wie wil er nou een onwettige flikker als zoon?'

'Hij zou trotser op mij zijn dan op jou.'

'Ik weet tenminste waar mijn vader is en dat hij me wilde. Dat zul jij nooit kunnen zeggen.'

De voordeur ging open. Stan riep een groet. 'Hallo, pap,'

schreeuwde Peter, met nadruk op het tweede woord. 'Win maar alle prijzen die je kunt, kleine Ronnie, maar je blijft de onwettige flikker van een stomme slet en een soldaat die zo dronken was dat hij haar naam niet meer wist.' Toen verliet hij de kamer.

Ronnie bleef achter zijn bureau zitten. Links van hem stond een foto van zijn moeder. Hij nam hem uit de lijst om naar het kleinere kiekje van zijn vader te kijken dat erachter verborgen zat. Zijn ouders. Een stomme slet en een dronken soldaat. Peter had Vera en Stan. Een moeder die niet kilometers ver weg werkte en een vader die er altijd geweest was.

Maar hij wist welke ouders hij zou hebben gekozen.

Hij kuste beide foto's en ging verder met zijn werk.

Bij het avondeten waren ze die avond met zijn vijven: Peters vriendin Jane, een roodharige van vijftien met een grote boezem en strakke topjes, nam de plaats in van Thomas die uit was met Sandra.

Vera schepte iedereen worstjes en patat op. Twee worstjes per persoon. Peter klaagde dat het niet genoeg was en Vera zei dat het geld hen niet op de rug groeide.

'Als het je uitkomt wel. De Browns kregen steak toen ze vorige week langskwamen.'

'Dat waren gasten.'

'Jane is ook te gast.'

Vera keek ontstemd. Haar grove gezicht had nu ook een dubbele onderkin. 'Jouw gast, Peter, en als je bijdraagt aan het huishoudgeld kun je haar op steak trakteren.'

'Ondertussen neem ik vast zijn patat,' zei Jane en ze prikte er een paar aan haar vork. Vera keek nu nog bedenkelijker. Ze mocht Jane niet.

'Mijn bijdrage komt gauw genoeg, wat iemand anders hier aan tafel niet kan zeggen.'

'Mijn moeder betaalt voor mij,' zei Ronnie. 'En als ik in de winkel ga werken, kan ik ook meebetalen.'

'Wat betalen de Coopers je?' vroeg Vera.

Hij vertelde het. Onmiddellijk eiste ze het leeuwendeel op voor het huishouden. 'Dat is een beetje veel, Vera,' zei Stan. 'Hij moet ook iets overhouden.'

'Het is heel redelijk. Weet je wat het kost als hij de hele vakantie hier blijft?'

'Ik vind het niet erg,' zei Ronnie, die meer verdiende dan hij had gezegd.

'Hoe gaat het met je moeder?' vroeg Stan. 'Ik zag dat je vandaag een brief hebt gekregen.'

'Goed, dank u.'

'Dat zou ik denken,' merkte Vera op. 'Ze heeft een luizenbaantje.'

Ronnie slikte een hap worst door. Veel te gaar, zoals het eten van Vera meestal was. 'Het is geen luizenbaantje. Ze werkt hard.'

Peter knikte. 'Dienstmeisje zijn valt niet mee.'

'Ze is geen dienstmeisje. Ze is gezelschapsdame.'

Vera snoof. 'Dat is geen echte baan.'

'Jazeker. En ze doet het goed. Mevrouw Pembroke is heel blij met haar.'

'Dat moet je moeder wel zeggen.'

'Toevallig zei mevrouw Sanderson dat en ze is de nicht van mevrouw Pembroke, dus zij kan het weten.'

'Niet zo eigenwijs, Ronald Sidney.'

'Ik ben niet eigenwijs, tante Vera. Ik zeg alleen maar...'

Opeens hield hij zijn mond. Zijn stem was een octaaf omhooggeschoten. 'De kleine Ronnie krijgt de baard in de keel,' plaagde Peter.

'Jammer dat jouw verstand zich niet ontwikkelt,' flapte Ronnie eruit voor hij er erg in had.

Vera keek boos. Gelukkig lachte Jane, waardoor ze de woede van Vera over zich heen kreeg. 'We lachen hier niet om beledigingen, juffrouw.'

'Dat zouden jullie wel moeten doen. Deze was leuk.'

'Voor wie ben je eigenlijk?' wilde Peter weten.

Jane tikte hem op de neus met een patatje. Vera klaagde tegen Stan over haar meest recente schrijfopdracht. Ronnie at door. Jane begon te fluisteren tegen Peter, die suf zat te kijken. Peter schepte altijd op tegen vrienden dat Jane zo gedwee was, maar Ronnie wist dat het tegendeel waar was. Vera wist het ook. Terwijl ze zich beklaagde bij Stan keek ze boos naar Jane. Hoewel het een warme avond was waren de mouwen van haar blouse omlaag getrokken, de beschadigde huid van haar linkerarm verbergend.

‘Heb jij een vriendin, Ronnie?’ vroeg Jane.
‘Nee.’
‘Kleine Ronnie houdt niet van meisjes,’ zei Peter.
‘Ik wed dat ze wel van hem houden. Hij is knap.’
Peter spande zijn biceps. ‘Niet zo knap als ik.’
Jane likte aan Peters wang. Hij likte haar terug. Vera’s mond verstrakte. ‘Dat soort gedrag hoort niet aan tafel.’
‘We doen niks, mevrouw Finnegan,’ zei Jane vrolijk. Ze keek weer naar Ronnie. ‘Je lijkt op je moeder, hè?’
‘Ja.’
‘Ze is vast knap. Heeft ze een vriend?’
‘Nee.’
‘Zou ze je het vertellen als ze er een had?’
‘Ze heeft geen vriend nodig. Ze heeft mij.’
Jane glimlachte. ‘Dat is lief.’
‘Wat is er, kleine Ronnie?’ vroeg Peter. ‘Bang dat mammie meer van iemand anders dan van jou houdt?’
‘Zo is het wel genoeg, Pete,’ zei Stan.
‘Ja, doe niet zo afschuwelijk,’ voegde Jane toe. ‘Of ik krijg een hekel aan je.’ Ze pakte hem bij zijn haar, trok hem naar zich toe en beet hem op zijn lip.
‘Ophouden!’ snauwde Vera. ‘Wat zouden de Browns wel niet denken als ze hier waren?’
‘Waar is onze steak?’ opperde Jane.
Vera werd woedend. Ronnie volgde het voorbeeld van oom Stan en at in stilte verder.

Later, toen Peter met Jane plaatjes draaide op hun slaapkamer en Vera over haar zat te klagen tegen Stan, ging Ronnie een ommetje maken.
Jongens speelden voetbal in het parkje op de hoek en sloofden zich uit voor de meisjes, die in groepjes stonden te giechelen en te roddelen. Alan Deakins, de lastpak van zijn lagere school, stond in een groepje grappen te maken. Ronnie herkende Catherine Meadows, ook een voormalige klasgenoot. Ze riep dat hij erbij moest komen. Hij zwaaide maar liep door.
De spoorlijn liep achter langs het park. Hij klom omhoog en be-

gon in de droge aarde te porren met een stok. Een trein denderde voorbij en vulde de lucht met rook en lawaai. Hij had ooit bij het slaapkamerraam naar de treinen staan kijken, verlangend naar de dag waarop zijn vader zou komen om hem en zijn moeder op te halen. Nu was zijn moeder ver weg, en van zijn vader restte niet veel meer dan een oude foto. Een droom die elk jaar zwakker zou worden totdat hij helemaal zou zijn verdwenen.

Maar nu nog niet. Dromen waren soms het enige wat het leven draaglijk kon maken.

Catherine Meadows liep op hem af. De afgelopen twee jaar had ze op een kostschool in Berkshire gezeten. Ze was alleen tijdens de vakantie in Hepton.

'Hallo, Ronnie. Ik heb sinds gisteren vakantie. Die van jou is nog niet begonnen?'

'Nee.'

Ze ging naast hem zitten. Haar haar was blond, haar ogen lichtblauw. 'Ga je nog steeds naar de Sandersons?' vroeg ze.

'Ja.'

'Je mag ook bij mij langskomen als je wilt. We wonen op nummer 25. Ik ben hier de hele zomer, op een week na als ik bij mijn opa en oma in Devon ben. Ken je Devon? Het is er saai.'

'Het is er vast niet zo saai als hier.' Hij ging door met wroeten in de aarde. Twee voetballers wilden elkaar aanvliegen na een smerige tackle. De andere spelers haalden ze uit elkaar en het spel werd hervat.

'Alan is nog steeds een opschepper,' zei ze. 'Hij zegt dat hij naar bed is geweest met een meisje in Southend. Maar ik geloof hem niet. Ik denk dat hij bang zou worden als een meisje met hem naar bed wilde.'

'Zou kunnen.'

'Zou jij bang zijn, Ronnie?'

'Dat weet ik niet.'

'Ik wed van niet.'

Er kwam weer een trein voorbij, die haar overstemde. Haar mond bleef woorden vormen en ze gebaarde met haar handen als een actrice in een stomme film. Hij moest erom lachen.

'Hoe gaat het met je moeder?' vroeg ze toen de trein voorbij was.

'Goed.'
'Je zult haar wel missen. Ik mis mijn familie als ik op school zit maar als ik thuis ben, word ik gek van ze.'
'Jij hebt tenminste familie.'
Ze staarden elkaar aan. Hij stelde zich voor dat zijn moeder bij de rivier in Oxfordshire zat met een man die ze leuk vond. Een man die op een dag meer voor haar zou betekenen dan haar eigen zoon.
Maar dat zou nooit gebeuren. Kon nooit gebeuren.
Of wel?
'Vind je me mooi?'
Hij knikte. Alle meisjes die op zijn moeder leken waren mooi.
'Wil je me kussen?'
'Nee.'
'Dat komt nog wel. Dag, Ronnie.'
'Dag.'
Ze liep terug naar haar groepje. Hij bleef alleen zitten en hakte in de grond terwijl de zon achter de horizon zakte en de laatste hitte verdween.

Een natte middag in augustus. Anna schonk thee in voor mevrouw Pembroke en haar gasten.

Van alle statige huizen in The Avenue was Riverdale het meest imposant. Een Victoriaans herenhuis van rode baksteen met eikenhouten lambrisering, een brede centrale trap en een stuk of tien schoorstenen. De meubels, ook grotendeels Victoriaans, waren sierlijk maar comfortabel en creëerden een weelderige, informele atmosfeer.

Op deze middag zat mevrouw Wetherby op een sofa voor de erker, die uitkeek op de achtertuin en de rivier. Haar kinderen, Alice en Edward, zaten naast haar. Mevrouw Pembroke zat in haar eigen stoel bij de open haard terwijl Anna op een kruk zat, klaar om iedereen van eten en drinken te voorzien.

Mevrouw Wetherby, een lange, grofgebouwde kettingrookster, zat te klagen over Franse hotels. Mevrouw Pembroke nipte van haar thee. Ze zat in een plaid gewikkeld en leek klein en teer als een vogeltje. 'En hoe gaat het op school?' vroeg ze Edward en Alice.

‘Edward was aanvoerder van het cricketteam,’ zei mevrouw Wetherby, ‘en Alice heeft de eerste prijs voor Engels gewonnen en twee van haar gedichten hebben in de schoolkrant gestaan.’

Edward knikte. Hij was vijftien en leek op zijn moeder. Hij keek begerig naar haar sigaretten. Anna had hem met zijn vrienden hevig zien roken op Market Court, met hun kraag opgeslagen. Ze probeerden eruit te zien als het Engelse antwoord op James Dean. Alice glimlachte. Ze was dertien en uitzonderlijk knap met lang blond haar, een poppengezichtje en verleidelijke ogen. Ze was zo smetteloos gekleed dat het leek of ze zelf was gestreken. Beiden gingen naar Heathcote, de exclusieve school aan de rand van de stad.

Mevrouw Pembroke feliciteerde hen. Mevrouw Wetherby keek zelfvoldaan. ‘Ik mag me gelukkig prijzen dat ik zulke getalenteerde kinderen heb.’

‘Ronnie, de zoon van Anna, is ook een talent. Hij heeft dit jaar vier prijzen gewonnen.’

Mevrouw Wetherby zette grote ogen op. Ze knikte maar gaf geen commentaar. Alice was echter nieuwsgierig. ‘Ronnie is toch even oud als ik, mevrouw Sidney? Welke prijzen heeft hij gewonnen?’

‘Wiskunde, geschiedenis en tekenen. En ook de jaarprijs.’

‘Die wordt uitgereikt aan degene met het beste algehele resultaat,’ legde mevrouw Pembroke uit.

‘Dat zijn maar drie prijzen,’ zei Edward. ‘Tekenen telt niet mee.’

Anna was van haar stuk gebracht. ‘Het telt wel mee.’

‘Op *zijn* school misschien. Mijn school geeft geen prijzen voor niet-academische vakken.’

‘Misschien zouden ze dat wel moeten doen,’ stelde mevrouw Pembroke voor.

Edward haalde zijn schouders op. Anna verbeet haar woede en ging rond met de cake.

‘En hoe gaat het met Charles?’ vroeg mevrouw Wetherby. ‘De zoon van mevrouw Pembroke is hoogleraar op een Amerikaanse universiteit,’ vertelde ze aan haar kinderen. Alice vond het interessant terwijl Edward zijn aandacht verlangend op de sigaretten gevestigd hield.

‘Niet zo lang meer,’ zei mevrouw Pembroke. ‘Hij komt terug naar Engeland om een tijdje hier te wonen.’

'Wat leuk. Hij moet eens komen eten.'

Anna hield haar verbazing in. In de vierenhalf jaar die ze in Kendleton had gewoond, had Charles Pembroke zijn moeder nooit bezocht. Mevrouw Pembroke liet nooit merken of ze verdriet had van zijn afwezigheid, hoewel ze altijd snel van onderwerp veranderde als zijn naam werd genoemd. Nu ook weer.

'Ik word helaas een beetje moe. Dat vervelende hart ook van mij.'

'Dan moeten we gaan,' zei mevrouw Wetherby, die de hint begreep.

Anna liet hen uit. Mevrouw Wetherby stak buiten nog een sigaret op. 'Mag ik er een?' vroeg Edward.

'Natuurlijk niet. Je bent te jong om te roken.'

'Dat denk jij, mam,' zei Alice veelbetekenend. Broer en zus keken elkaar aan. Terwijl ze de oprijlaan afliepen, gleed Edward uit over een natte steen en viel bijna. Anna bedwong de neiging om te gaan juichen en sloot de deur.

Mevrouw Pembroke zat nog in haar plaid gewikkeld en glimlachte vermoeid. 'Vroeger kwam dat vreselijke mens niet zo vaak.'

'U had haar niet moeten vertellen dat u familie bent van een graaf.'

'In de verte.'

'Maar toch familie.' Anna glimlachte ook. 'Bent u echt moe? Zal ik u naar boven brengen?'

'Nee, hoor. Ik blijf hier.'

'Fijn dat u Ronnie hebt geprezen.'

'Graag gedaan. Bovendien moest ik onze gast op haar plaats zetten.'

'Zal ik u voorlezen?'

'Nu niet. Laten we gewoon even zitten.'

Dat deden ze, terwijl het buiten opklaarde. Het kon nog een mooie avond worden.

'Ik wist niet dat Charles kwam,' zei Anna uiteindelijk.

'Ik dacht dat ik het wel gezegd had. Misschien ben je het vergeten.'

'Dat moet wel.'

'Ik ga even een dutje doen.'

Mevrouw Pembroke sloot haar ogen. Nadat ze had gecontroleerd of de plaid nog goed zat, sloop Anna de kamer uit.

Op zomeravonden wandelde Anna graag langs de rivier.

Die avond was het minder druk dan gewoonlijk. De vrouw van de bibliotheek zei vrolijk: 'Goedenavond, mevrouw Sidney.' Ze glimlachte terug en streelde het zilver rond de ringvinger van haar linkerhand. Iedereen in de stad dacht dat ze in de oorlog weduwe was geworden. Een leugentje dat was bedacht door mevrouw Pembroke om geroddel zoals in Hepton te vermijden.

Ben Logan, de sluiswachter, liet de laatste boten van die dag door. Zijn gezicht klaarde op toen hij haar zag. 'Hallo, Anna. Hoe gaat het?'

'Beter, nu het niet meer regent.' Ze keek toe hoe hij de boten in de sluis loodste. Haar 'jongeman' zoals Peggy de kokkin hem noemde. Een grapje want Ben was zeventig, kaal en tandeloos. Maar hij was haar vriend. Iemand met wie ze graag een praatje maakte als ze de tijd had.

Ben hielp een vrouw met het vastmaken van een touw rond een meerpaal. Hoewel de sluis vol was, probeerde een boot nog binnen te komen. 'Ik denk niet dat er plaats is,' riep Anna tegen de man aan het roer.

Hij keek haar aan. 'Waar bemoei jij je mee?'

Ben keek ontstemd. 'Denk om je manieren of ik laat je er niet door.'

'Ik zal je met rust laten, Ben. Ik spreek je morgen wel.'

'Goed, Anna.'

Ze liep verder, langs boten die al aangemeerd lagen voor de nacht. Twee tienerjongens lagen op het dak van een boot, maakten grapjes en negeerden de man van middelbare leeftijd, die vanuit de kombuis riep dat ze zich nuttig moesten maken. Ze ging zitten en schudde haar hoofd tegen de eenden die op haar afkwamen, in de hoop op voedsel. Aan de overkant van de rivier haalde een visser zijn vangst op. Zwaluwen vlogen boven het water, op jacht naar de vliegjes die dansten op het avondbriesje.

Ze vroeg zich af wat Ronnie deed. Of hij haar net zoveel miste als zij hem. Even hoopte ze dat dat zo was, waarna ze zichzelf verfoeide.

Had hij een vriendinnetje? Een onschuldige vriendschap die wellicht serieuzer zou worden? Het was onvermijdelijk dat hij op een dag verliefd werd. Hij zou nog steeds haar zoon zijn, maar niet langer haar Ronnie Sunshine. Zijn hart zou iemand anders toebehoren en zolang die persoon hem gelukkig maakte, zou zij ook gelukkig zijn.

Dat zou ze althans proberen.

Ze vroeg zich af op welk type meisje hij zou vallen. Iemand als Alice Wetherby misschien. Aantrekkelijk, intelligent, wetend dat geen enkel ander meisje in Kendleton haar kon overtreffen.

Op een na. Het meisje dat op het pad liep met een rode kat op haar schouder.

Ze liep vlug door het hoge gras. Ze droeg een kinderlijke katoenen jurk die haar sierlijke schouders accentueerde. Ze had lange, soepele ledematen en een ontluikend figuur. Ze liep op blote voeten, haar lange haar was een donkere kluwen die ze opeens uit haar gezicht veegde, waardoor haar prachtige gezicht te zien kwam. De jongens op de boot vielen stil toen ze voorbijkwam. Een maakte aanstalten om iets te roepen maar veranderde toen van gedachten. De spanning die zij uitstraalde nodigde niet uit tot een praatje, hoewel ze hun blik als een magneet naar zich toe trok.

Ze passeerde Anna en ging iets verder bij de rivier zitten. Ze gooide stukjes brood naar de eenden die op haar toe zwommen en liet haar voeten in het water bungelen terwijl de kat kopjes tegen haar onderrug gaf.

In de loop der jaren had Anna haar daar vaak zien zitten, in gedachten verzonken. Ze had haar nooit gegroet. Ze wilde iemand die duidelijk alleen wilde zijn niet storen.

'Dat is Susie Ramsey,' had Ben gezegd. 'Woont in Queen Anne Square met haar moeder en stiefvader. Haar echte vader overleed aan een hartaanval toen ze zeven was. Viel dood neer voor haar ogen, het arme kind. Een goede vent, John Ramsey. Hij kwam hier vaak met Susie.'

De wind stak op. Wolken dreven langs de hemel. Susan staarde ernaar. Haar lippen bewogen. Misschien zat ze in zichzelf te praten. Of ze sprak met haar vader. De kat klom op haar knieën en strekte zijn poten uit als een kind dat troost zoekt bij een volwassene. Ze nam hem in haar armen en begroef haar gezicht in de warmte van zijn vacht.

Anna stond op en liep terug over het pad. De jongens lagen nog op het dak van de boot. Een was aan het bekvechten met de middelbare man in de kombuis. De andere bleef naar Susan staren.

Oktober. Anna had haar koffers gepakt voor een bezoek aan Hepton en ging afscheid nemen van haar werkgeefster.

Mevrouw Pembroke zat in bed oude foto's te bekijken. 'De taxi komt over een paar minuten,' zei Anna.

'Blijf tot die tijd even bij me zitten. Je ziet er opgetogen uit.'

'Dat ben ik ook.'

'Natuurlijk. Je gaat Ronnie weer zien. Ik wou dat hij hier op bezoek kon komen, maar je weet wat mijn doktor zegt over lawaai.'

'Het geeft niet. Volgende week ziet u Charles.' Anna keek naar een van de foto's die op het bed lagen. Twee jongens van ongeveer tien en dertien jaar zaten samen op een schommel in de tuin. Ze wees op de oudste. 'Is dat hem?'

'Ja. Die foto is genomen in 1924. Op 29 september om precies te zijn. De tiende verjaardag van James.'

Mevrouw Pembroke had twee zonen gehad: James en Charles. James was omgekomen tijdens de oorlog. Mevrouw Pembroke sprak vaak over hem en zijn foto stond op haar nachtkastje. Maar op dit vergeelde kiekje zag Anna Charles voor het eerst.

'Hij ziet er leuk uit.'

'Hij was toen nog maar een jongen. Zo zag hij er op zijn eenentwintigste uit.'

Anna bekeek de foto. Een lange, serieus uitziende jonge man met donker haar, vriendelijke ogen en een sterke kaaklijn. Een aantrekkelijk gezicht dat je net niet als 'knap' zou betitelen.

Ze wilde dat ze meer van hem wist en de relatie met zijn moeder begreep. Maar over dat onderwerp had ze nooit met mevrouw Pembroke durven praten.

Mevrouw Sanderson had haar meer kunnen vertellen. Maar ze vond het niet loyaal tegenover een aardige werkgeefster om navraag over familieleden te doen. En aangezien mevrouw Pembroke pas vijf jaar geleden naar Oxfordshire was verhuisd, was er verder niemand in Kendleton die iets wist over haar familieachtergrond.

'Zo ziet hij er tegenwoordig niet meer uit,' ging mevrouw Pembroke verder. 'De oorlog heeft hem vreselijk beschadigd.' Ze keek naar de foto van James op haar nachtkastje. 'En de rest van mijn gezin ook.'

'Dat geldt ook voor mijn gezin,' zei Anna zachtjes.

Mevrouw Pembroke raakte haar hand aan. 'Sorry. Dat was erg onnadenkend van me.'

'Nee, het geeft niet.'

De taxi was aangekomen. Mevrouw Pembroke gaf haar wat geld. 'Hier. Trakteer Ronnie er maar van.'

'Dank u.'

'Geen dank. Een slimme jongen als Ronnie verdient het. Als ik dood ben, kun je hem trakteren zoveel je wilt.'

Anna voelde zich opgelaten. 'Zo moet u niet praten.'

'Waarom niet? Het is waar. Of bedoel je dat je me zult missen?'

'Natuurlijk zou ik u missen.'

Mevrouw Pembroke glimlachte. 'Ja, dat denk ik ook. Je bent heel aardig, Anna. Je hebt veel geluk in mijn leven gebracht en ik ben je heel dankbaar. Geef me snel een kus en dan wegwezen.'

Gehoorzaam als altijd deed Anna wat er gezegd werd.

Zondagavond. Anna zat op Ronnies bed en keek toe hoe hij meneer Brown nadeed.

Hij stapte door de kamer, handen in de zij, een kussen onder zijn pyjama en hij zong een geïmproviseerde popsong:

Peggy Sue, Peggy Sue.
Elke avond smeek je dat ik verliefd op je word.
Want ik lijk op Elvis Presley
En ik dans net zo-oo-oo.

Ze hoefde haar lachen niet in te houden. De andere huisgenoten zaten toch in de pub.

'Dit is eigenlijk niet netjes,' zei ze, 'maar hij is echt een vreselijke vent.'

'De laatste keer dat hij kwam eten, zat hij de hele tijd verlekkerd naar Jane te gluren.'

'En wat vond mevrouw Brown daarvan?'

'Ze was misselijk, maar dat kwam van het eten. Zelfs voor tante Vera's doen was het echt walgelijk.'

Meer gelach. Hij klom in bed. 'Dit is net als vroeger,' zei ze.

'Behalve dan dat jij op de sofa slaapt. Je moet mijn bed hebben. Ik zeg dat steeds tegen tante Vera, maar volgens haar hoort het niet dat jij een kamer deelt met Peter.'

'Dat is zo. Het kan me niet schelen, als ik jou maar zie.' Ze streek het haar van zijn voorhoofd. 'Je zou het zo moeten dragen. Je knappe gezicht laten zien.'

Hij keek schaapachtig. 'Mam...'

'Het is zo. Je bent knap. Dat vinden de meisjes vast ook.'

'Jane wel. Ze zegt dat ik op Billy Fury lijk, maar dat doet ze om Peter te pesten.'

'Je bent knapper dan Billy Fury. Nog iemand?'

'Catherine Meadows. Ze schrijft me.'

'Wat schrijft ze?'

'Hier is mijn huiswerk van wiskunde. Stuur de antwoorden uiterlijk donderdag op.'

'Dus je hebt nog geen speciale vriendin?'

'Alleen jij.'

'Mijn kleine man,' zei ze toegenegen.

'Ik ben langer dan jij.'

'Dat scheelt maar een centimeter.'

'Anderhalve.'

'En je hebt een diepe stem. Dadelijk krijg je ook nog bakkebaarden.'

Ze kietelde hem onder de kin. Terwijl hij zich loswrong, schoot het bovenste knoopje van zijn pyjama los. Ze zag dat hij een grote blauwe plek had bij zijn sleutelbeen. 'Hoe kom je daaraan?'

'Het stelt niks voor.'

'Zo ziet het er niet uit.'

'Toch is het zo.' Hij probeerde het knoopje weer dicht te maken.

Ze duwde zijn hand weg. 'Heeft Peter dat gedaan?'

'Het stelt niks voor.'

'Hadden jullie ruzie?'

'Het doet er niet toe, mam.'

'Zei hij iets over mij? Dat was het, hè? O, Ronnie! Ik heb je toch gezegd dat je hem moet negeren als hij dat soort dingen zegt. Hij wil je gewoon provoceren.'

'Dat weet ik.'

'Niet reageren dus. Als je het wel doet, ben je net zo stom als hij. Het kan me niet schelen wat hij van me vindt. Jij moet je er ook niets van aantrekken.'

Zijn gezicht vertrok van woede. 'Maar dat doe ik wel.' Hij staarde naar de sprei.

Ze raakte zijn arm aan. Nu was het zijn beurt om haar hand weg te duwen.

'Ronnie?'

Stilte.

'Het spijt me. Ik wilde niet ondankbaar zijn. Ik ben er trots op dat je me verdedigt. Als ze je maar geen pijn doen.'

Zijn hoofd hing nog steeds omlaag. Ze probeerde zijn lippen tot een glimlach te duwen. Hij spartelde even tegen en drukte toen een zachte kus op haar vingers.

'Mam?'

'Wat is er, schat?'

'Denk je dat mijn vader trots op me zou zijn?'

De vraag overviel haar.

'Ik weet dat hij niet terugkomt. Maar toch denk ik veel aan hem.'

'Natuurlijk zou hij trots zijn. Elke vader zou dat zijn. Je kunt doen wat je wilt met je leven, en dat kunnen maar weinig mensen zeggen. Je vader kon dat niet, en ik ook niet. Maar jij wel en dat betekent dat je niemands goedkeuring nodig hebt, en die van hem al helemaal niet.'

Hij keek op. Hij zag er opeens uit als het kleine jongetje met wie ze jaren geleden een kamertje had gedeeld, waar ze hem letters en cijfers leerde terwijl de treinen voorbij denderden.

'Ik heb jouw goedkeuring nodig.'

'Die krijg je. Altijd.'

Er klonk herrie van beneden. De rest was terug. Vera riep dat Anna koffie moest zetten. Haar stem klonk schel van de drank.

'Laat ze wachten,' zei hij.
'Dat kan niet. Beter om de vrede te bewaren.'
'Morgen ga je al weer weg.'
'Ik ontbijt nog hier.'
'Het lijkt of je net bent aangekomen.'
'Het is algauw Kerstmis.'
'Ik hou van je, mam.'
'Ik hou van je, Ronnie.'
'Ronnie Sunshine,' verbeterde hij.
'Ben je niet te groot voor die naam?'
'Ik blijf altijd jouw Ronnie Sunshine.'
'Dat weet ik.'
Ze omhelsden elkaar terwijl Vera om bediening bleef roepen.

Maandagmiddag. Anna ging Riverdale binnen via de zijdeur.

De keuken was leeg. Peggy de kokkin zou wel weg zijn. Ze kwam 's avonds terug om eten te koken. Mevrouw Pembroke deed vast een middagdutje. Af en toe ging Muriel, de huishoudster, bij haar kijken totdat Anna die taak weer overnam.

Maar eerst wilde ze een momentje voor zichzelf.

Ze zat aan de keukentafel en maakte zich zorgen over Ronnie. Hoewel hij nooit klaagde, was het duidelijk dat hij ongelukkig was. Hij moest weg bij Vera, weg uit Hepton. Als mevrouw Pembroke stierf, zou ze geld genoeg hebben om dat allemaal te bekostigen. Maar mevrouw Pembroke was altijd aardig voor haar geweest. Uitkijken naar haar overlijden gaf haar het gevoel dat ze een gier was die boven een graf hing waar nog niemand in lag.

Doordat ze in gedachten was, hoorde ze het geluid van de voetstappen in de gang niet. Opeens ging de deur open. Verschrikt keek ze op.

En zag het monster.

Ze sprong schreeuwend op en deinsde achteruit.

Toen besefte ze dat het gewoon een man was.

Hij stond in de deuropening. Lang, zwaargebouwd, eind veertig. De linkerkant van zijn gezicht was best knap. Hij had donker haar dat grijs begon te worden. De rechterkant van zijn gezicht zat onder de littekens van brandwonden.

'Het spijt me,' zei hij snel. 'Ik wist niet dat er iemand was.'
Ze haalde diep adem en wachtte tot haar hartslag kalmeerde. Hij draaide zijn hoofd zodanig dat ze alleen de linkerkant van zijn gezicht kon zien. Het deed haar denken aan haar oude idool, Ronald Colman. Die gaf ook de voorkeur aan een kant van zijn gezicht.
'Ik ben Charles Pembroke. Jij moet Anna zijn.'
'Dat klopt.'
'Ik had je nog niet terugverwacht. Ik heb geen taxi gehoord.'
'Ik heb het laatste stuk gelopen. Mijn tas was niet zwaar en ik had behoefte aan wat frisse lucht. Ik dacht dat u pas woensdag zou komen.'
'Dan komt mijn bagage. Ik ben gisteravond aangekomen.'
Stilte. Haar gezicht voelde verhit aan. Ze voelde zich in verlegenheid gebracht door haar gedrag. Ze moest een slechte indruk gemaakt hebben.
Hij liep naar het aanrecht. Hij schonk een glas water in en hield de rechterkant van zijn gezicht afgewend. Ze wilde zeggen dat dat niet nodig was. Dat het door de schaduw uit de gang erger had geleken dan het was. Maar daarmee zou ze het alleen maar erger maken.
'Het spijt me zeer, meneer Pembroke.'
'Het geeft niet. Ik begrijp dat je je zoon hebt bezocht? Hoe gaat het met hem?'
'Heel goed. Ik moet nu gaan. Uw moeder heeft me vast nodig.'
Ze haastte zich de keuken uit en liet hem bij het aanrecht achter.

Die avond at ze samen met hem en mevrouw Pembroke.
Moeder en zoon waren vrij stil. Alleen wat uiterst beleefd gepraat over mensen die ze beiden kenden. Anna was grotendeels het onderwerp van gesprek. Mevrouw Pembroke vroeg ongewoon lang door over Ronnie terwijl Charles Pembroke af en toe ook een vraag stelde. Hij kon goed luisteren en leek echt belangstelling te hebben. Nog steeds probeerde hij de rechterkant van zijn gezicht te verhullen. Daardoor, en door de gespannen sfeer, voelde ze zich niet op haar gemak en tegen het eind van de avond wenste ze dat hij in Amerika was gebleven.
Maar in de weken daarna begon ze aan zijn aanwezigheid te wennen. Sommige dagen bracht hij in Oxford door, waar hij college gaf. Op andere tijden zat hij in de studeerkamer op de benedenverdie-

ping. Hij schreef een boek over Russische geschiedenis. Ze wilde hem ernaar vragen zodat ze het Ronnie kon vertellen, maar ze deed het niet omdat ze haar onwetendheid over het onderwerp niet wilde laten blijken.

Op een middag, vlak voor Kerstmis, vroeg ze of hij nog brieven had die ze kon posten. Hij stond bij het raam en keek uit over de rivier. Snel wendde hij de rechterkant van zijn gezicht af.

'Dat hoeft u niet te doen,' zei ze tegen hem.

'Het is geen prettig gezicht.'

'U bent gewond geraakt omdat u iemands leven hebt gered tijdens een luchtaanval. Dat zei uw moeder tenminste.'

'En dat maakt het mooier?'

'Niet mooi, maar...'

Hij keerde zijn hele gezicht naar haar toe. 'Maar?'

'Het bewijst dat u moed hebt.'

'Is dat zo zeldzaam?'

'Volgens mij wel.'

'Jij hebt pas moed. Veel meer dan ik.'

'Hoe bedoelt u?'

'Omdat je Ronnie hebt gehouden.'

Ze liet haar hoofd zakken. 'Ik wist niet dat u het wist.'

'Mijn moeder heeft het verteld. Ze weet dat ik een geheim kan bewaren.'

'Het was geen moed waardoor ik hem hield.'

'Wat dan wel?'

'Ik wist vanaf het eerste moment dat ik hem nooit zou kunnen afstaan.'

'En heb je ooit gedacht dat je de verkeerde keuze hebt gemaakt?'

'Nee, nog geen seconde.'

'Ik ook niet.'

Ze keek op. Hij glimlachte. De eerste echte glimlach die ze bij hem zag. Ze glimlachte terug.

'Bedankt, meneer Pembroke.'

'Bedankt, Anna.'

Oudejaarsavond. Stan en Vera gaven een feestje.

Het was bijna middernacht. Ronnie stond de gasten te bedienen achter een geïmproviseerde bar. Thomas en Sandra hadden zojuist hun verloving aangekondigd en er werd op hen getoost. 'Sandra is een meisje naar mijn hart,' verklaarde Vera. Ze was blij dat Thomas een vrouw had gekozen die ze kon intimideren. Stan, die voor deze keer binnen mocht roken, knikte instemmend. Mevrouw Brown nipte van haar sherry en keek hooghartig terwijl haar echtgenoot een sigaar rookte en loerde naar iedereen die een rok droeg. Peter en Jane waren nergens te bekennen. Ronnie dacht dat ze boven hun eigen, intiemere feestje hadden.

Zijn moeder kwam uit de keuken met een blad sandwiches. Ze droeg een blauwe jurk en zag er erg mooi uit. Meneer Brown liep op haar af, van plan voor de derde keer die avond in haar achterste te knijpen. Deze keer was Ronnie op tijd. Hij snelde door de kamer en botste met een glas gloeiend hete punch tegen de tastende hand van meneer Brown aan.

'Verdomme!' schreeuwde meneer Brown. Zijn kreet werd overstemd door het gejuich voor het nieuwe paar.

'Het spijt me heel erg.'

'Dat zou ik denken! Verdorie...'

'Ik wilde uw vrouw net een drankje brengen.'

Meneer Brown was meteen milder gestemd. 'O. Nou ja, geeft niets. Een ongeluk zit in een klein hoekje.'

'Bedankt,' zei zijn moeder toen meneer Brown weg was.

'Ik heb genoeg van dit feestje. Iedereen heeft nu wel genoeg te eten en te drinken. Kom, we gaan naar buiten.'

Ze slopen als samenzweerders de verlaten straat op. In het park op de hoek stond een bankje. Ze gingen naast elkaar zitten en keken naar de sterren. De condens van hun adem was zichtbaar.

'Weet je nog dat ik je de namen van sterrenstelsels heb geleerd?' vroeg ze.

'Ja, maar je had de namen verkeerd.' Hij wees naar de Grote Beer. 'Die heet Brownus Ontuchtus Smeerlappus. En die andere daar heet Verata Heksa Maxima.'

Ze lachte. Dat deed hem goed. Niemand kon haar zo aan het lachen maken als hij.

'Doe een wens,' zei ze. 'Je moet toch een wens doen als je een ster ziet?'

Hij sloot zijn ogen en deed een wens.
'Wat heb je gewenst?'
'Dat is geheim.'
'Mij kun je het wel vertellen.'
Dat mijn vader terugkomt.
'Ronnie?'
Dat ik een sigaar kon uitdrukken in het oog van meneer Brown. Dat Peter onder een trein kwam. Dat tante Vera kanker zou krijgen, zodat ik haar kon zien wegrotten. Dat ik uit deze klerezooi weg kan voor ik uit elkaar knal.
'Nee, dat doe ik niet. Als ik het vertel, komt de wens niet uit.'
Ze keek teleurgesteld. Ronnie Sunshine had geen geheimen voor zijn moeder. Er was niets wat Ronnie Sunshine dacht of deed dat hij niet met zijn moeder deelde.
Ik wou dat ik je alles kon vertellen. Dat wens ik nog het meest.
'Ik heb gewenst dat ik volgend jaar nog meer prijzen win. Ik ben dol op prijzen winnen. Niet voor mezelf maar voor jou.'
De teleurstelling verdween. Haar gezicht klaarde op. Ze zag er mooi uit. Zijn moeder. De enige in de wereld die er werkelijk toe deed voor hem.
'Mam, heb je een vriend?'
'Waarom vraag je dat?'
'Dat vroeg Jane me een keer.'
'En wat heb je tegen haar gezegd?'
'Dat je geen vriend nodig hebt.'
'Dat is zo. Ik heb alleen jou nodig.'
Nu glimlachte hij. In stilte deed hij nog een wens. *Dat ze nooit iemand anders nodig zou hebben dan hij.* Hij wilde haar met niemand delen.
Behalve met zijn vader.
Verderop op straat klonk geproost en er werd een schorre versie van 'Auld Lang Syne' gezongen. 'Gelukkig nieuw decennium, Ronnie,' zei ze. 'Ik weet zeker dat het schitterende jaren worden voor je.'
Hij omhelsde haar en vroeg zich af wat de toekomst zou brengen.

Maart. Mevrouw Pembroke deed een middagdutje. Anna stond in

de studeerkamer van Charles Pembroke en keek hoe hij op een typemachine zat te hameren met één vinger. 'Een vrouw op de universiteit hoort dat eigenlijk te doen,' zei hij, 'maar ze kan mijn handschrift niet lezen.'

'Misschien zou ik dat kunnen.'

'Dat betwijfel ik. Een secretaresse in Amerika heeft eens gezegd dat ik het slechtste handschrift heb dat ze ooit had gezien. Hoe zei ze dat ook al weer?' Hij deed een Amerikaans accent na. 'Je mag dan een boekenwurm zijn, Charlie Pembroke, maar met een pen kun je niet overweg.'

Ze lachte. Hij kreeg de juiste toon niet te pakken.

'Verdomme.'

Een deel van zijn aantekeningen lag voor haar. 'Dit kan ik lezen.'

'Bewijs het. Lees voor.'

Ze deed het. Enkele regels over de buitenlandse politiek van Catharina de Grote. 'Ze was toch een Duitse? Ronnie heeft me dat verteld.'

'Dat klopt, heel goed. Maar je bent hier speciaal voor mijn moeder. Ik mag geen beslag op je leggen.'

'Dat loopt niet zo'n vaart. Meestal slaapt ze 's middags, en nadat ze naar bed is gegaan heb ik de avonden vrij. Ik zou graag iets nuttigs doen.'

'Dan is het goed.'

April. Mevrouw Pembroke zat rechtop in bed en luisterde instemmend terwijl Anna Ronnies rapport voorlas. 'Hij is nog niet eerder de beste in Engels geweest,' merkte ze op.

'Twee jaar geleden was hij bij een proefwerk Engels ook de beste, maar niet voor het hele semester, hoewel hij wel een keer tweede is geworden, maar...' Anna schudde haar hoofd. 'Sorry. Dat hoeft u niet allemaal te weten.'

'Je hoeft je niet te verontschuldigen. Ik wilde graag weten wat er in het rapport stond.'

'Ik had het sowieso wel voorgelezen.'

'Je bent trots op je zoon. Dat is goed. Ronnie boft met een moeder die zoveel van hem houdt.'

'Ik ben degene die boft. Ronnie schenkt me meer vreugde dan ik ooit had gedacht. Mijn liefde is het enige wat ik kan teruggeven. Veel is het niet.'

'Het is meer dan je denkt. Veel meer.' Mevrouw Pembroke begon somber te kijken. 'Soms denk ik dat het verboden moest zijn om al je liefde aan één persoon te schenken. Maar ja, hoe kun je wetten opstellen voor hartzaken?'

'Dat zou ik niet willen. Niet als het om Ronnie gaat.'

'Zo heb ik ook ooit gedacht. Toen ik jong was en nog niet wist wat ik nu wel weet.'

Stilte. Anna voelde zich opgelaten en pakte Ronnies rapport. 'Ik moest maar eens gaan.'

'Nee, blijf alsjeblieft. Ik ben een domme oude vrouw en praat onzin. Let er maar niet op.'

'U bent niet dom.'

'Het is aardig van je om dat te zeggen. Daarom mag ik je ook zo graag. Charles vindt je ook aardig. Hij heeft veel mensenkennis. En hij is een goede vriend. Beter dan zijn broer ooit is geweest. Onthou dat als ik er niet meer ben. Als je ooit een vriend nodig hebt, kun je het niet beter treffen.'

De sombere blik kwam weer terug. Even maar. Toen lachte ze toegeeflijk. 'Nu terug naar het rapport. Met welke schilder vergelijkt de tekenleraar Ronnie dit semester? Toch niet met Picasso, hoop ik? Als iemand mij portretteerde als een stel kubussen zou ik dodelijk beledigd zijn.'

Ze lachten. Anna ging verder met voorlezen.

Juni. Er stonden nu twee bureaus in de studeerkamer van Charles Pembroke. Charles zat aan het grote bureau midden in de kamer. Het hele bureaublad was bedekt met boeken en papieren. Anna zat aan het kleinere bureau bij het raam. Het bureau was leeg, op een typemachine en een vaas met wilde hyacinten na.

Anna was klaar met typen en las een brief van Ronnie. Hij stond vol met nieuws over school en anekdotes over Vera en de familie, alles in een lichtvoetige, vrolijke stijl. Hij probeerde haar er op een handige manier van te overtuigen dat hij gelukkig was. Ze was dankbaar voor zijn poging, maar ook gefrustreerd dat ze hem geen beter leven kon bieden.

Nog niet.

Charles zat aantekeningen te maken die zij moest uittypen en had een pijp in zijn mond. 'Alles goed met Ronnie?'

'Ja.' Ze hield de façade in stand. 'De plannen voor de bruiloft van Thomas beginnen vorm te krijgen.'

Hij vertelde over een bruiloft in Amerika waarbij de nicht van de bruidegom weeën had gekregen toen de bruid halverwege de kerk was. Ze moest erom lachen. Ze hield van zijn verhalen. Terwijl hij sprak kringelde de rook omhoog. Hij had aangeboden niet te roken wanneer zij in de kamer was, maar ze vond de geur lekker. Het deed haar aan haar vader denken.

'Hoe was het etentje bij de Wetherby's?' vroeg ze.

'Ik had het leuker gevonden als mevrouw Wetherby er niet steeds op had gezinspeeld hoe heerlijk het zou zijn als ik haar zoon Edward privé-las gaf. Hoewel "zinspelen" misschien het verkeerde woord is. Die vrouw is even subtiel als de boor van een tandarts.'

Opnieuw lachte ze. 'Gaat u het doen?'

'Ik denk het niet. Hij lijkt me tamelijk dom. Ik betwijfel of hij wel leergierig is.'

Ze herinnerde zich hoe Edward Ronnies prestaties had gekleineerd en ze was tevreden.

'Daar staat tegenover dat ik ook niet de beste docent ben. Ik ben een keer ingedommeld tijdens een les over de buitenlandse politiek van Peter de Grote en toen ik wakker werd hoorde ik mezelf uitleggen waarom Laurel en Hardy grappiger zijn dan de Marx Brothers.'

Ze stond paf. 'Wat hebt u gedaan?'

'Ik heb mijn ontstelde studenten verzekerd dat er geen vragen zouden worden gesteld over filmkomedies uit de jaren dertig in hun tentamen Russische geschiedenis. Daarna heb ik een sterke kop koffie gedronken. Maar dat was eenmalig. Een vriend van vroeger was langsgekomen en we hadden de hele avond daarvoor zitten praten. Misschien geloof je me niet, maar ik neem lesgeven heel serieus.'

Ze geloofde hem. Soms vroeg ze hem iets over zijn werk en hij nam altijd de tijd om haar te antwoorden. Hij gaf haar nooit het gevoel dat ze dom was of dat ze zijn tijd verspilde. Hij sprak enthousiast en duidelijk en hij had een melodieuze stem. Zijn studenten in Oxford mochten blij zijn met hem.

Misschien zou Ronnie daar op een dag ook bij horen. Ze hoopte het. De dag waarop Ronnie naar de universiteit mocht, zou de mooiste dag van haar leven zijn.

Hij was klaar en gaf haar een nieuwe stapel aantekeningen. 'Deze heb ik echt morgen nodig. Zou dat gaan?'

Het kon, maar alleen als ze de hele avond zou doorwerken. Buiten was het zacht weer. Ze was van plan geweest na het eten te gaan wandelen. Maar ze wilde ook behulpzaam zijn. 'Natuurlijk kan dat.'

'Wat zou ik zonder jou moeten beginnen.'

Ze was blij dat ze werd gewaardeerd en glimlachte.

'Misschien mag ik je eens uitnodigen voor een etentje. Als blijk van waardering.'

'Dat is niet nodig.'

'Maar het lijkt me leuk. Je wilt immers niet dat ik je betaal.'

'Dat zou niet juist zijn. Mijn tijd wordt al betaald door uw moeder.'

'Laat me dan mijn dankbaarheid tonen met een etentje. Ik beloof dat ik niet in slaap zal vallen of over Stan en Ollie zal praten.'

Weer moest ze lachen. Op Ronnie na was er niemand die haar zoveel aan het lachen kon maken.

'Betekent die vrolijkheid dat je mijn aanbod accepteert?'

'Ja.'

Woensdagavond. Een week later.

Hawtrey Court was een Elizabethaans herenhuis in een dorp net buiten Oxford. Het was ooit een woonhuis geweest, maar nu was het een luxueus hotel, met een van de beste restaurants in de omgeving.

Ze zaten aan een tafeltje tegen de muur en Charles keek toe hoe Anna gans at. 'Is het lekker?' vroeg hij.

'Heerlijk. Dit is echt een verrassing.'

Het restaurant zat vol. Alle tafeltjes, met een brandende kaars in het midden, waren bezet. Het constante gezoem van de gesprekken werd overstemd door een prelude van Chopin, die werd gespeeld door een pianist in de hoek van de ruimte. 'Ik hoop dat dit oord niet al te slecht afsteekt bij het Amalfi,' zei hij.

Een glimlach. Ze had hem verteld over het Italiaanse café in

Hepton waar ze Ronnie mee naartoe nam. 'Het kan ermee door.'

'En welke gebakjes eet Ronnie het liefste?'

'Alles waar chocolade in zit. Toen hij klein was, moesten het altijd gebakjes met jam zijn. Eerst at hij altijd het deeg op, en dan de jam en hij deed er heel lang over. Ik moest steeds thee bijbestellen om niet uit de zaak gezet te worden!'

'Mijn broer Jimmy was ook zo. Hij at de slagroom altijd in laagjes van het gebak. Mijn ouders werden er gek van.'

'Je zult hem wel missen.'

'Ja. Maar niet zo erg als mijn moeder.'

'Het moet een troost voor haar zijn dat ze u nog heeft.'

'Denk je dat echt?'

Ze keek verward. Hij knikte geruststellend. Hij wilde niet dat ze zich ongemakkelijk voelde.

'Ik weet het niet,' antwoordde ze eerlijk. 'Ik zou het graag geloven.'

'Het is verwarrend, hè, mijn relatie met haar.'

'Ja.'

'Eigenlijk is ze mijn stiefmoeder. Mijn vader is met haar getrouwd toen ik erg jong was en Jimmy was haar zoon van hem. Mijn echte moeder is bij mijn geboorte gestorven.'

'Dat spijt me.'

'Het geeft niet. Het is moeilijk iemand te missen die je nooit hebt gekend. En Barbara is een goede vrouw die een betere echtgenoot verdiende dan mijn vader.'

'Ze praat zelden over hem. Wat voor iemand was hij?'

'Oppervlakkig charmant, maar zwak en egocentrisch. Hij aanbad mijn echte moeder en is nooit echt over haar dood heen gekomen. Hij kon een baby niet aan, dus namen mijn grootouders van moeders kant mij in huis. Hij kon er ook niet tegen om alleen te zijn dus het duurde niet lang voor hij met Barbara trouwde. Ze was jonger dan hij en erg verliefd, maar hij wilde alleen maar iemand die hem verzorgde en het huishouden deed terwijl hij bleef rouwen om mijn moeder. Dat besef moet haar vreselijk gekwetst hebben. Toen Jimmy werd geboren, kreeg hij alle aandacht die mijn vader niet wilde ontvangen.

Toen ik tien was, overleden mijn grootouders en ging ik terug naar huis. En dat maakte alles alleen maar erger. Ik leek op mijn moeder en mijn vader hield van me op een manier waarop hij nooit van Jimmy heeft gehouden. Daardoor kreeg Barbara een hekel aan me en ging ze nog meer van Jimmy houden.

Het treurige was dat Jimmy naarmate hij opgroeide een extreme versie van onze vader werd. Buitengewoon charmant en totaal onverantwoordelijk. Hij was pas negentien toen onze vader stierf. Binnen een paar jaar had hij zijn erfenis erdoorheen gejaagd. Barbara stopte hem voortdurend geld toe. Ze probeerde hem ervan te overtuigen dat hij een vak moest leren maar hij had er de discipline niet voor. Het feit dat ik wel slaagde en Jimmy financieel ondersteunde vergrootte de spanning tussen ons nog meer. Na de oorlog verhuisde ik naar Amerika en daardoor verwaterde wat er nog restte van onze band.'

'Vindt u dat jammer?' vroeg ze hem.

'Ja.'

'Ik denk dat zij dat ook vindt en dat ze blij is dat u er bent. Dat denk ik echt.' Ze glimlachte. 'Bedankt dat u het hebt verteld. Ik zal het voor me houden. Net als u weet ik een geheim te bewaren.'

'Een toost op geheimen.'

Terwijl hun glazen tegen elkaar tikten keek hij haar in de ogen. Twee lichtblauwe cirkels, met een spoortje droefenis in het midden. Zelfs nu ze zich vermaakte kon hij dat nog zien. Het verdween alleen als ze over haar zoon sprak.

Haar hand raakte de zijne. Hij was zacht en warm en hij had opeens de neiging hem te strelen. Hij schrok van zichzelf en dronk de rest van zijn wijn op. Een serveerster kwam zijn glas bijvullen. De rechterkant van zijn gezicht was naar de muur gericht maar toen ze vroeg of het eten smaakte draaide hij zijn hele gezicht naar haar toe. Ze was even van haar stuk gebracht en knoeide wijn op het tafelkleed.

'Het spijt me heel erg,' zei ze, rood wordend. 'Ik stuur wel iemand om het schoon te maken.'

'Het geeft niet. Die dingen gebeuren nu eenmaal.'

Ze haastte zich weg. 'Arme meid,' zei hij. 'Waarschijnlijk bang dat ze geen fooi krijgt.' Hij lachte, in de hoop dat Anna mee zou lachen. In plaats daarvan liet ze haar hoofd zakken en keek naar het bevlekte tafelkleed.

‘Wat is er?’ vroeg hij.

‘Het geeft wel. De manier waarop ze op u reageerde. Ik deed hetzelfde en het is niet goed.’

‘Maar het is heel gewoon. Ik heb littekens, ik zie er anders uit dan normaal. Mensen reageren daarop.’

Ze keek weer op. Het kaarslicht wierp schaduwen in haar ogen. ‘Hoe kunt u het opbrengen?’

‘Ik moet wel.’

‘Vera heeft erge littekens. Dat heb ik nooit verteld. Ze heeft kokend vet over haar arm gekregen. Nu draagt ze altijd lange mouwen zodat niemand het kan zien.’

‘Ik was verloofd toen het gebeurde. Dat heb ik je ook nooit verteld. Ze heette Eleanor. Ze kwam op bezoek in het ziekenhuis en op een dag stuurde ze een briefje dat ze toch niet met me kon trouwen. Weken daarna heb ik in een verduisterde kamer gelegen en wilde niet dat iemand me ooit nog zag. Maar ik wist dat ik dat niet eeuwig kon volhouden. Dat ik geen keus had en de wereld onder ogen moest komen. En dan maar hopen dat de mensen die ik ontmoette zouden leren achter de littekens te kijken. En na de eerste schok doen de meesten dat ook wel.’

Ze keek hem meelevend aan. ‘Eleanor moet u erg hebben gekwetst.’

‘Net zoals Ronnies vader jou gekwetst moet hebben.’

‘Hebt u nog steeds een hekel aan haar?’

Hij schudde zijn hoofd. ‘Heb jij nog een hekel aan hem?’

‘Hoe zal ik dat kunnen? Aan hem heb ik Ronnie te danken.’

‘Heeft Ronnie altijd van tekenen gehouden?’

‘Vanaf het eerste moment dat hij een potlood kon vasthouden. Toen hij pas twee was, kon hij…’

En zo vertelde ze hem meer over haar geliefde zoon, terwijl andere gasten op de achtergrond doorgingen met hun eigen gesprekken en de pianist verder speelde. Haar ogen glansden: het spoor van verdriet was tijdelijk verdwenen. Dat maakte hem blij.

En, voor het eerst, jaloers.

In de grote hal van Rigby Hill Grammar School controleerde Archie Clark zijn antwoorden van het afsluitende proefwerk Frans.

Overal stonden rijen tafeltjes. Rechts van hem zat Brian Hope verwoed te schrijven, zo luid zuchtend dat hij de doden tot leven had kunnen wekken. Links van hem zat Ronnie Sidney. Hij was klaar en staarde voor zich uit.

'Pennen neerleggen,' schreeuwde de surveillant. 'Antwoorden doorgeven naar voren.'

'Ronnie,' lispelde Archie. 'Hoe ging het?'

Hij haalde zijn schouders op.

'Ik heb de derde vertaling verknoeid.'

'Was er een dérde vertaling?' kermde Brian.

'Op de achterkant. Heb je dat niet gezien?'

Brian kreunde.

'Maak je geen zorgen,' zei Archie. 'Ik krijg er toch een nul voor, in tegenstelling tot die knappe kop daar.' Hij wees op Ronnie en was opeens bedroefd. Vroeger, op Hepton Primary, werden Ronnie en hij beschouwd als bollebozen. Ze waren de enige twee van hun klas geweest die naar het gymnasium mochten, maar nu had hij het moeilijk terwijl Ronnie nog steeds schitterde.

Brian liep de hal uit. 'We moeten opschieten,' zei Archie. 'De bus gaat over vijf minuten.'

Ronnie bleef voor zich uit staren.

'We mogen hem niet missen.'

Geen antwoord.

'De volgende komt pas over een uur.'

'Donder op en pak die bus dan.'

'Waarom ben je chagrijnig? Je moet blij zijn. De proefwerken zijn voorbij en de zomervakantie staat voor de deur.'

'En dat is echt geweldig. Zes weken in Hepton, werken in de winkel op de hoek, het gezeur aanhoren van tante Vera over hoe verwend en lui ik ben vergeleken met de broertjes Grimm en, als ik echt geluk heb, een paar dagen vrij zodat ik mijn moeder kan zien, die als een stuk vuil wordt behandeld. Ik zit te popelen.'

Archie voelde zich schuldig. 'Sorry. Dat was dom van me.'

Ronnie zuchtte. 'Laat maar. Ga maar naar de bus. En maak je geen zorgen over die vertaling. Je hebt het vast goed gedaan.'

De hal werd steeds leger. Jongens liepen in groepjes weg en spraken opgewonden over de komende vakantie. Archie pakte zijn spul-

len en wenste dat Ronnie ook in een uitgelaten stemming verkeerde.
Plotseling kreeg hij een briljante ingeving.

'Wil je mee naar Waltringham? Dat ligt in Suffolk. We gaan daar in augustus op vakantie en mijn moeder zei dat ik iemand mee mocht nemen.'

Dat was niet helemaal waar. Waltringham was beroemd vanwege zijn antiekzaken en zijn ouders hadden tijdens de vorige vakantie alle antiquairs uitgekamd, Archie onwillig met zich mee tronend. Toen hij had geklaagd, zei zijn moeder dat als hij een vriendje meebracht ze hem wel zijn eigen gang zou laten gaan. Maar anders kon ze hem in geen geval alleen laten rondlopen in een vreemde stad.

Maar als Ronnie erbij was...

Ronnies gezicht klaarde op. 'Weet je zeker dat je ouders dat niet erg vinden?'

Archie dacht dat het wel goed zou zijn. Zijn ouders mochten Ronnie graag. Beiden spraken over hem als 'die charmante jongeman'.

'Dat weet ik zeker.'

Ronnie keek op zijn horloge. 'De bus is al weg. Ik trakteer je op een milkshake. Mijn moeder heeft me wat geld gestuurd en dat moet ik opmaken voordat Vera de Hun weer een bijdrage vraagt.'

Archie lachte. Samen liepen ze de hal uit.

Juli 1960.

'Een buitengewoon goed jaar, afgerond met uitstekende cijfers. Ik denk dat Ronnie na deze opleiding een plaats in Oxford of Cambridge verdient.'

Augustus. Anna zat achter haar bureau de laatste aantekeningen uit te typen. Het raam stond open. De rook van Charles Pembrokes pijp verwaaide op een klein briesje. Het was stralend weer. Een kanaalboot kwam voorbij met drie kinderen op het dek, met ontbloot bovenlijf en bruin van de zon.

Het handschrift was deze keer wel bijzonder slecht. Van een bepaalde zin kon ze helemaal niets maken. Ze draaide zich naar hem toe om hem om uitleg te vragen toen ze besefte dat hij haar zat aan te staren.

Hij zat voorovergebogen in zijn stoel, met zijn ellebogen op het bureaublad. Zijn hoofd rustte op zijn handen en hij glimlachte flauwtjes. De pijp zat nog tussen zijn lippen. Wolkjes stegen op naar het plafond als een rooksignaal van de indianen.

'Meneer Pembroke?'

Hij schrok op. De glimlach verdween en maakte plaats voor verlegenheid. 'Het spijt me. Zat ik te staren? Ik doe dat soms als ik over iets nadenk.' Een haastig lachje. 'Mijn secretaresse in Amerika had er altijd commentaar op.'

'Ik kan deze zin niet lezen.'

Ze liet hem de pagina zien. Hij las hardop voor en schraapte tabak uit zijn pijp. 'Zijn er nog andere stukken die je niet kunt ontcijferen?'

'Nee.'

Ze liep terug naar het bureau en ging verder met haar werk. Hij stak een nieuwe pijp op en deed hetzelfde.

Waltringham, een leuk stadje aan de kust, was een populaire vakantieplaats.

Ronnie en het gezin Clark verbleven in het Sunnydale Hotel, een klein pension. Het was gevestigd in een achterafstraatje, maar slechts op vijf minuten loopafstand van het centrum en het strand.

Ze kwamen aan op een warme, plakkerige middag. Nadat ze hun koffers hadden uitgepakt, stelde meneer Clark voor te gaan rondwandelen zodat Ronnie de nieuwe omgeving kon zien.

Het centrum, uit de achttiende eeuw, was een netwerk van smalle straatjes die uitkwamen op een pleintje met een fontein. 'Een op de vier winkels verkoopt antiek,' zei mevrouw Clark. 'Is het niet geweldig?' Ronnie stemde daarmee in terwijl Archie achter de rug van zijn moeder gekke bekken trok.

Een hoek van het plein kwam uit op een grasveld dat werd omgeven door grote huizen met zeezicht. 'Dat heet The Terrace,' legde meneer Clark uit. 'Daar wonen de rijkste mensen van Waltringham.' Hij glimlachte weemoedig. 'Bofkonten.' Ronnie vertelde hem over The Avenue in Kendleton en voelde zich opeens ook weemoedig.

Ze eindigden hun rondwandeling op een bankje met uitzicht op zee en aten *fish and chips*. Hoewel het vroeg in de avond was, waren er nog mensen aan het zwemmen en anderen lagen languit op een handdoek in de laatste zonnestralen. Archie at langzaam en klaagde dat hij hoofdpijn had. Zijn moeder maakte zich zorgen en wilde zijn voorhoofd voelen. Ronnie staarde naar de uitgestrektheid van het water en de enorme, lege hemel en was verrukt dat hij tijdelijk was ontsnapt aan de grauwe straten van Hepton.

'Ben je al eerder naar zee geweest, Ronnie?' vroeg meneer Clark.

'Een keer. Eén dagje. Mijn moeder nam me mee naar Southend toen ik klein was.'

'En hoe is Waltringham daarbij vergeleken?'

'Heel anders. Het is hier prachtig. Bedankt dat ik mee mocht.'

'Graag gedaan. Nu je hier bent moet je wat tekeningen voor je moeder maken.'

'Dat zal ik doen.'

Mevrouw Clark bleef zich druk maken over Archie. Meneer Clark ging ook meedoen. Ronnie zei niets en luisterde naar het gekabbel van de golven. Hij zag de meeuwen boven het water scheren, proefde de zilte lucht en nam de nieuwe omgeving in zich op.

Die avond werd Archie misselijk.

De volgende ochtend gaf hij nog steeds over. De dokter stelde vast dat hij een maaginfectie had. Hij moest veel drinken en een week in bed blijven. Mevrouw Clark vreesde het ergste, waakte bij de zieke en hield haar echtgenoot en Ronnie buiten de deur.

'Het spijt me,' zei meneer Clark toen ze zaten te lunchen in een café.

'Jammer voor Archie dat zijn vakantie is verknoeid.'

'We moeten ervoor zorgen dat jouw vakantie niet wordt verpest. Wat voor dingen zou je graag doen?'

'Gaan zwemmen en de omgeving verkennen. De mevrouw van het pension zei dat je hier goed kon wandelen.'

Even leek meneer Clark teleurgesteld. 'Leuker dan antiekwinkels, hè?'

'Gaat u gerust op antiekjacht. Ik vermaak me wel.'

'Dat kan niet. Dan zou ik een slechte gastheer zijn.'

'Ik vind het niet erg. Het is het minste wat ik doen kan nu mevrouw Clark en u zo aardig voor mij zijn geweest.'

'Nou, als je het zeker weet...'

Ronnie toonde zijn allercharmantste glimlach. 'Maakt u zich over mij geen zorgen, meneer Clark. Ik red me wel.'

De middag was warm. Hij zat op de boulevard en tekende de zee. Het was voor het eerst dat hij de zee niet tekende vanuit zijn fantasie.

Een ouder stel bleef staan om zijn werk te bewonderen. 'Ik zou er wat voor geven om zo'n talent te hebben,' zei de vrouw. Impulsief bood hij haar de tekening aan. Ze liet hem er zijn naam onder zetten zodat ze het kunstwerk aan haar vrienden kon laten zien als hij later beroemd was.

De volgende dag was het weer warm. In de ochtend liep hij door Rushbrook Down: een uitgestrekt groen gebied met veel bos waar vaak werd gepicknickt. Bij de lunch sprak hij meneer Clark en hoorde hij het laatste nieuws over Archies gezondheid. Hij sprak zijn bezorgdheid uit maar voelde die niet. Er was zoveel te zien en te doen in dit opwindende nieuwe oord en Archie, die de avontuurlijke geest van een huismus had, zou hem alleen maar geremd hebben.

In de middag ging hij naar het strand. Hij dook in het koude water en zwom zo ver hij kon. Als hij uitgeput raakte, ging hij over op watertrappelen. Zijn lichaam tintelde van vermoeidheid en hij voelde de golfslag en de zuigende stroming. Op een vreemde manier was hij opgelucht dat zijn moeder er niet was om hem terug te roepen omdat hij zou kunnen verdrinken.

Later zat hij op het strand, met zijn schetsboek voor hem. Hij zag ouders die met kleine kinderen speelden en oudere stellen in ligstoelen die met gefronste wenkbrauwen keken naar tieners die op een handdoek naar rock-'n-rollmuziek uit transistorradio's luisterden. Een vader en zoon bouwden een groot zandkasteel. Hij begon het te tekenen en verfraaide het eenvoudige ontwerp met zijn eigen verzinsels door er borstweringen, torentjes, draken, een ophaalbrug en een slotgracht aan toe te voegen. Hij maakte er zijn eigen versie van Camelot van, met de man en de jongen als middeleeuwse ridders.

Er zaten drie meisjes in de buurt: allen ongeveer zestien. Ze droegen een badpak en keken naar een stel iets oudere jongens die aan het armpjedrukken waren in een poging stoer over te komen, zonder daarbij hun zorgvuldig gestileerde haar in de war te maken.

Een van de meisjes zag dat hij tekende. Ze kwam kijken en ging naast hem in het zand zitten. 'Ik heet Sally. Hoe heet jij?'

Hij noemde zijn naam. Ze had bruin haar, grote borsten en een sensuele mond. 'Mag ik jou tekenen?' vroeg hij.

Ze knikte. Haar blik was direct en zelfverzekerd. 'Dat mag.'

Haar twee vriendinnen kwamen erbij staan. Een van hen zei dat hij op Billy Fury leek. De ander vond dat ook.

Uiteindelijk tekende hij ze alle drie terwijl ze hem vragen stelden en spraken over een feest op het strand, de volgende avond. Sally bleef hem aanstaren. 'Je moet komen,' zei ze, haar ogen warm en uitnodigend. Hij keek terug en voelde haar begeerte en de plotselinge, onverwachte kracht van zijn eigen verlangen.

'Ik doe mijn best,' zei hij.

De vriendinnen giechelden. Hij glimlachte terwijl de oudere jongens op de achtergrond stonden te mompelen en de golven van het kerende tij het kasteel belaagden en oplosten tot niets.

De volgende morgen regende het hevig. Een zomerse bui die vanuit het niets leek te komen en die snel weer zou overdrijven. Ronnie slenterde van winkel naar winkel in afwachting tot de zon terug was.

Ten slotte ging hij de winkel met herenkleding binnen, op het centrale plein.

Het was een grote zaak. Personeel rende heen en weer om klanten van dienst te zijn. Hij stond bij het rek met dassen en tuurde uit het raam. De regen leek minder te worden.

'Kan ik u helpen?' Een verkoper van middelbare leeftijd kwam naast hem staan.

'Ik zoek een das.'

'Voor een bepaalde gelegenheid?'

'De bruiloft van mijn neef.' Weer keek hij door het raam. De regen werd beslist minder. Op de achtergrond stond een man met veel overgewicht te klagen dat de broeken tegenwoordig veel te krap werden gemaakt, terwijl zijn al even zware vrouw met haar ogen stond te rollen.

'Hebt u een keus kunnen maken?'

Hij wees een das aan.

'Wilt u hem om doen? U kunt de grote spiegel gebruiken.'

Het regende nu bijna niet meer. Hij besloot te vertrekken. Hij kon ergens anders ook een das kopen.

Toen zag hij de twee jongens van het strand. Ze stonden bij de fontein, met hun armen over elkaar, en zagen er verveeld en rusteloos uit.

Een van hen zag hem door het raam en stootte de ander aan. Hun gezicht betrok.

'Goed dan.'

'De spiegel hangt in die alkoof.'

Hij draaide zich om naar de aangegeven richting.

En hij hoorde een stem in zijn hoofd. Een flits van puur instinct.

Ga weg. Ga nu weg. Ga hier weg en kom hier nooit meer terug.

Maar hij kon niet weg. Nog niet.

En wat was er om bang voor te zijn? Wat kon hem gebeuren, hier in deze winkel?

Even later stond hij voor de spiegel en staarde naar zijn schoenen die nog steeds vochtig waren van de regen. Zijn haar was ook vochtig. Een druppel water gleed van zijn voorhoofd naar beneden. Hij keek toe.

Er klonken voetstappen achter hem. Snel en resoluut. Er werd een hand op zijn schouder gelegd.

Hij keek op in de spiegel.

Meneer Clark keek op zijn horloge.

Hij zat in een café op Ronnie te wachten. Ze hadden afgesproken om één uur te lunchen en het was inmiddels kwart over één.

Hij werd ongerust. Zou Ronnie in moeilijkheden verkeren?

Maar het gevoel zakte weer weg. Ronnie was een verstandige jongen die nooit roekeloze dingen deed. Hij was gewoon de tijd vergeten, dat was alles.

Hij wenkte een serveerster en bestelde.

Vanaf die dag werd zijn aanbod om samen te lunchen beleefd maar resoluut afgewezen. 'Het is heel aardig van u, meneer Clark, maar ik wil uw dag niet verstoren.' De rest van de vakantie zag hij Ronnie alleen bij het ontbijt en tegen bedtijd.

Op één keer na. Op een perfecte zomermiddag, drie dagen na de storm. Toen hij langs The Terrace liep zag hij Ronnie in het gras zitten. Hij had zijn schetsblok op schoot en een potlood in de hand en zat geconcentreerd voor zich uit te staren.

Hij besloot niet naar Ronnie toe te lopen om hem niet te storen. In plaats daarvan liep hij verder.

Kleine Ronnie Sunshine, veertien jaar en rusteloos.

Kleine Ronnie Sunshine, op het punt de kindertijd achter zich te laten.

Kleine Ronnie Sunshine, alleen in een nieuwe stad, luisterend naar de muziek binnen in hemzelf.

Tijdens die lange zomerdagen kreeg het mengelmoesje van noten eindelijk vorm.

Het eerste meesterwerk kon gehoord worden.

Oktober. Charles Pembroke reed Anna naar het station.

Het regende hevig. De ruitenwissers werkten op volle toeren. Terwijl hij reed, vertelde ze hem een verhaal dat ze had gehoord van haar vriend de sluiswachter. Iets over een boot die 's nachts was losgeraakt en meer dan een kilometer de rivier was afgedreven. Haar stem was gespannen van de opwinding. Dat was altijd zo als ze Ronnie weer zag.

Het was warm in de auto. Hij opende het raampje een klein stukje en voelde koude lucht en regendruppels op zijn gezicht. 'Vind je het erg?' vroeg hij, wetend dat ze geen bezwaar zou maken. Niet wanneer ze Ronnie weer zag.

Ze droeg een blauwe jurk. Netjes, eenvoudig en lichtelijk uit de mode. Ze gaf weinig uit aan kleren. Ze spaarde liever voor Ronnie.

Maar het maakte niet uit. Zelfs in een jutezak zou ze er nog goed uitzien.

Haar verhaal kwam tot een einde. 'Ik wed dat je blij bent dat je van mijn geklets af bent.'

'De zeldzame luxe van een rustig kantoor.' Hij glimlachte om duidelijk te maken dat het een grapje was. In werkelijkheid dacht hij eraan hoe leeg het zou zijn zonder haar.

Ze kwamen bij het station. Het regende nog steeds behoorlijk en ze had geen paraplu bij zich. Hij gaf haar zijn krant. 'Gebruik dit.'

'Je hebt de kruiswoordpuzzel nog niet opgelost.'

'Dat heeft geen zin. Als jij weg bent, wat moet ik dan als ik vastloop?'

Ze lachte. Ze had geen make-up op. Zelfs geen lippenstift. Ronnie hield er niet van. Ronnie had gezegd dat ze geen make-up nodig had om mooi te zijn.

Hij wou dat hij dat ook mocht zeggen.

In plaats daarvan wenste hij haar een goede reis en een fijne vakantie.

Terwijl ze het stationsplein overstak scheurde een jongen op een motorfiets voorbij. Het opspattende water maakte haar nat maar hij verontschuldigde zich niet. Hij voelde de neiging uit de auto te springen, de berijder van de motor te sleuren en hem tegen de grond te slaan.

Maar ze merkte het niet eens. Te opgewonden bij het vooruitzicht Ronnie weer te zien.

Bij de ingang draaide ze zich om. Een slanke, knappe vrouw in een goedkope blauwe jurk, die haar hoofd bedekte met een doorweekte krant. Een vrouw die alle verschrikkingen van het leven had meegemaakt, maar die niet verbitterd was geworden. Een vrouw met weinig opleiding maar met een warmte die een paleis kon vullen, laat staan een studeerkamer met boeken met uitzicht over de rivier.

Hij zwaaide naar haar en voelde een rauwe pijn in zijn hart.

Ik hou van die vrouw. Ik hou meer van haar dan ik ooit van iemand heb gehouden.

Ze zwaaide terug en was verdwenen.

Zaterdag, lunchtijd. Anna zat aan de keukentafel met Ronnie. Vera, Stan, Peter en Jane aten een stoofschotel met kip die zij had bereid. Zij kookte altijd als ze op bezoek kwam. En maakte schoon. Ze deed alles wat Vera uit handen kon geven.

Vera zat te klagen over hun nieuwe buren. Meneer Jackson was verhuisd en het echtpaar Smith was ervoor in de plaats gekomen. Hoewel Vera meneer Jackson niet had gemogen, had ze nooit zo hevig over hem geklaagd als over de Smiths. Maar meneer Jackson was dan ook niet zwart geweest.

'Het haalt de buurt omlaag.'
'Dat denk ik niet, schat,' zei Stan verzoenend.
'Jawel. Zo gaat het altijd. Mevrouw Brown denkt er precies zo over.'
'Dat zou ze niet zeggen als Sammy Davis naast haar kwam wonen,' zei Peter. 'Dan zou ze vooraan staan om hem toe te juichen.'
Vera keek ontstemd. 'Wat weet jij daarvan?'
Peter begon 'Old Man River' te fluiten, Jane aanstotend, in de hoop dat zij mee zou doen. Jane glimlachte maar bleef stil. Anna wist dat Jane het leuk vond om Vera te plagen maar deze keer leek ze nogal afwezig.
En dat gold ook voor Ronnie. Hij zat naast haar, at langzaam en zei niets.
'Smaakt het?' vroeg ze.
Hij knikte. Ze glimlachte. Hij glimlachte terug: een snel gebaar dat nauwelijks zijn ogen bereikte. 'Het is heerlijk, mam. Bedankt.'
Ze hield zichzelf voor dat hij gewoon verveeld was. Misschien was dat zo.
Maar tijdens haar vorige bezoek was hij ook al zo geweest. Bij het huwelijk van Thomas en Sandra, eind augustus. Net na zijn vakantie in Waltringham.
Vera zat nog steeds te klagen. Ze begon steeds scheller te klinken terwijl Stan haar probeerde te kalmeren. Anna kende de situatie maar al te goed. Ronnie ook. Weer ving ze zijn blik. Gaf hem een samenzweerderige knipoog. Deze keer reageerde hij niet.
De maaltijd vorderde. Ronnie en Jane aten traag terwijl Peter en Stan nog eens opschepten. Ook Vera, ondanks haar ergernis, nam een tweede portie. 'Persoonlijk heb ik niets tegen de Smiths,' zei ze tussen twee happen door. 'Ze horen hier gewoon niet thuis.'
'Waar horen ze dan thuis, tante Vera?' vroeg Ronnie opeens.
'Waar ze vandaan komen.'
'En waar is dat precies?'
'Nou, precies weet ik het niet.'
'Maar ergens in Afrika.'
'Ja.'
'Toevallig komen ze uit Kingston.'
Vera, hard smakkend, knikte alleen maar.

'De hoofdstad van Jamaica. In West-Indië. Dat is zelfs nog verder van Afrika dan Hepton.'

Stan kromp ineen. Anna voelde de spanning stijgen.

Vera slikte. 'Probeer je slim te zijn, Ronnie?'

'Nee, tante Vera. Ik dacht alleen dat u misschien meer wilde weten over de Smiths. Ze zijn tenslotte familie van u.'

Vera legde haar vork neer. 'Wat zeg je?'

'Familie.'

'Ik ben geen familie van kleurlingen!'

'Jawel. In de verte. Uw voorouders kwamen uit Afrika, net als die van de Smiths. Misschien stonden hun lemen hutten wel naast elkaar.'

'Mijn voorouders komen uit Lancashire!'

'Is dat in de buurt van Kingston?' vroeg Jane liefjes. Peter barstte in lachen uit en sproeide eten in het rond.

'Al het leven is begonnen in Afrika, tante Vera. Het verbaast me dat u dat niet weet, want als ik u zo hoor praten zou ik denken dat u overal verstand van hebt.'

'Zo is het genoeg, Ronnie,' zei Anna snel.

Hij draaide zich naar haar toe. 'Hoezo?'

'Ronnie...'

'Hoezo? Ga ik te ver? Dan neem ik mijn woorden terug. Kingston ligt in Afrika en alle leven is begonnen in de Hof van Eden, behalve waarschijnlijk voor vieze negers zoals de Smiths. Tante Vera zegt het, en wie zijn wij om daartegen in te gaan?'

'Ronnie!'

'Luister, laten we allemaal kalmeren...' begon Stan.

Vera's gezicht was vuurrood. 'Ik denk dat een zeker iemand is vergeten wat hij en zijn moeder aan Stan en mij te danken hebben. Hij vergeet dat hij zonder onze grootmoedigheid geen thuis zou hebben, dat zijn moeder geen baan zou hebben en dat ze allebei in een of ander opvanghuis voor ongehuwde moeders zouden wonen. Ik denk dat een zeker persoon dat heel goed moet onthouden.'

Stan bleef manen tot kalmte. Peter zat te gniffelen.

Ronnies ogen bleven op Anna gericht. Ze waren ijskoud. Als de ogen van een vreemde. In stilte zond ze hem een smekende blik toe.

Doe dit niet, Ronnie. Alsjeblieft, doe dit niet.

Toen wendde hij zich tot Vera, hij liet zijn schouders hangen, boog het hoofd en hield zijn ogen omlaag gericht. Een perfect vertoon van onderdanigheid. En toen hij begon te praten klonk zijn stem ook onderdanig.

'U hebt gelijk, tante Vera. Ik was eigenwijs. Ik weet hoeveel mama en ik aan u en aan oom Stan te danken hebben en daar ben ik dankbaar voor.'

'Ga weg,' zei Vera. 'Ik wil je de rest van de maaltijd niet meer zien.'

'Wie is een stomme kleine bastaard?' jengelde Peter.

'Zo is het genoeg, Pete,' zei Stan.

'Ja, hou je kop, Pete,' snauwde Jane opeens. 'Hou je kop dicht!'

Onder tafel pakte Anna Ronnies hand. Hij duwde hem weg, stond op en verliet de kamer.

'Dat moet je niet doen.'

Het was later die middag. Anna zat met Ronnie in café Amalfi.

Hij gaf geen antwoord. Hij hing in zijn stoel en keek naar de damp die van zijn kop thee opsteeg.

'Ronnie?'

'Wat niet?' Hij klonk geïrriteerd.

'Vera voor schut zetten.'

'Waarom niet? Ben je jaloers?'

'Jaloers?'

'Je hebt hersens nodig om iemand voor schut te zetten. Zelfs tante Vera. Jij hebt het nooit gekund. Ik kon het al toen ik zeven was.'

Zijn woorden, wreed en niet passend bij hem, voelden aan als een klap. 'Ronnie, het is heel gemeen dat je zulke dingen zegt.'

'En hoe zit het met de dingen die jij zegt?'

'Welke dingen?'

'Het duurt niet lang. Dat zei je toen je wegging. Toen was ik negen. Ik word over een week vijftien en ik ben hier nog steeds. Hoe lang moet ik nog wachten?'

'Niet lang.'

'Wat betekent dat? Tien jaar? Twintig?'

'Ik weet dat het niet gemakkelijk voor je is...'

'Nee, dat weet je niet. Jij bent niet degene die hier de hele tijd moet luisteren naar tante Vera en Peter die voortdurend dingen over je moeder zeggen. En over jezelf. "Niet zo hoog van de toren blazen, Ronnie. Vergeet niet wie je bent. Vergeet niet wat je bent." En ik moet hier zitten en glimlachen en zeggen: "Ja, tante Vera. Natuurlijk, tante Vera. Verdomde graag, tante Vera!"'

Hij maakte met zijn vingers figuren in de damp. Ze keek hem aan, beangstigd door dit onverwachte vertoon van woede en wrok.

'We zijn gauw weer samen, Ronnie. Ik beloof het.'

'Dat zijn maar woorden. Ze betekenen niets.'

'Jawel.'

'Heeft mijn vader dat gezegd?'

'Wat bedoel je?'

Hij begon te lachen. 'Ik hou van je, Anna. Je bent heel bijzonder. Ik beloof dat ik er altijd voor je zal zijn. En jij was dom genoeg om hem te geloven. Je liet je door hem zwanger maken en daarna wist hij niet hoe snel hij zich uit de voeten moest maken.'

Ze kreeg een brok in haar keel. Ze kon dit niet aan. Niet als het van hem kwam.

'Schaam je,' fluisterde ze.

Hij bleef kringetjes in de damp tekenen. 'Het maakt ook niets meer uit. Ik heb hem niet nodig en over een tijdje heb ik jou ook niet meer nodig. Over een paar jaar ben ik afgestudeerd en vind ik een baan en dan ben ik hier weg, zonder jouw hulp.'

Ze keek naar haar handen. Ze trilden. De schok van een verbaal pak slaag uit zo'n onverwachte hoek. Zachtjes begon ze te huilen terwijl hij met zijn vingers op tafel trommelde, een wijsje spelend dat hij alleen zelf kon horen.

Toen stopte hij.

Ze keek op. Hij staarde haar aan. Alle woede was verdwenen en had plaatsgemaakt voor berouw.

'Mam...'

'Ik heb iets in mijn oog.'

'Het spijt me. Ik bedoelde het niet zo. Ik was kwaad op tante Vera en ik reageerde het op jou af. Dat had ik niet mogen doen.'

'Jawel. Ik ben degene op wie je kwaad moet zijn. Ik weet wat je moet verdragen. Ik zie het iedere keer dat ik hier ben. Je verdient beter. Beter dan...'

'Jij?'

Hij boog zich voorover en veegde teder haar tranen weg.

'Denk je dat echt?'

'Soms.'

'Niet doen. Nooit. Als Peter onuitstaanbaar is, heb ik medelijden met hem omdat tante Vera zijn moeder is. Jij bent een miljoen keer beter. Beter dan wie ook.'

Een warm gevoel stroomde door haar heen. 'Meen je dat echt?'

'Dat weet je.'

Ze staarden elkaar aan. Ze nam zijn hand en drukte hem tegen haar wang.

'Wat is er, Ronnie? Waar zit je mee?'

'Waarom vraag je dat?'

'Omdat je iets dwarszit. De vorige keer dat ik er was ook al.'

'Ik voel me best, mam.'

'Als er iets is, wil ik het weten.'

'Er is niets.'

'Je kunt me alles vertellen.'

'Dat doe ik ook. Voor jou zou ik nooit iets geheimhouden.'

Hij glimlachte. Een glorieuze Ronnie Sunshine-lach. Hij was mooi. Haar zoon. Haar schat. Hij betekende alles voor haar.

Twee tienermeisjes zaten vlakbij. Een van hen zat steeds naar Ronnie te staren. Misschien kende ze hem. Misschien vond ze hem ook mooi.

O, god, laten we gauw weer bij elkaar zijn. Nu hij nog jong is. Nu hij nog van mij is.

Charles stond in de slaapkamer van Anna en keek naar het blad van haar kaptafel.

Het leek wel een altaar. Helemaal vol met foto's van Ronnie. Een kleine baby met een nieuwsgierige blik op een bed. Een mollige peuter die grijnsde naar de fotograaf in een goedkope, aftandse studio. Een kleine jongen in zwembroek, staande achter een zandkasteel. Een plechtige tiener met zijn hoofd gebogen over een boek. En een verzameling officiële schoolfoto's, acht in totaal, een voor elk schooljaar.

De gelijkenis met Anna was opvallend. Dezelfde kleur haar. Dezelfde gelaatstrekken en glimlach. Eerder een tweeling dan moeder en zoon.

Behalve de ogen. Haar ogen waren zacht, warm en nerveus: perfecte vensters van haar ziel. De zijne waren als stukjes gebroken glas. Mooi maar leeg. Niet zozeer vensters als wel barrières. Wat erachter lag viel niet te ontdekken.

Charles pakte de meest recente schoolfoto op en keek naar het gezicht. Knap, intelligent en charmant en toch ook gesloten. Het gezicht dat Anna liefhad boven alles. Ronnie, haar ideale zoon.

Misschien had ze gelijk. Misschien was Ronnie perfect en waren zijn twijfels niet meer dan de zielige jaloezie van iemand die smachtte naar net zo'n aandeel in haar affectie.

Maar liefde kon wreed zijn. Welbespraakt en sluw. Als een magische spiegel die alle tekortkomingen uitwiste, alleen tonend wat de toeschouwer wilde zien.

Terwijl hij de foto terugzette ving hij een glimp van zijn eigen spiegelbeeld op. Een verwoest gezicht dat geen enkele spiegel ter wereld mooi kon maken. Geen enkele liefde kon zo krachtig zijn om die illusie te wekken.

'Ik benijd je,' fluisterde hij tegen de jongen op de foto, die hem aanstaarde met ogen die niets verrieden.

Een koude avond in november. Ronnie zat op zijn kamer te tekenen.

Vanuit het raam kon hij de spoorlijn zien. Hij zat weer in de kamer die hij ooit met zijn moeder had gedeeld. Nu Thomas uit huis was had Peter een eigen kamer geëist.

Hij werkte snel en maakte een schets af waaraan hij eerder die dag was begonnen. Een beeld dat in zijn hoofd had gezeten sinds Waltringham maar dat hij nog niet op papier had durven vastleggen. Toen het af was kroop hij onder zijn bed en zocht de losse vloerplank die hij als klein kind had ontdekt. Vera en Peter snuffelden vaak in zijn spullen. Maar sommige zaken waren privé. Niet bestemd voor andermans ogen. Uitsluitend en alleen voor de zijne.

Nadat hij de tekening had verstopt, ging hij de gang op. Van beneden klonk het geluid van knallende pistolen. Vera en Stan keken naar *Danger Man*. Hij vond het een leuk programma, maar het gesnurk van Stan stond hem tegen. Vera was tijdens het eten uit haar humeur geweest en zou hem alleen maar de les lezen als hij in de woonkamer verscheen. Beter om boven te blijven.

Uit de kamer van Peter klonk muziek. Adam Faith met zijn nasale stem. Jane was dol op Adam Faith. Zij was ook in de kamer. Hij vroeg zich af wat ze aan het doen waren. Verveeld en afleiding zoekend sloop hij naar de deur. Hij was gesloten, maar niet echt goed. Hij luisterde of hij gedempt gelach hoorde, zwakke protesten, diepe zuchten.

Maar niets van dat al. Ze zaten opgewonden te fluisteren, plannen makend die alleen van hen waren.

Zaterdagmiddag. Twee dagen later. Mabel Cooper stond achter de toonbank in haar winkel en keek hoe Ronnie de snoep bijvulde. Hij werkte elke zaterdagmiddag in de winkel en ook tijdens schoolvakanties. Een uitkomst, want Bill en zij waren niet zo jong meer.

Ze glimlachte terwijl hij met de karamels bezig was. 'Ik weet dat je er dol op bent. Neem zelf ook wat.'

Grijnzend stopte hij er een in zijn mond. Ze herinnerde zich de plechtige kleine jongen wiens moeder schetsboeken voor hem had gekocht en was trots dat hij tot zo'n prima jongeman uitgroeide. Voor hem geen ondergeschikt baantje in de fabriek en hopeloze dromen ooit nog eens beroemd te worden als popster. Ronnie had vooruitzichten. Hij was slim, gedisciplineerd en evenwichtig. En ook knap. Tienermeisjes bleven langer in de winkel hangen als Ronnie er was, dicht bij elkaar staand bij de tijdschriften, fluisterend en giechelend.

'Niet te veel. Eet niet al mijn winst op.'

Hij grijnsde nog steeds en ging door met zijn werk.

'Ik hoor dat Jane ziek is,' zei ze.

'Niets ernstigs. Ze heeft iets opgelopen. Maar ze komt er moeilijk van af.'

'Wat heeft ze dan?'

'Ze moet vaak overgeven.'

'Arm kind.'

'Het is wel raar. Ze is alleen 's ochtends misselijk.'

Ronnie ging door met het snoepgoed. 'Klaar.'

Mabel staarde naar hem. Het gonsde in haar hoofd.
'Is alles goed met u, tante Mabel?'
'Ja. Kun je de blikjes prijzen? Ze staan op de plank.'
'Natuurlijk.' Hij liep erheen.
Mabel had beloofd niet te roddelen. Bill nam haar dat altijd kwalijk. Hij noemde haar de grootste kletskous van de stad.
De deurbel ging. Mevrouw Thorpe van nummer 13 kwam de winkel binnen. 'Hallo, Mabel. Is er nog nieuws vandaag...?'

Woensdagavond. Vier dagen later. Ronnie zat op de trap te luisteren naar de rel die in de woonkamer plaatsvond.
'Was je van plan het te vertellen?' schreeuwde een man met een zware stem. Janes vader.
'Natuurlijk.' Jane huilde.
'Lieg niet tegen me.'
'Ik lieg niet!'
'Schreeuw niet zo tegen haar!' Peter probeerde dapper te doen.
'Jij hoeft me niet te zeggen wat ik moet doen. Het is jouw schuld dat ze nu in de problemen zit.'
'Laten we rustig blijven.' Stan, even ineffectief als altijd. 'Denk aan de buren.'
'De buren!' Vera, doordringend schel. 'Daar is het nu te laat voor. De hele straat weet het al!'
'Maar hoe dan?' Peter weer. 'We hebben het tegen niemand verteld.'
'Het doet er niet toe hoe! Feit is dat iedereen het weet. En dat betekent dat we niets meer kunnen doen. Niemand zal nog geloven in een miskraam. In dit stadium niet meer.'
'Begrijp ik dat goed?' zei Janes vader geschokt.
'Wat anders?' Vera, geïrriteerd.
'Mijn dochter is katholiek. Geen sprake van dat ze haar eigen kind laat vermoorden!'
'Papa!' Jane zat nog steeds te snikken.
'De baby kan geadopteerd worden.' Stan. Eindelijk een verstandig voorstel.
'Ja, waarom niet?' Peter zag een laatste redding en reageerde gretig.

'En mijn dochter achterlaten met het stigma van een onwettig kind? Over mijn lijk! Die twee gaan trouwen en wel nu meteen...'

Later, toen Jane en haar vader waren vertrokken en Vera en Stan hun verdriet in de pub wegdronken, sloop Ronnie naar de kamer van Peter.

Peter stond bij de muur naar de grond te staren.

'Donder op.'

'Alles goed?'

'Wat denk je?'

'Wanneer komt het?'

'Eind mei. Voor die tijd moeten we trouwen.'

'Dat verandert niets. Dat is nooit zo bij moetjes. De meeste mensen blijven het toch zien als een onwettig kind en je weet wat dat betekent.'

Peter keek op. 'Wat bedoel je?'

'Dat ik binnenkort niet meer de enige stomme bastaard in dit gezin ben.'

Toen begon hij te lachen.

'Hou je kop!'

Hij schudde zijn hoofd en kon niet stoppen.

Peter stompte hem op zijn mond. 'Hou je kop! Hou je kop!'

Maar hij kon het niet. Zelfs toen hij op de vloer lag en Peters slagen op hem neerdaalden, bleef hij onbedaarlijk lachen.

December 1960.

'Een uitstekend schooljaar. Wat zijn gedrag betreft zijn Ronnies prestaties minder bevredigend. Volgens zijn leraren is hij altijd beleefd, maar vaak verstrooid. Hij lijkt meer gericht op zijn eigen gedachten dan op de lessen. Dit is niet ongewoon bij jongens van zijn leeftijd en het is geen reden voor onmiddellijke bezorgdheid, maar ik hoop dat dergelijk gedrag zo vroeg mogelijk verandert. Iemand met Ronnies buitengewone mogelijkheden moet geen gewoonten vormen die zijn toekomstige ontwikkeling in de weg kunnen staan.'

Februari 1961.

Charles zat aan het bed van zijn stiefmoeder. Ze kwam haar bed niet meer uit. In de afgelopen weken was de slaapkamer haar hele wereld geworden.

Hij las gedichten van Keats in een duur gebonden boek. Keats was haar lievelingsdichter. Op de eerste pagina had zijn broer in sierlijk handschrift geschreven: *Voor mijn lieve moeder voor haar verjaardag. Veel liefs, Jimmy*. De datum was 17 mei 1939. Slechts enkele maanden vóór de oorlog uitbrak waaruit hij nooit zou weerkeren.

'Welk gedicht wil je nu horen?' vroeg hij.

'*Ode to Autumn*.'

Hij glimlachte. Ze had altijd van de herfst gehouden. Het jaargetij van mist en zachte vruchtbaarheid en de geboorte van Jimmy. En die van Ronnie. Anna hield ook veel van de herfst.

'Ik maak geen herfst meer mee. Dat heeft de dokter gezegd. Tijd om me te verzoenen met het onvermijdelijke.'

'Je hebt niets te verzoenen.'

'Is dat zo?' Ze keek hem ongerust aan, zelfs angstig. Een nietige, vogelachtige vrouw met een huid die zo dun was als rijstpapier. Hij wist dat dit gesprek onvermijdelijk was en wilde haar vertellen dat het niet hoefde. Maar het hoefde wel. In ieder geval voor haar.

'Ik heb jou maar steeds voor ogen. Hoe je eruitzag toen je bij ons kwam wonen. Een jongen van tien die zijn ouders had verloren en het hele land door naar een vreemd huis en vreemde familieleden was gestuurd. Als ik het me nu voor de geest haal, zie ik hoe bang je was. Hoezeer je wilde dat wij je zouden accepteren. Maar dat had ik toen niet in de gaten. Ik zag alleen maar een mogelijke bedreiging voor Jimmy.'

'Daar had je je redenen voor.'

'En dat praat het goed?'

'Ik begreep het.'

'Nu misschien wel, maar toen niet. Hoe kon je ook? Je was nog maar een kind.' Tranen kwamen in haar ogen. 'De dingen die je deed om mijn genegenheid te winnen. Je probeerde steeds maar weer.'

'Net als Jimmy deed met vader.'

'Je zou me gehaat moeten hebben. Ik verdiende je haat. In plaats daarvan hield je meer rekening met me dan Jimmy ooit heeft gedaan.' Ze wees op het boek. 'Ik weet dat jij dat gekocht hebt. Je gaf het aan Jimmy om het aan mij te geven terwijl jij me een sjaal gaf in een kleur die ik niet mooi vond. Je wilde niet dat jouw cadeau het zijne zou overtreffen.'

'Cadeautjes zijn maar dingen. Het gaat erom wat je voelt.'

'En wat voelde Jimmy? Wat betekende ik echt voor hem? Niet meer dan een nooit opdrogende bron van krediet. Dat is de waarheid. En toch hield ik van hem. Ik kon het niet helpen. Toen hij sneuvelde, wenste ik dat jij het was. Ik heb je verteld...'

Ze begon te snikken. Haar hand, gekromd als een klauw vanwege de artritis, lag op de deken. Hij nam haar hand in de zijne en drukte hem zo zacht hij kon.

'Toen Eleanor je verliet, was ik blij. Ik kwam naar het ziekenhuis en heb het tegen je gezegd.'

'Je had verdriet. Je was jezelf niet.'

'En jouw pijn dan? Je moet me gehaat hebben toen.'

'Misschien wel. Maar ik begreep het ook. Dat moet je geloven. Liefde kan iets vreselijks zijn. Het kan meer pijn veroorzaken dan een lichamelijke wond. Nadat Eleanor me had verlaten, wilde ik dat nooit meer voelen.'

'Maar nu voel je dat wel.'

Stilte.

'Dacht je dat ik dat niet doorhad?'

'Ze zal nooit van me houden. Ik ben gewoon een vriend. Ik accepteer dat.'

'Misschien hoeft dat niet. Niet na mijn dood.'

'Hoezo?'

'Niets. Helemaal niets.'

Weer een stilte. Haar tranen waren gedroogd. Ze had gezegd wat ze wilde zeggen. Hij hoopte dat het haar enige rust had gegeven.

'Maar Charlie, er is iets wat je moet begrijpen. Die jongen zal altijd op de eerste plaats komen. Hoeveel ze ook om je gaat geven, ze zal altijd meer van hem houden. Hij is vijftien jaar lang haar enige reden van bestaan geweest, net zoals je broer dat voor mij was. En als je iemand op die manier liefhebt, kan niemand die liefde overtreffen, hoe graag je dat ook zou willen.'

'Wil je dat?'

'Dat heb ik wel gedaan. Nu zou ik alleen willen dat ik hem terug kon zien. Maar één keer, voor ik sterf. Om hem te zien glimlachen. En hem te zeggen... te zeggen...'

Weer begon ze te huilen. 'Niet doen,' zei hij.

'Wil je me omhelzen?'

Hij leunde voorover. Plotseling schudde ze haar hoofd.

'Het geeft niet,' fluisterde hij. 'Het is niet erg dat je net doet of ik Jimmy ben.'

Ze sloeg haar armen om zijn nek en drukte hem tegen zich aan met alle kracht van haar verzwakte lichaam, alsof hij zelf een bron van leven was.

In maart stierf mevrouw Pembroke vredig in haar slaap.

Haar begrafenis was in Kendleton Church, bijgewoond door de weinige mensen uit de stad die haar gekend hadden. Anna hoopte dat de Sandersons uit Hepton zouden komen, maar beiden waren te ziek om te reizen. Ze zat met Charles op de eerste rij en huilde zachtjes terwijl de dominee de dienst leiddde. Hoewel ze blij was dat Ronnie en zij nu weer samen konden zijn, had ze een vrouw verloren van wie ze meer vriendelijkheid en affectie had ontvangen dan van haar eigen familie.

Twee dagen later kwam de advocaat van mevrouw Pembroke, Andrew Bishop, haar testament bespreken. Hij zat achter het bureau van Charles. Een lange, gezette man met een rond gezicht en grijze ogen die de afgelopen maanden vaak was langsgekomen.

'Het spijt me dat ik u heb laten wachten,' zei hij tegen haar.

'Dat geeft niet.'

'Hoe gaat het met uw zoon? Ronnie heet hij toch?'

'Ja. Het gaat goed met hem, dank u. En met uw stiefdochter, Susan?'

'Met haar is het ook goed.'

'Ik zie haar vaak bij de rivier. Ze is erg knap maar dat hoef ik u vast niet te vertellen.'

'Als u het maar niet tegen Susan zegt. Haar moeder en ik willen niet dat ze verwaand wordt.' Hij lachte en leek plotseling slecht op zijn gemak. 'En nu het testament. Het is een eenvoudige zaak. Het grootste deel van haar eigendommen gaat naar haar zoon Charles.

Er zijn echter ook diverse legaten. Een voor de Sandersons, die u geloof ik kent. Andere gaan naar haar kok, haar huishoudster en de tuinman.'

'En naar mij.'

Hij wreef over zijn neus. 'Dat is het punt.'

'Wat bedoelt u?'

Hij schraapte zijn keel. 'Aan Anna Sidney, mijn trouwe gezelschapsdame en vriendin, laat ik niets na omdat ik geloof dat anderen voor haar zullen zorgen.'

Even was ze zo geschokt dat ze niets meer uit kon brengen.

'Ik besef dat dit als een schok komt. Ik denk...'

Ze vond haar stem terug. 'Dat is onmogelijk.'

'Helaas is het zo.'

'Nee! Het is niet mogelijk! Zoiets zou ze me nooit aandoen!'

Hij ging verder maar ze hoorde niet langer wat hij zei. Een geraas in haar hoofd overdonderde elk ander geluid. Ze boog over het bureau en greep het document uit zijn handen, zichzelf wijsmakend dat hij het verkeerd had gelezen.

Maar dat was niet zo. Het stond er keihard, zwart op wit. Een enkel zinnetje dat al haar hoop en al haar dromen tenietdeed.

Een halfuur later wandelde ze langs de rivier.

Het regende. Een scherpe wind blies over het water. Ze had geen jas aan maar ze voelde de kou niet. Ze was zo ontdaan over het verraad van haar werkgeefster dat ze niets anders meer voelde.

Ten slotte schuilde ze onder een boom. Ze leunde tegen de ruwe bast, haar armen over elkaar, en probeerde te begrijpen hoe dit had kunnen gebeuren.

En wat Ronnie en zij moesten doen.

Ze moest opnieuw beginnen. Maar hoe? De laatste zes jaar van haar leven waren verknoeid aan loze beloften en ze was uitgeput. Zelfs te moe om te huilen.

'Anna.'

Charles stond vlakbij onder een grote paraplu, met haar jas in zijn hand. 'Trek aan. Je vat nog kou.'

'Hoe kon ze me dit aandoen? Ik begrijp het niet.'

Hij keek naar de grond. 'Ik wel, denk ik.'

'Waarom dan?'

'Ze probeerde me te helpen. Een onhandige poging om iets uit het verleden goed te maken.'

'Hoezo?'

'Heb je het niet door?'

'Wat moet ik doorhebben?'

'Dat ik van je hou.'

Hij keek weer op. Zijn ogen stonden bang. Kwetsbaar, als de ogen van een kind.

'Ik hou van je, Anna. Totaal. Je lach. Je stem. De manier waarop je om mijn domme grapjes lacht. De manier waarop je aan je linkeroor frummelt als je zenuwachtig bent. De manier waarop je gezicht opklaart als je over Ronnie praat. Hoe je hem in elk gesprek ter sprake weet te brengen. Hoe je, als we samen langs het water lopen, elke vogel beschrijft, elke plant en de vorm van elke stomme wolk, alsof het de eerste keer is dat je zoiets ziet. Ik hou meer van je dan ik ooit van iemand anders heb gehouden en als je mijn vrouw zou willen worden zou ik de gelukkigste man ter wereld zijn.'

De grond draaide onder haar voeten. Ze zocht steun tegen de boom terwijl de wind aan haar rok trok als de hand van een kwajongen.

'En moet het dan zo gaan?'

'Denk je dat ik het zo gewild heb? Als ik geweten had wat ze van plan was, had ik haar tegengehouden. Dat moet je geloven.'

Ze staarden elkaar aan. Hij was haar vriend. Ze wilde hem vertrouwen. Maar ze had zijn moeder ook vertrouwd.

'Welke opties heb ik?'

'Je hebt twee opties.'

'Met jou trouwen of terug naar Hepton. Dat zijn geen opties.'

Hij schudde zijn hoofd.

'Wat dan?'

'De eerste optie is dat je met me trouwt. We kunnen hier samenleven. Ronnie komt bij ons wonen en ik zou mijn uiterste best doen om een goede vader voor hem te zijn. Ik weet dat je niet van mij houdt maar misschien komt dat nog. Liefde kan uit vriendschap voortkomen.'

'En de andere optie?'

'Dat ik jou alles nalaat wat mijn moeder me heeft nagelaten.'
Voor de tweede keer die dag kon ze geen woorden vinden.
'Het geld en het huis. Beide voor jou.'
'Dat kun je niet doen.'
'Ik heb mijn eigen vermogen. Ik heb haar geld niet nodig.'
'Maar wat ga je dan doen?'
'Misschien terug naar Amerika. Ik weet zeker dat de universiteit waar ik werkte me graag terugziet.' Hij glimlachte. 'Op voorwaarde dat ik een cursus schoonschrijven volg en beloof niet meer tijdens colleges in te dommelen.'
Ze barstte in tranen uit.
'Anna...'
'Ik wil niet dat je weggaat.'
'Waarom niet?'
'Omdat...'
'Omdat?'
'Omdat je mijn vriend bent.' Ze veegde haar tranen af. 'Een echte. Iemand die me nooit heeft veroordeeld of maakte dat ik me beschaamd voelde. Dat soort mensen ben ik niet veel tegengekomen in mijn leven.'
'Ik zal altijd je vriend zijn. Besef je dat niet? Ik weet dat je niet met me wilt trouwen. Je bent jong en mooi en je verdient iets beters dan zo'n oude en lelijke man als ik. Dat accepteer ik. Maar jij moet accepteren dat ik altijd van je zal houden en altijd je vriend zal zijn. Waar ter wereld ik ook ben, ik zal altijd aan je denken en als je me ooit nodig hebt, zal ik er voor je zijn.'
Ze keek uit over de rivier. Een zwaan dreef op het water, klapte met zijn vleugels en steeg majestueus op.
Hij bood haar de jas aan. Deze keer trok ze hem aan. 'Kom mee naar huis,' zei hij.
'Nog niet. Ik moet alleen zijn. Om na te denken. Dat begrijp je toch wel?'
'Ja.'
'Dank je.'
Ze liep verder langs de rivier, keek omhoog naar de grijze hemel en zag de zwaan wegvliegen.

April. Het was druk op Hepton High Street. De vijftienjarige Catherine Meadows, thuis van kostschool in de vakantie, bekeek haar weerspiegeling in een etalage en glimlachte omdat niemand het zag.

Ze was slank en bevallig, gekleed in een blouse, een gebreid vestje en een knielange rok. Haar blonde haar zat samengebonden met een haarband. Ze was knap met haar grote blauwe ogen en zachte, fijne gelaatstrekken. Ze zag eruit als een meisje dat goed haar best deed op school. Een meisje met leuke vriendinnen dat geen tijd had voor vervelende jongens. Een meisje dat geen enkele zorg was voor haar ouders.

Een meisje dat nooit aan seks dacht.

Maar dat deed ze wel. Voortdurend. Haar maagdelijkheid had ze de vorige zomer verloren aan een jongen die ze op vakantie had ontmoet. Hij had gedichten voor haar geschreven en gezegd dat hij van haar hield. Maar ze wilde geen liefde, alleen een lichamelijke ervaring. Toen het voorbij was, was ze weggelopen zonder om te kijken.

Sindsdien waren er nog twee geweest, beiden getrouwd. Een vriend van haar vader die ze vanaf haar jeugd had gekend en een klusjesman op school die ze op zondagavonden ontmoette in een schuurtje buiten het schoolterrein. Ze had hen zorgvuldig gekozen. Oudere mannen met genoeg ervaring om de daad plezierig te laten verlopen en die, gezien de risico's die er waren, niet konden opscheppen over vrijpartijen met een meisje dat nog minderjarig was. Vooral niet over een meisje dat zozeer een façade van fatsoen ophield. Jongens van haar eigen leeftijd interesseerde haar niet. Te onhandig en te opschepperig, niet bevredigend en niet veilig. Aan hen zou ze geen tijd verknoeien.

Op één na.

Ronnie Sidney zat alleen in café Amalfi een brief te lezen. Ze liep naar binnen, bestelde een kop thee en ging bij hem zitten. Aan een ander tafeltje zaten jongens met leren jacks en vetkuiven te praten over een popgroep die ze wilden gaan vormen. Een van hen knipoogde naar haar. Ze wendde zich af. Hij lachte, er vast van overtuigd dat hij haar bang had gemaakt. Een angstige maagd die al zou gaan schreeuwen als hij alleen haar hand aanraakte. In zichzelf lachte ze ook.

Ronnie droeg een grijze trui. Zijn haar was netjes gekamd. Een knappe, deftig uitziende jongen. Iemand die de goedkeuring van haar ouders en grootmoeder zou kunnen wegdragen. Alledrie klaagden voortdurend over de jeugd van tegenwoordig: hun rauwe muziek, extravagante kleding en algehele onbeleefdheid. Maar Ronnie zou hen geruststellen. Net als zijzelf.

Hij keek op terwijl ze ging zitten. De blik in zijn grijsgroene ogen was niet erg uitnodigend. Ze voelde een kriebel in haar buik. Hij had haar altijd gefascineerd. Zelfs als klein kind had ze gezien hoe hun onderwijzer hem als een toonbeeld van vlijt en hoffelijkheid zag en voelde ze het gevaar dat achter die perfecte buitenkant school. Als een heerlijk chocolaatje dat was gevuld met vergif.

'Wat moet je?' vroeg hij.

'Je klinkt niet erg enthousiast.' Ze wees op de brief. 'Is die van je moeder?'

'Ja.'

'Wat schrijft ze?'

'Dat ze volgende week op bezoek komt.'

'Je klinkt niet erg blij. Wil je haar niet zien?'

'Ze neemt een man mee.'

'O.'

Hij richtte zijn blik weer op de brief. Ze keek naar hem terwijl de jongens aan het andere tafeltje zaten te bekvechten wiens beurt het was om geld in de jukebox te stoppen.

'Het moest een keer gebeuren, Ronnie. Ze is nog jong en een zoon is ook niet alles.'

Hij keek weer op, zijn gezicht stond boos. 'Wat weet jij daarvan?'

'Meer dan je denkt.'

'Je weet er niets van.'

Ze glimlachte. 'Ik ken jou wel. Ronnie Sidney, goed, lief en slim. Dat is wat de mensen denken. Maar je hebt ook andere kanten.'

'Niet volgens mijn moeder.'

'Maar die begrijpt jou niet.'

'En jij wel?'

Ze knikte. 'We zijn hetzelfde, jij en ik. Mijn ouders denken dat ik volmaakt ben maar ze kennen me helemaal niet. Als ze wisten hoe ik echt was, zouden ze me verstoten.'

'Wie ben je dan echt?'

Zijn hand lag op tafel. Ze bedekte hem met haar eigen hand. Een kuis gebaar voor iedereen die het zag. Als een meisje met haar broer. Niemand zag dat haar duim zijn handpalm streelde.

'Ga met me mee naar huis en ik zal je al mijn geheimen vertellen.'

Hij antwoordde niet. Staarde haar alleen maar aan. Zijn huid voelde warm en zacht aan.

'Ik vind je heel bijzonder, Ronnie. Dat heb ik altijd gevonden. Ga met me mee. Ik zal je laten zien wie ik werkelijk ben.'

Even reageerde hij niet. Ze bleef zijn handpalm strelen.

'Dat lijkt me leuk,' zei hij.

Ze stonden op. De jongen die had geknipoogd vroeg snerend: 'Gaan jullie huiswerk maken?'

'Biologie,' zei ze en ze liep voor Ronnie uit naar buiten.

Vijftien minuten later zaten ze samen op een bank in de woonkamer van haar ouders.

De inrichting was zacht en vrouwelijk. Overal pasteltinten en snuisterijen. In een glazen kast stonden rijen Victoriaans porselein, met veel zorg verzameld gedurende lange tijd. Meestal zat Catherine tijdens de vakanties op deze bank naar de televisie te kijken en luisterde ze hoe haar ouders elkaar feliciteerden met hun modelkind, terwijl ze niets liever wilde dan hun dingen vertellen die de zelfvoldane glimlach van hun gezicht zou vegen.

'Ik haat deze kamer,' zei ze tegen Ronnie. 'Helemaal mijn moeder. Op en top keurig en leuk en aardig. Ze denkt dat ik ook zo ben, maar dat is niet zo. Ik ben net als jij.' Ze streelde zijn kin. Glad. Nog geen baard. 'We lijken zelfs op elkaar. Je had mijn tweelingbroer kunnen zijn. Zou je dat leuk hebben gevonden?'

'Misschien.'

'Ik niet. Tweelingen kunnen dit niet doen.' Ze leunde naar voren, nam zijn gezicht in haar handen en kuste hem op zijn mond. Hij reageerde onhandig. Zijn tong was te gretig, zijn mond te hard. Misschien was ze het eerste meisje dat hij ooit had gekust. Ze vond het idee opwindend. Haar vingers gleden over zijn borst en buik naar de bobbel in zijn kruis. Ze kneep er zachtjes in en hoorde hem

zuchten. Ze beet op zijn lip en knabbelde toen aan zijn oor.
'Ik begrijp je, Ronnie,' fluisterde ze. 'Hoe je bent. Wat je nodig hebt.'
'Hoe ben ik dan?' fluisterde hij terug.
'Je bent slecht. Daarom ben je bijzonder. Daarom wil ik je.'
'Waarom ben ik slecht?'
Ze antwoordde niet. Te druk met haar tanden plagerig in zijn hals.
Hij leunde achterover. 'Waarom ben ik slecht?'
'Dat is gewoon zo. Net als ik.' Ze leunde naar voren en wilde hem opnieuw kussen.
Hij bewaarde afstand. 'En waarom ben jij slecht?'
'We kunnen straks praten. Kom op, Ronnie.'
'Waarom?'
Speels blies ze in zijn gezicht. Hij trok zijn hoofd terug. 'Waarom? Omdat ik niet de eerste ben met wie je seks hebt? Is dat het enige geheim dat je me kunt vertellen?'
'Is dat niet genoeg?'
'Nee.'
'Dat is het wel.' Ze begon te giechelen. 'Als mijn ouders wisten wat we gaan doen...'
'Het is niet slecht. Niet vergeleken met wat ik jou zou kunnen vertellen. Het is gewoon... niets.'
Haar vingers gingen terug naar zijn kruis. 'Dit is niet niks. Je wilt me toch?'
'Ik wil dat je me begrijpt.'
'Dat doe ik.' Opnieuw probeerde ze hem naar zich toe te trekken.
Hij duwde haar achteruit en keek haar aan. Hij knipperde niet met zijn ogen en zijn blik was zo intens dat ze even het idee had dat hij dwars door haar heen kon kijken.
'Nee, dat doe je niet.'
'Ronnie...'
Hij ging staan. 'Het spijt me. Ik had hier niet moeten komen.'
'Je mag niet weggaan!'
'Jawel.'
'Ronnie!'

Hij liep de kamer uit.

'Homo! Flikker! Nicht! Hier krijg je spijt van, Ronnie Sidney. Ik ga tegen iedereen zeggen dat je een kleine nicht bent!'

Geen antwoord. Alleen het geluid van voetstappen en toen het geluid van de voordeur die open- en dichtging.

Gefrustreerd, ontzet en gekwetst barstte ze in tranen uit.

Zondag, rond de middag. Een week later. Anna zat in het restaurant van het Cumberland Hotel met Charles en Ronnie.

Het Cumberland Hotel lag in Lytton. Er waren geen fatsoenlijke restaurants in Hepton. Terwijl obers en serveersters tussen de tafeltjes bewogen nipte Anna van haar wijn en luisterde naar het gesprek tussen haar tafelgenoten.

Het ging goed. Charles deed aardig: hij vroeg Ronnie over school en zijn favoriete perioden in de geschiedenis. Af en toe probeerde hij haar in het gesprek te betrekken maar ze bleef liever zwijgen zodat ze hen kon observeren.

'Hoe is het vlees?' vroeg hij aan haar.

'Heerlijk, dank je, Charles.' Ze bedwong de neiging om hem meneer Pembroke te noemen. Het voelde vreemd om hem bij zijn voornaam te noemen.

Ronnie deed ook aardig. Tegen Charles tenminste. Tegen haar was hij beleefd maar afstandelijk. Hij droeg zijn schooluniform en zag er knap en erg volwassen uit. Ze bekeek hem met een mengeling van trots en vrees.

Toen ze het hoofdgerecht op hadden, kwam een serveerster met een wagentje met desserts. Charles ging staan. 'Ik ga even naar buiten om een pijp te roken. Kunnen jullie even praten.'

De moederlijk uitziende serveerster keek stralend naar Ronnie. 'En wat wil jij hebben?'

'Niets.'

'Je moet iets kiezen. Een jongen in de groei zoals jij. De chocoladetaart is erg lekker. Wat dacht je van...'

'Ik zei dat ik niets hoefde. Bent u doof?'

De serveerster kreeg een kleur. Anna voelde zich beschaamd. 'Ronnie, maak je excuses.'

'Sorry,' zei hij mokkend.

'Het spijt me,' zei Anna, iets beleefder.

De serveerster rolde het wagentje weg. Ronnie ging weer zitten en keek naar de peperbus die midden op tafel stond. 'Wat heb jij opeens?' wilde Anna weten.

'Is er niet iets wat je me wilde vertellen?'

'Wat?'

'Dat je met hem gaat trouwen. Dat is toch zo?'

'Ja.'

Hij pakte een servetring op en rolde ermee over het tafellaken.

'Wat vind je daarvan?' vroeg ze.

'Ik ben trots. Jullie zijn een prachtig stel.'

'Ronnie!'

'En wat gebeurt er nu met mij?'

'Je maakt je schooljaar af hier in Hepton. Daarna kom je bij ons in Kendleton wonen.' Ze glimlachte bemoedigend. 'Het zal je daar bevallen, Ronnie. Het is er mooi. Het huis is ook heel mooi. Vlak bij de rivier met een tuin die zo groot is dat het je een hele dag kost om het gras te maaien. Het is precies zoals ik beloofd heb toen je nog klein was.'

'Maar je hebt toen niet gezegd dat we het moesten delen.'

'Het zal ons thuis zijn.'

'En dat van hem.'

Stilte. Aan een ander tafeltje lachte een man hard om zijn eigen grap.

'Hou je...' begon hij.

'Nee,' zei ze snel. 'Ik hou niet van hem. Maar hij is een goed mens, Ronnie. Hij is een goede vriend voor me geweest, en dat zal hij ook voor jou zijn. Misschien ga ik ooit nog van hem houden. Maar één ding moet je geloven. Ik zal nooit zoveel van hem houden als van jou.'

Hij keek op. 'Beloof je dat?'

'Moet je dat nog vragen?'

'Ik weet het niet.'

Ze legde haar hand op de zijne.

'Toen ik dertien was liet God me iets vreselijks overkomen. Hij nam alles weg dat belangrijk voor me was en vernietigde het volkomen. Drie jaar lang heb ik gewenst dat hij mij ook zou vernietigen.

Elke nacht lag ik wakker in de slaapkamer op Baxter Road en wenste ik dat ik dood was zodat ik weer bij ons gezin kon zijn.'

Hij slikte. Zijn hand bleef met de servetring spelen.

'En toen kwam jij. Mijn zoon. Mijn Ronnie Sunshine die alle pijn wegnam. Vanaf het moment dat ik je voor het eerst in mijn armen hield wist ik dat ik al die pijn opnieuw kon doormaken als jij maar bij me bleef. Jij bent het geweldigste, het meest uitzonderlijke dat me ooit is overkomen en zelfs als ik meer van Charles zou houden dan een andere vrouw ooit van haar man heeft gehouden, zou het maar een fractie zijn van de liefde die ik voor jou voel. Soms kijk ik naar je en dan lijkt het of mijn hart barst van trots. Mijn briljante, knappe, volmaakte zoon.'

Zijn hand bewoog niet meer. Hij begon te huilen. Die aanblik deed haar lichamelijk pijn. 'O, Ronnie, lieveling...'

'Maar ik ben niet volmaakt. Dat wil ik wel maar dat ben ik niet. En als je wist... als je wist...'

'Als ik wat wist?'

Hij schudde zijn hoofd. Ze schoof haar stoel dichterbij, trok hem naar zich toe en neuriede alsof hij een baby was. Zijn tranen maakten haar blouse en de huid eronder nat. De mensen aan het tafeltje ernaast keken naar hen en waren verlegen met de situatie. Ze negeerde hen. Ze deden er niet toe. De enige die ertoe deed was Ronnie.

'Je kunt het mij toch wel vertellen, schat. Niets wat jij doet zou veranderen hoe ik over je denk. Dat weet je toch?'

Hij veegde zijn tranen weg.

'Toch?'

'Ja.'

Ze streelde over zijn haar. 'Vertel het dan maar.'

Hij keek op. Forceerde een glimlachje. Een zwakke Ronnie Sunshine-glimlach.

'Ik was jaloers op Charles. Ik wenste stiekem dat hij tijdens de oorlog was omgekomen, niet alleen gewond geraakt, want dan kon hij niet met jou trouwen en kon hij je niet weghalen.'

'Hij haalt me niet weg. Ik zal er altijd voor je zijn, Ronnie. En voor niemand anders.'

'Ik hou van je, mam. Ik wil dat je gelukkig wordt. Als Charles je gelukkig maakt, ben ik ook gelukkig.'

'Jij maakt me gelukkig. Niemand kan me ooit zo gelukkig maken als jij.'

Ze streelde zijn wang. Hij kuste haar hand. De mensen aan het andere tafeltje zaten nog steeds te staren. Een man mompelde iets over mensen die hun fatsoen niet kunnen houden in het openbaar. In een opwelling blies ze hem een luchtkus toe. De hele groep schrok en keek weg.

Ronnie begon te lachen. Zij deed hetzelfde. Ze omhelsden elkaar. Geen van beiden kon het iets schelen wat een ander ervan dacht.

Charles stond in de deuropening van het restaurant en keek naar Anna en Ronnie.

Ze had haar armen om hem heen. Zijn hoofd lag tegen haar borst. Ze waren zo nauw verbonden als twee puzzelstukjes.

Mensen roemden de band tussen vaders en dochters, maar voor hem was die niet te vergelijken met de band tussen moeders en zonen. Een moeder bracht haar zoon in haar baarmoeder groot en voedde hem vanuit haar lichaam. Gaf zich aan hem over op een manier die ze nooit met een andere man zou delen, zelfs niet met haar echtgenoot. En de zoon, als hij eenmaal volwassen was, zou ontdekken dat geen enkele vrouw, zelfs zijn vrouw niet, zich ooit zo volledig aan hem zou geven als zijn moeder. Het was een band vol tegenstrijdigheden. Puur maar ook seksueel. Koesterend maar ook pijnlijk. Die liefde was zo krachtig dat niemand, zelfs God niet, hen uit elkaar zou kunnen drijven.

En als er geen andere gezinsleden waren om die liefde af te remmen...

Die jongen zal altijd op de eerste plaats komen. Hoeveel ze ook om je gaat geven, ze zal altijd meer van hem houden.

Een vrouw vlakbij staarde naar zijn verwonde rechter gezichtshelft. Toen hij haar aankeek raakte ze verlegen met de situatie. Hij wilde haar zeggen dat het niet uitmaakte. Dat hij het begreep.

Hoewel het nog steeds pijn deed.

Hij liep het restaurant door naar de vrouw die hij bovenal liefhad en naar de jongen met de geheimzinnige ogen die altijd op de eerste plaats zou komen voor haar. 'Is alles goed hier?' vroeg hij aarzelend.

'Alles is prima,' zei Anna.

Ronnie hief zijn wijnglas. 'Een toost op de toekomst.'

Charles deed hetzelfde. 'Op ons geluk.'

'Op het geluk van mijn moeder.'

Ze klonken hun glazen. Anna glimlachte naar hem. Ronnie glimlachte ook, met ogen die niets verraadden. Charles glimlachte terug en zei tegen zichzelf dat ieder van hen een gelukkige toekomst tegemoet ging.

Juli 1961.

'Wederom heeft Ronnie de jaarprijs meer dan verdiend. Zelfs volgens zijn eigen hoge normen waren zijn prestaties bij de proefwerken uitmuntend.

Ik ben echter nog steeds bezorgd over zijn rusteloosheid in de klas. In de laatste maanden is dat toegenomen. Dit kan worden veroorzaakt door de opwinding over de aanstaande verhuizing, maar hij moet zich nu leren beheersen want hij gaat de laatste jaren van zijn schoolcarrière tegemoet.

Samen met Ronnies leraren wens ik hem alle mogelijke succes toe in de toekomst...'

De ochtend van Ronnies vertrek. Vera was zichzelf niet. Een vreemde gekte had zich van haar meester gemaakt, die zich manifesteerde in een obsessie met vier woorden: Oxford, professor, schrijver en rijk. Ze kon niet ophouden die woorden te gebruiken. Elke zin die ze uitsprak bevatte ten minste een van die vier woorden. 'Ik vraag me maar steeds af,' zei ze tegen de Browns, 'of het net zo prestigieus is om professor bij een Ivy League-universiteit te zijn als om professor in Oxford te zijn. Wat denken jullie?' Meneer Brown zei dat hij dat niet wist. Mevrouw Brown zei niets en keek alsof ze misselijk was.

Het was druk in huis die dag. Vera en Stan. De Browns. Thomas en Sandra. Peter, Jane en hun zoontje. Mabel en Bill Cooper van de buurtwinkel. Zelfs Archie Clark. Ze waren allemaal gekomen om afscheid van Ronnie te nemen, nu hij Hepton voorgoed ging verlaten.

Hij zat op de bank terwijl Vera zich druk maakte over hem. Dat had ze vaak gedaan na de bruiloft. 'Weet je zeker dat je genoeg hebt gegeten?' vroeg ze ongerust.

'Ja, bedankt, tante Vera.'
'Ik wil best nog iets voor je klaarmaken.'
'Ik lust nog wel iets,' zei Peter. Hij zag er uitgeput uit, net als Jane. Ze hadden de slaapkamer die Peter ooit met Ronnie had gedeeld. De baby sliep er ook en huilde de hele nacht terwijl de pasgehuwden elkaar toeschreeuwden, een voorteken van de vele ellendige jaren die ze tegemoet gingen.
Stan sprak met Thomas en Bill Cooper over voetbal. 'Praat over cricket,' zei Vera. 'Rijke mensen houden van cricket.' Ze wendde zich tot de Browns. 'Heb ik jullie verteld dat Charles familie is van een graaf?' Meneer Brown knikte terwijl mevrouw Brown verwoed trekjes van haar sigaret nam.
'Eigenlijk niet, tante Vera. Zijn stiefmoeder wel.'
'Ach, dat komt op hetzelfde neer.' Vera zuchtte van voldoening. 'Wie had dat ooit gedacht? Een nicht van mij die in een aristocratische familie terechtkomt.' Ronnies moeder, jarenlang een veracht familielid van Stan, was plotseling opgeklommen tot de meest geliefde verwante van Vera.
Een Bentley stopte voor het huis. Zijn moeder en stiefvader waren aangekomen. Vera ging ze voor naar de woonkamer. Ze deed kruiperig tegen Charles, alsof hij tot de koninklijke familie behoorde. Zijn moeder droeg een nieuw pakje. Chic en duur. Anders dan de kleren die ze meestal droeg. Het maakte haar ouder. Harder. Even leek ze helemaal niet op zijn moeder.
Toen zag ze hem. Haar gezicht klaarde op als dat van een kind op kerstochtend en alles was weer goed. Ze was nog steeds zijn moeder. Ze was nog steeds van hem.
'Hallo, Ronnie.'
'Hallo, mam.'
Ze zaten samen op de bank en dronken thee terwijl Vera dure koekjes en gebak bleef serveren. Niet van dat goedkope spul uit een buurtwinkel. Ze was speciaal naar Harrods geweest. Charles luisterde beleefd naar Vera's uitbundige geklets terwijl meneer Brown vroeg hoe de rit vanuit Kendleton was geweest en de arme, onder de plak zittende Stan over cricket praatte of zijn leven ervan afhing. In een hoek van de kamer staarden Peter en Jane naar het gehavende gezicht van Charles. Jane fluisterde iets en Peter begon te gie-

chelen. Hij ving Ronnies blik op en hij gnuifde. Vroeger zou hij er het woord 'bastaard' aan toe hebben gevoegd, maar nu niet.

Zijn moeder zei dat het tijd was om te vertrekken. Iedereen kwam hem het beste wensen. Zelfs Peter, op aandringen van zijn moeder, gaf hem een hand.

Zo ook meneer Brown. 'Tot ziens dan, Ronnie, en luister naar mijn raad: als je niet braaf kunt zijn, wees dan voorzichtig.' Zijn vrouw en de opeens verfijnd geworden Vera krompen ineen maar meneer Brown lachte alleen maar. Zijn hand was dik en klam. De hand waarmee hij ooit Ronnies moeder had betast. Ronnie lachte ook, denkend aan de brief die Archie over een week op de post zou doen. Een anonieme brief, geadresseerd aan mevrouw Brown, met een volledig verslag van de uitspattingen van haar echtgenoot. Hopelijk zou mevrouw Brown na het lezen van die brief de hand van haar man afhakken, samen met een edeler deel.

Vera stelde voor dat hij wat koekjes voor onderweg mee zou nemen. 'Ik zal ze even voor je inpakken.' Ze keek Charles stralend aan. 'Hij is dol op koekjes, onze Ronnie.'

'Ik zal u even helpen, tante Vera.'

Ze stonden samen in de keuken naast de tafel waar hij talloze maaltijden in stilte had gezeten terwijl de naam van zijn moeder door het slijk werd gehaald. Vera lachte nerveus. 'Het is zover, Ronnie.'

'Ik geloof het ook.' Hij glimlachte ook en dacht aan de vijftien lange jaren die ze samen hadden doorgebracht. Ze hadden veel doorgemaakt, dat was zeker. Maar nu was het voorbij.

'Krijg ik een knuffel?'

Hij deed wat ze van hem vroeg. Ze rook naar goedkope parfum, talkpoeder en bier. Hij had een hekel aan haar geur. Hij haatte alles aan haar.

Hij drukte zijn mond dicht tegen haar oor en begon te fluisteren.

'U denkt dat de Browns jullie vrienden zijn maar dat zijn ze niet. Ze verachten jullie. Iedereen in de straat veracht jullie. Ze kwamen vaak in de winkel om u uit te lachen, net zoals u om mijn moeder lachte. U denkt dat u beter bent dan zij maar zij is een miljoen keer beter. Dat is ze altijd geweest en dat zal ze altijd zijn. Dus tot ziens, tante Vera, en verwacht niet dat u ooit iets van me hoort of ziet, tenzij u een pijnlijk en moeizaam sterfbed doormaakt, want ik zou door het vuur van de hel gaan om dat te mogen meemaken.'

Hij kuste haar op de wang, en streelde de littekens op haar arm. Toen, nog steeds glimlachend, liep hij terug naar de woonkamer.

Een uur later zat hij in de auto, op weg naar Oxfordshire.

Ze hadden Londen achter zich gelaten en het platteland lag wijd en zijd rondom hen. Het was een prachtige dag en de raampjes stonden open. Zijn moeder zat voorin en beschreef alles waar ze voorbijreden. Ze straalde van geluk terwijl de wind door haar haren streek en Charles toegeeflijk naar haar glimlachte.

'Praat ik te veel?' vroeg ze hem.

'Helemaal niet. Tot vandaag had ik geen idee hoe een koe eruitzag, maar nu wel en mijn wereld zal nooit meer dezelfde zijn.'

Ze begon te lachen. Een vol, oprecht geluid. Ronnie had haar nog nooit zo horen lachen.

Behalve met hemzelf.

Hij lachte ook, even luid als zij, de jaloezie verbergend die in hem woelde als slangen in een zak terwijl de auto doorreed en hem verder van zijn oude leven bracht en dichter bij het nieuwe.

DEEL IV

Kendleton, 1959

Een warme dag in juni. Mae Moss maakte schoon bij de heer en mevrouw Bishop.

Ze vond het leuk werk. In tegenstelling tot hun buren, de familie Hastings, wier huis eruitzag alsof er zojuist was ingebroken, waren de Bishops een net gezin. 'Alles staat waar het behoort te staan,' was het motto van meneer Bishop en daar was Mae het helemaal mee eens.

Ze was aan het werk in de woonkamer. Even snel wat stof afnemen. Verder hoefde er niets te gebeuren. Het was een mooie kamer: antieke meubels, olieverfschilderijen en geen televisie. 'Volgens mijn man is dat dodelijk voor de conversatie,' zei mevrouw Bishop. 'Jonge mensen kijken voortdurend en dat willen we niet voor Susan.' Mae hield van tv-kijken en miste nooit een aflevering van *Emergency Ward Ten*, maar als ze dacht aan het programma *Juke Box Jury* waar haar kleinkinderen dol op waren, moest ze toegeven dat meneer Bishop gelijk had.

Nadat ze klaar was met de benedenverdieping ging ze naar boven. Eerst de slaapkamer van meneer Bishop, dan die van zijn vrouw. Van alle mensen bij wie Mae schoonmaakte, waren zij het enige stel dat apart sliep. Haar vriendin Dora Cox, die alles van iedereen wist, dacht dat mevrouw Bishop daar de oorzaak van was. 'Ze heeft een zenuwinzinking gehad, de arme schat, en dat wordt meestal veroorzaakt door problemen in de slaapkamer.' Mae, wier man zo hard snurkte dat je er de doden mee tot leven kon wekken, benijdde mevrouw Bishop om zo'n begripvolle partner.

Daarna maakte ze de bovenste verdieping schoon. De studeerkamer van meneer Bishop lag vol mappen en papieren, alles zorgvuldig gerangschikt. Hij was een succesvolle advocaat die werkte voor veel van de rijke gezinnen die op The Avenue woonden, inclusief de oude mevrouw Pembroke die het mooie Riverdale bezat en die naar men zei stinkend rijk was. Mae zei altijd tegen haar kleinkinderen dat ze hard moesten werken zodat ze ook succesvol advocaat konden worden en op Queen Anne Square konden wonen. Dan keken ze haar vreemd aan en gingen verder met hun discussie of Cliff Richard even goed was als Elvis Presley.

Als laatste was de slaapkamer van Susan aan de beurt, aan het eind van de overloop, met uitzicht op de kerk van Kendleton. Mae werd altijd een beetje bedroefd als ze die kamer binnenging. Op het nachtkastje stond een ingelijste foto van Susans vader, John Ramsey. Tien jaar geleden had Mae een middag in zijn studio doorgebracht met haar tweelingzus Maggie. Ze hadden veel gelachen om zijn grapjes terwijl hij een foto van hen maakte. Nu was Maggie overleden en Mae had alleen nog haar foto's, net zoals Susan alleen nog een foto van John had.

De kamer was even netjes als alle andere. De boeken netjes op planken en aantekeningen van school keurig op stapeltjes op het bureau in de hoek. Verder zat alles in kasten en laden, behalve een Victoriaans poppenhuis dat bij de klerenkast stond en een schelp die onder het bed lag. Heel anders dan de slaapkamer van Maggies kleindochter, Lizzie Flynn, die vol lag met vuile kleren, beschadigde platen en foto's van Alain Delon. Lizzies vader was het jaar daarvoor overleden en Lizzie werd steeds rebelser. Mae was blij dat Maggie het niet meer meemaakte en wenste Lizzie net zo'n stabiele vaderfiguur toe als Susan in meneer Bishop had gevonden.

Toen ze haar werk af had, pakte ze haar spullen en maakte ze zich op om te vertrekken.

Augustus. In zijn spreekkamer bij Market Court schraapte dokter Henry Norris moed bij elkaar om het nieuws te vertellen aan de man met het ronde gezicht die voor hem zat.

'Susan heeft gonorroe, meneer Bishop.'

Een zucht. 'Daar was ik al bang voor.'

'O ja? Susan is pas dertien.'

'Dat weet ik, maar weet u...' Een zucht. 'Het spijt me. Dit is moeilijk voor me. Susan heeft onlangs tijdens een vakantie een oudere jongen ontmoet op een feestje. Hij heeft haar dronken gevoerd en toen...' Even stilte. 'Heeft hij misbruik van haar gemaakt. Daarna schaamde ze zich zo dat ze niets durfde te vertellen, het arme kind. Ze zou het altijd verzwegen hebben als ze niet had ontdekt dat ze... eh, ziek was.'

'En die jongen? Hij heeft zich vergrepen aan een minderjarig meisje. Hebt u de politie gewaarschuwd?'

'Daar bereik je niets mee. Susan weet niet meer hoe hij heet of hoe hij eruitziet. Hij was waarschijnlijk ook op vakantie. Hij kan nu overal zijn.' Hij schudde zijn hoofd. 'Nee, dat zou werkelijk geen nut hebben.'

'Wat denkt Susans moeder ervan?'

'Ze weet het niet. Zoals u wellicht weet heeft Susans moeder zeven jaar geleden een ernstige zenuwinzinking gehad. Ze is emotioneel niet sterk en ze mag geen schokkende dingen meemaken.' Weer een zucht. 'Ik heb erover gedacht om het haar te vertellen, maar Susan liet me beloven dat niet te doen. Ze is heel beschermend ten opzichte van haar moeder en wil haar niet van streek maken.'

'De dokter van uw vrouw is William Wheatley. Ik zie dat hij ook de dokter van Susan was tot haar negende, maar daarna is ze twee keer van dokter veranderd. Waarom was dat?'

'Hoewel mijn vrouw goed kan opschieten met dokter Wheatley, heb ik hem altijd een beetje...' Een samenzweerderig lachje. 'Een beetje ouderwets gevonden. Susan ook. Een vriend beval dokter Jarvis aan maar helaas kon Susan het niet met hem vinden.'

'Dus toen wilde u het maar met mij proberen.'

Weer een lachje. Deze keer beminnelijk. 'En daar zijn we allebei heel blij mee.'

'Wie is uw dokter?'

'Die woont in Oxford. Ik werk daar, dus dat is praktisch.'

'Dus ieder lid van het gezin heeft een andere dokter. Dat is ongebruikelijk.'

'Het kwam toevallig zo uit.'

Henry knikte. Het was aannemelijk genoeg. Het hele verhaal was aannemelijk.

Het was de manier waarop het werd gebracht die hem dwarszat. De vertrouwelijke toon, de ongemakkelijke stiltes en de beschaamde zuchten. Allemaal zo gladjes dat het net was of je naar een acteur luisterde die goed gerepeteerd had.

Hij bestudeerde de man die tegenover hem zat. Een oprechte, droevige blik, samengevouwen handen. Alles drukte bezorgdheid uit. Niets wees op schuld.

Behalve de kleine zweetdruppeltjes op zijn voorhoofd.

'Dus, dokter Norris, als we...'

'Ik wil Susan alleen spreken.'

Zijn ogen verwijdden zich als die van een opgeschrikte uil. 'Waarom?'

'Is dat een probleem?'

Een lichte trilling van de adamsappel. 'Nee.'

Henry bleef achter zijn bureau zitten. Uit de wachtkamer klonk gefluister toen Susan Ramsey in de deuropening verscheen. Een lang, slank meisje met lang, donker haar en een van de mooiste gezichtjes die hij ooit had gezien. Even vergat hij al zijn zorgen en genoot hij van haar aanblik. In een welvarende stad als Kendleton waren genoeg knappe gezichtjes. Even gewoon als regen. Maar echte schoonheid was zeldzaam.

'U wilde me spreken, dokter Norris?'

Hij wees naar de stoel waarop haar stiefvader had gezeten. 'Ga maar zitten.'

Ze liep door de spreekkamer op haar veulenachtige benen. Ze bewoog slungelig en onhandig, typerend voor een meisje dat zich aanpaste aan de veranderingen in haar lichaam. Maar haar bewegingen hadden ook iets erotisch. Sensueel en uitnodigend. Gerijpt door kennis die te vroeg was gekomen.

Hij glimlachte. Hij wilde dat ze hem zou vertrouwen. Ze glimlachte terug, maar de blik in haar grote violette ogen was waakzaam. Als orchideeën met scheermesjes.

'Je stiefvader heeft me verteld wat er is gebeurd. Met die jongen.'

Een knikje.

'Hoe heette hij?'

'Dat weet ik niet meer.'

'Hoe zag hij eruit?'

‘Leuk.’
‘Gewoon leuk?’
‘Ja.’
‘Die jongen bestaat niet, hè Susan?’
‘Ik weet niet waar u het over hebt.’

Maar dat wist ze wel. Hij zag het aan de manier waarop haar mond verstrakte en aan de vinger die met een haarlok speelde. In tegenstelling tot haar stiefvader was ze niet erg bedreven in liegen.

De mensen zeiden dat hij blij mocht zijn dat hij in Kendleton woonde. Zo’n prachtig oord, zei men. Maar de aard van de mens was in elke buurt hetzelfde. Ook in een idyllische omgeving had men geheimen. Duistere, lelijke geheimen die levens in het verderf konden storten.

Hij boog zich naar haar toe en sprak zo zacht mogelijk.

‘Susan, wat jou is overkomen is niet goed. Het is ook niet jouw schuld. Het ligt niet aan jou, wat iemand anders je ook heeft wijsgemaakt. Als je moeder het...’

‘U mag het niet tegen mijn moeder zeggen!’

‘Susan...’

‘Dat mag u niet doen. Nooit!’

Ze leek zo oprecht angstig dat hij zich beschaamd voelde. Alsof wat ze moest doormaken zijn schuld was.

Maar dat was niet zo en hij wilde helpen.

‘Onlangs ontdekte mijn zus dat ze kanker had. Eerst zei ze er niets over omdat ze niet wilde dat ik me zorgen maakte, maar uiteindelijk heeft ze het wel verteld en daar ben ik blij om, want ik hou van haar en wil haar helpen. Net als jouw moeder jou zal willen helpen.’

Ze liet het hoofd zakken en staarde naar haar schoenen die ze over de vloer bewoog. Hij wachtte, hopend.

Toen keek ze weer op. De angst was weg, vervangen door een zo totale evenwichtigheid dat het misplaatst leek bij zo’n jong meisje. Net als zoveel aan haar misplaatst leek.

‘De jongen heette Nigel. Ik weet het weer. Hij zag eruit als James Dean. Hij stonk uit zijn mond. Ik weet nog dat ik het rook toen hij me voor het eerst probeerde te kussen. Ik probeerde hem tegen te houden, maar hij was sterker dan ik. De volgende dag ging ik hem zoeken om hem te zeggen dat wat hij gedaan had, fout was maar ik kon hem nergens vinden en niemand van het feestje wist waar hij was.'

Henry wilde doorvragen maar hij wist dat het geen zin had. De ijzige klank in haar stem zei genoeg.

Twee jaar geleden had een ander meisje in zijn spreekkamer gezeten. Een meisje ongeveer even oud als Susan wier vader een soortgelijk verhaal ophing. Hij had met het meisje alleen gesproken, in de hoop dat ze hem in vertrouwen zou nemen, maar het was niet gelukt. Ze hield vast aan het verhaal dat ze vanbuiten had geleerd en sprak op nauwelijks hoorbare fluistertoon. Een droevig, lief meisje. Haar ogen waren een hartverscheurende mengeling van schaamte, zelfhaat en totale verslagenheid. Een meisje dat alle hoop had verloren voordat ze ooit echt de kans had gehad om te leven.

Hij zag een aantal van dezelfde emoties in de ogen van Susan. De schaamte en de zelfhaat. Maar niet de verslagenheid. Haar geest was beschadigd maar nog niet verwoest.

'Het spijt me als ik je van streek heb gemaakt, Susan. Je moet weten dat ik je vriend ben. Iemand met wie je kunt praten als je dat wilt.'

'Dat wil ik niet.'

'Misschien kun je vragen of je stiefvader weer wil binnenkomen.'

Bij de deur bleef ze staan en draaide ze zich om.

'Het spijt me van uw zus, dokter Norris. Ik hoop dat ze beter wordt.'

'Bedankt, Susan. Dat is lief van je.'

Een halfuur later wandelde Susan met haar stiefvader naar huis.

Hij hield haar hand vast, zoals hij zo vaak deed als ze samen wandelden. Het was vroeg in de avond en het was warm en mild. Terwijl ze Market Court overstaken, werden ze nagekeken door enkele mensen. Misschien vonden ze zijn gedrag vreemd. Of misschien juist ontroerend. Ze wist het niet. Soms dacht ze dat ze niets wist, behalve wat angst was.

Dat gevoel was altijd bij haar. De vreselijke, knagende angst voor ontdekking. Voor ontmaskering. Dat de hele wereld kon zien hoe slecht ze was.

Hij praatte, maar ze luisterde niet. In haar hoofd was ze weer zes jaar en kwam ze thuis uit school bij een moeder die opeens een vreemde was geworden. Een moeder die haar zo lang had verlaten dat het leek alsof ze nooit terug zou komen. En een jaar later overleed haar vader.

'Hij weet het,' zei ze.

'Hij weet het niet.'

'Jawel. Stel je voor dat hij het aan mama vertelt.'

Ze liepen Queen Anne Square op. Een buurman groette vanaf de overkant van de straat. Beiden groeten hartelijk terug. Vrolijk en ontspannen. Ze lieten niets merken.

'Hij zegt het tegen niemand, Susie. Dat mag hij niet.'

'Maar hij weet het wel.'

'Denk gewoon niet meer aan hem.'

'Hij zei dat het niet mijn schuld was. Dat ik er niets aan kon doen. Dat...'

'Hij liegt.' De druk van zijn hand werd steviger. 'Mensen als hij doen dat altijd. Ze doen net alsof ze je vriend zijn en vertellen leugens. Ik ben je vriend, Susie. Ik heb je al die jaren beschermd. Ik heb je geheim goed bewaard en heb ervoor gezorgd dat je moeder het niet te weten is gekomen. We weten allebei wat er dan zou gebeuren.'

Ze staken het plein over. Het huis op de hoek, nummer 16, was ooit het huis van haar peettante, tante Emma, geweest. Die had haar ook in de steek gelaten. Naar Australië verhuisd met oom George, zo ver weg dat ze had gevreesd haar nooit meer te zien. Die angst was uitgekomen, want tante Emma was overleden na onverwachte complicaties bij een bevalling. Oom George was teruggekomen als weduwnaar en woonde nu alleen met zijn dochter Jennifer.

Hun eigen huis was op nummer 19. Ze stonden voor de deur en keken elkaar aan.

'Je moeder heeft me nodig, Susie. Je weet hoe kwetsbaar ze is. Hoe gauw ze angstig wordt. Ik bescherm haar daartegen. Samen kunnen we ervoor zorgen dat ze nooit meer angstig hoeft te zijn.' Hij glimlachte. De blik in zijn ogen was warm en geruststellend. 'En dat doen we, toch?'

'Ja.'

Hij maakte de deur open. Ze keek naar het huis met nummer 16.

Jennifer zat voor het raam: een klein, leuk meisje van vier. Ze speelde met een pop. Ze zwaaide naar Susan en lachte stralend. Susan zwaaide terug en forceerde een glimlach die even stralend was.

September. Op Heathcote Academy begon het herfstsemester.

Heathcote, net buiten Kendleton, bestond uit twee tegenover elkaar liggende scholen aan een landelijke weg.

De jongensschool, gesticht in de achttiende eeuw, had veel toekomstige politici opgeleid, en een belangrijke officier die in India had gevochten. Er had ook een burggraaf gezeten die zijn hele gezin had vermoord en die daarna op het vasteland van Europa was overleden aan syfilis, maar dat werd niet vermeld in de brochure van de school. De gebouwen waren monumentaal, het terrein was enorm groot en de sportfaciliteiten waren de beste van de regio.

De meisjesschool, honderd jaar later opgericht, had altijd een mindere status gehad. De gebouwen waren bescheiden, het terrein was kleiner en de faciliteiten waren minder indrukwekkend. De prestaties van de leerlingen waren altijd minder geweest, maar de laatste jaren begon de school zijn overbuur te overtreffen, wat leidde tot een hevige rivaliteit tussen de docenten, die getalenteerde leerlingen klaarstoomden voor Oxbridge, als raspaarden voor de Grand National.

Charlotte Harris zat in een klaslokaal op de begane grond en maakte een lijst van de boeken die ze tijdens de vakantie had gelezen. Juffrouw Troughton, de lerares Engels, eiste dat van elke leerling aan het begin van het semester. Ze wilde dat de leerlingen hun geest scherpten in plaats van te laten wegrotten voor die 'duivelse machine', de televisie. Charlotte had de hele vakantie voor de televisie gezeten, dus ze moest wat verzinnen. Op haar lijstje stonden *Silas Marner* en *Middlemarch*, waarvan de verhaallijnen de vorige middag waren samengevat door een vriendelijke bibliothecaresse.

In de klas was het rustig maar niet stil. Gefluister vulde de ruimte als het gezoem van bijen terwijl de stokdove juffrouw Troughton nietsvermoedend werkstukken zat na te kijken. Kate Christie en Alice Wetherby keken naar Pauline Grant die een Russische grootmoeder had en die, aan het begin van het vorige semester, uitvoerig was geprezen omdat ze *Anna Karenina* in de oorspronkelijke taal had gelezen. Alice, die zichzelf als de beste bij Engels beschouwde, was beledigd en had de rest van de klas overgehaald net te doen alsof Pauline stonk. Iedereen moest protesteren als ze naast haar moesten zitten. Dit had weken geduurd en Paulines huid werd rauw van het vele wassen. Charlotte, die niet voor haar had durven opkomen, hoopte dat Pauline niet weer dezelfde fout zou maken.

Een toezichthoudster liep langs het raam. Een groep nieuwe meisjes liep achter haar aan als een stel kippen achter de moederkloek. Allen droegen een blauwe blazer en een donkere rok en ze hadden hun schooltas over de schouder geslagen. Een droeg een blazer die er verfomfaaid en tweedehands uitzag. Waarschijnlijk een meisje met een beurs. Plebs, zoals Alice en haar bende meiden hen noemde. Alice vond dat meisjes wier ouders het schoolgeld niet konden betalen niet moesten worden toegelaten. Dat zei ze vaak en Charlotte, die alleen maar op deze school zat dankzij een rijke tante en die zelf een tweedehands uniform droeg, deed net alsof ze niet doorhad dat die opmerkingen voor haar bedoeld waren.

Juffrouw Troughton liep tussen de banken door en haalde de lijsten op. 'Tamelijk miezerig,' zei ze tegen Pauline.

'Het spijt me, juffrouw Troughton.' Pauline sprak bescheiden maar met harde stem. Je moest schreeuwen om door juffrouw Troughton gehoord te worden. De lerares in het naastgelegen lokaal klaagde er voortdurend over.

'Te veel tijd doorgebracht voor die duivelse machine.'

'Ja, juffrouw.'

Juffrouw Troughton liep verder. Pauline en Alice keken elkaar aan: Pauline keek onderdanig, Alice triomfantelijk. Charlotte zag het en voelde zich zowel boos als hulpeloos.

Haar ouders hadden gezegd dat ze van geluk mocht spreken dat ze naar Heathcote kon, maar ze dacht vaak met weemoed aan de lagere school en aan de vrienden en vriendinnen die ze daar had gehad: de uitbundige Lizzie Flynn, de verlegen Arthur Hammond en haar beste vriendin ter wereld, Susan Ramsey. Arthur en Lizzie zaten nu op een andere school en hoewel Susan minder dan drie meter van haar vandaan bij het raam zat, had het evengoed duizend kilometer kunnen zijn.

Ze wou dat ze begreep wat er was misgegaan. Waarom Susan zo

anders tegen haar deed. Eens waren ze onafscheidelijk geweest, altijd lachend en grappend, spelletjes spelend en geheimpjes uitwisselend. Nu spraken ze elkaar zelden, en als het gebeurde was Susan op haar hoede en terughoudend, wat Charlotte het gevoel gaf dat ze haar helemaal niet kende.

Het zou gemakkelijker geweest zijn als Susan nieuwe vrienden had gemaakt. Als ze anderen de schuld had kunnen geven. Maar er was niemand. Susan had geen vrienden. Ze was meestal alleen.

En Charlotte wist niet waarom.

Maar ze had wel haar herinneringen. Susan die Alice in de koeienstront duwde. Susan die haar op twee vingers had leren fluiten. Susan tegenover haar in een schommelbootje op de plaatselijke kermis, terwijl ze het uitschreeuwden en steeds hoger gingen. Vaak, als ze zich gekwetst en verward voelde, koesterde ze die herinneringen als edelstenen.

Juffrouw Troughton haalde nog meer lijsten op. Die van Charlotte werd met een knikje begroet, die van Alice met veel lof. Ten slotte kwam ze bij de rij aan het raam. Marian Knowles kreeg te horen dat de naam Dickens geen 'h' bevatte. Rachel Stark dat ze te oud was voor Enid Blyton. De lijst van Susan veroorzaakte enige verbijstering.

'Er staat niets op. Heb je niets gelezen?'

'Nee, juffrouw.'

'Wat heb je dan de hele zomer gedaan?'

'De gek eten gegeven,' fluisterde Kate, luid genoeg voor iedereen behalve voor juffrouw Troughton. Een zacht gegiechel ging door de klas.

Susan verstijfde. 'Dat is waar,' zei ze snel. 'Maar op jouw leeftijd, Kate, zou je echt moeten proberen zelf te eten.'

Meer gelach. Luider deze keer. Juffrouw Troughton liep naar het volgende tafeltje. Kate bloosde terwijl Susan zich afwendde en uit het raam ging kijken. Ze zag er geïsoleerd en afstandelijk uit. Iemand die er niet bij hoorde, en dat ook niet wilde.

Maar terwijl ze naar haar keek, kreeg Charlotte een warm gevoel vanbinnen en ze voelde dat de vriendin die ze zo erg miste nog steeds bestond.

Een vrijdagavond in oktober. Susan zat te eten met haar moeder en haar stiefvader.

De tafel was gedekt alsof er gasten kwamen. Het beste porselein, kristallen wijnglazen en kaarsen. Oom Andrew maakte graag iets moois van de vrijdagavond. 'Het einde van de werkweek,' zei hij altijd, 'eindelijk heb ik tijd voor mijn gezin.'

Ze aten *boeuf Bourguignon*, een van zijn favoriete gerechten. Onder het eten vertelde hij over zijn dag. Een van zijn partners dacht aan een vroege pensionering. Een andere collega behandelde een zaak van een lokale politicus die ervan beschuldigd werd dat hij smeergeld had aangenomen. De oude mevrouw Pembroke had hem gevraagd langs te komen voor hun halfjaarlijkse overleg. 'Heel vervelend. Ik hoop dat haar zoon haar naar het kantoor kan brengen.'

'Zit die niet in Amerika?' vroeg Susans moeder.

'Hij komt terug. Dat heb ik toch verteld. Weet je dat niet meer?'

'Nee.'

Oom Andrew glimlachte toegeeflijk. 'Wat ben je toch vergeetachtig. Een hoofd als een zeef.' Hij klopte haar op de hand. Susan kon zich ook niet herinneren dat hij het tegen haar moeder had gezegd maar misschien was ze er niet bij geweest.

'En ik betwijfel,' ging oom Andrew door, 'of hij het met die op geld beluste gezelschapsdame kan vinden. Niet als ze op zijn erfenis uit is.'

'Weet je zeker dat ze op geld uit is? Ik kwam haar tegen in de stad en ze leek me heel aardig.'

'Jij bent te goed van vertrouwen. Jij zou Jack the Ripper nog aardig vinden. Het is maar goed dat ik er ben om voor je te zorgen.'

Susans moeder sloeg haar ogen neer. 'Ik weet niet wat ik zonder jou moest beginnen.'

'Hopelijk hoef je daar nooit achter te komen.' Oom Andrew klopte haar nogmaals op de hand en Susan en hij keken elkaar snel even aan. Ze nipte van haar wijn en voelde een doffe pijn in haar onderbuik. Ze werd ongesteld. Nog maar één dag.

Oom Andrew ging verder met het vertellen over zijn dag. Susans moeder luisterde oplettend en zei zelf weinig. Terwijl Susan hen bekeek, herinnerde ze zich de maaltijden met haar vader. De verhalen die hij had verteld. De mensen die hij had nagedaan, op een manier die grappig was maar niet wreed. Hoe hij haar moeder tot tranen toe aan het lachen had gemaakt. Als ze nu naar de ingetogen, beheerste vrouw keek die naast hem zat, was het moeilijk te geloven dat ze ooit zo gelachen had.

Ze waren klaar met het hoofdgerecht en haar moeder haalde de *trifle*. Nog iets waar oom Andrew dol op was. Ze aten altijd dingen waar hij erg van hield. Terwijl ze opdiende, vertelde ze over een toneelstuk dat later die avond op de radio was. 'Het is een spionageverhaal. Iets wat jij leuk vindt. Misschien kunnen we er samen naar luisteren.'

Hij schudde zijn hoofd. 'Je ziet er moe uit, schat. Een keer vroeg naar bed zal je goed doen. Bovendien heb ik werk mee naar huis genomen. Dat ga ik vanavond doen in de studeerkamer.' Opnieuw keek hij Susan aan. Ze staarde naar haar bord. De weinige eetlust die ze had was opeens verdwenen en de pijn in haar onderbuik werd heviger. Het bloed zou gauw komen. Hij hield er niet van.

Maar het zou niet snel genoeg komen.

Haar moeder keek haar aan. 'Je eet niet, Susie. Is het niet lekker?'

'Het is heerlijk.' Ze nam een grote hap. Ze moest bijna kokhalzen van de zoete smaak. In plaats daarvan slikte ze het door en glimlachte ze.

November.

'Ben jij mijn mama?' vroeg Jennifer.

Susan schudde haar hoofd. Ze zaten getweeën in de badkamer van het huis van oom George. Jennifer zat in bad en keek naar een speelgoedbootje dat door eilandjes van schuim voer. Van beneden klonk het geluid van Beethoven uit de grammofoon en het getik van de typemachine. Oom George zat een rapport te schrijven over een nieuw architectonisch project.

'Waar is ze?'

'In de hemel, Jenjen, samen met mijn vader. Ze kijken nu naar ons en hopen dat het grote monster de boot niet opeet. Kijk uit!' Ze duwde een rubbereendje over het water en maakte grommende geluiden terwijl Jennifer krijste en het eendje wegduwde.

'Ben je nou schoon?'

'Ja.'

'Kom er dan maar uit.' Ze hield de handdoek omhoog en Jennifer dook er gretig in. Susan begon haar haren af te drogen. Het was blond met een rossige gloed. Tante Emma had prachtig goudblond haar gehad. Ze hoopte dat Jennifer dat later ook zou krijgen.

'Trouwens, hoe kan ik je mama zijn als ik je grote zus ben?'

Jennifer fronste de wenkbrauwen. 'Mevrouw Phelps zegt dat je mijn zus niet kunt zijn omdat je hier niet woont.'

'Wil je dat ik je zus ben?'

'Ja.'

'Dan ben ik dat, en als mevrouw Phelps iets anders zegt krijgt ze een pak voor de broek.'

De frons verdween en maakte plaats voor een lach die klonk als rinkelende bellen. Susan hielp Jennifer met het poetsen van haar tanden en droeg haar door de gang naar de roze en geel geschilderde slaapkamer. De sprei had een motief van manen en sterren, net als de sprei van Susan, jaren geleden. Smudge de poes lag spinnend op het kussen. Ze had hem op voorstel van haar moeder aan Jennifer gegeven. Oom Andrew had het nooit leuk gevonden dat er een beest in huis was. Het had pijn gedaan maar Jennifer was dol op Smudge en ze kon hem in ieder geval nog zien zo vaak ze wilde.

Ze hielp Jennifer met het aantrekken van haar pyjama. 'Wil je dat papa je komt instoppen?'

'Nee, jij moet het doen.'

Susan was trots. Afgezien van oom George was zij de enige die dat mocht doen. Terwijl ze naar het avondgebedje van Jennifer luisterde, zag ze plotseling zichzelf op die leeftijd, biddend om een broertje of zusje. Hoewel haar ouders daar niet in waren geslaagd, was haar gebed toch verhoord in de vorm van dit moederloze kind dat haar even dierbaar was als een broer of zus zou zijn geweest.

Jennifer klom in bed. Susan streek de dekens glad. 'Zal ik voor je zingen?'

'Ja.'

Ze zong 'Speed Bonnie Boat' met zachte, geruststellende stem. Jennifer had een arm om Smudge geslagen. De andere lag op de sprei. Behoedzaam legde Susan haar hand op die van Jennifer en ze werd overspoeld door een golf van beschermde liefde. In de chaos en verwarring van haar leven was Jennifer het enige volmaakte. Iemand die haar het gevoel gaf dat er, ondanks alle slechtheid die in haar huisde, misschien ook nog iets goeds was.

Ze zong tot Jennifer sliep. Ze kuste haar op de wang en sloop de kamer uit. Ze liet de deur op een kier zodat het licht van de overloop en de geluiden van de muziek en het typen troost konden bieden als ze wakker werd.

December. Twee dagen na de begrafenis van zijn zus zat Henry Norris met een vriend in een café in Kendleton. Als stille kameraden zaten ze achter een glas bier.

'Bedankt,' zei hij uiteindelijk.

'Waarvoor?'

'Dat je niet zegt hoe erg je het vindt. Dat heb ik de laatste tijd genoeg gehoord, alsof wat Agnes is overkomen op de een of andere manier onrechtvaardig was.'

'De mensen zijn bedroefd, Henry. Ze was heel geliefd.'

'Ik weet het en het was droevig. Maar niet onrechtvaardig. Ze was zestig. Ze heeft langer geleefd dan vele anderen en ze was ook gelukkiger. Veel gelukkiger.' Hij zuchtte. 'Enkele maanden geleden kwam er een man met zijn dochter op mijn spreekuur. Een kind nog, maar ze had gonorroe. Hij hing een verhaal op over een jongen op een feestje, maar ik wist dat ze het van hem had. Ze vertelde me hetzelfde verhaal terwijl ze me achterdochtig aankeek alsof ik degene was die haar pijn deed. Arm kind. Angstig en wantrouwend ten opzichte van iedereen. Wat voor leven gaat ze tegemoet?'

'Misschien wordt ze gelukkig. Je weet het nooit. Dingen kunnen veranderen. Het kan beter worden.'

'Ik hoop het. Een mooi kind trouwens. Net een filmster.' Henry lachte zachtjes. 'Dat kan men van Agnes niet zeggen. Maar dat kon haar niet schelen. Zoals ik al zei, ze was gelukkig...'

Maart 1960.

Alice Wetherby haatte Susan Ramsey.

Ze haatte niemand anders. Niet echt. Als haar ouders haar iets weigerden, zei ze dat ze hen haatte. Maar dat meende ze niet. En bovendien kwam dat maar zelden voor. Wat dat betreft had ze geluk.

Wat de meeste dingen betreft had ze geluk. Dat zei haar moeder altijd en als ze haar ergernis in bedwang kon houden moest ze toegeven dat dat waar was. Haar familie was een van de rijkste in de stad en ze woonde in een van de mooiste huizen. Ze was slim en hoorde bij de besten van de klas. Ze was zelfverzekerd en sociaal en ze had altijd een grote groep bewonderende vrienden gehad. 'Maar zo is Alice,' pronkte haar vader altijd. 'Een licht waar de motten op afkomen. Edward is ook zo.' Hoewel Alice de aantrekkingskracht van haar broer betwijfelde, twijfelde ze niet aan zichzelf.

En ze was knap. Buitengewoon. Ze had al op jonge leeftijd begrepen welke macht haar dat gaf. En nu ze ouder werd, groeide die macht ook.

Ze stond buiten het schoolhek met Kate Christie. Jongens en meisjes, te voet of op de fiets maar allemaal in hetzelfde blauwe en zwarte uniform, kwamen van beide kanten van de door bomen omzoomde laan. Een groep jongens verzamelde zich buiten het hek aan de overkant. Ze stonden met hun handen in de zak onverschillig te doen of deden stunts op hun fietsen, allemaal bedoeld om meisjes als Alice te imponeren, die hun interesse maskeerden met veel vertoon van minachting.

Ze zag hoe Martin Phillips op zijn achterwiel reed. Hij was zestien, knap en bevriend met haar broer en hij knipoogde naar haar en ging vervolgens rondjes rijden met losse handen. Ze lachte triomfantelijk naar Sophie Jones, die net deed of ze niets merkte. Sophie was smoorverliefd op Martin.

Fiona Giles, een toezichthoudster met een paardengezicht, liep voorbij. Kate maakte een hinnikend geluid en Alice probeerde een lach te onderdrukken. Martin grijnsde. Zijn lippen waren rood en vol. Ze vroeg zich af hoe het zou zijn om die te kussen. Ze had nog nooit een jongen echt gekust, laat staan meer intieme dingen gedaan. Toen haar moeder haar met rode konen had uitgelegd hoe seks werkte, had ze ervan gewalgd. Een oudere nicht van haar had uitgelegd dat dat vanzelf minder zou worden, maar ze was nu twee jaar verder en het maakte haar nog steeds misselijk.

Maar het deed er niet toe. In feite was het een zegen. 'Je reputatie is kostbaar,' waarschuwde haar moeder. 'Die moet je nooit beschadigen, want een verloren reputatie krijg je nooit meer terug.' 'Jongens zijn allemaal hetzelfde,' legde haar nicht uit. 'Ze willen wat ze niet kunnen krijgen. Hou ze aan het lijntje en je bent ze de baas. Vleien en flirten. Handjes vasthouden. Af en toe een kusje op de wang. Maar dat is alles. Bij mij heeft het goed gewerkt, bij jou ook.'

En dat was zo. Steeds vaker probeerden jongens haar aandacht te trekken en haar een glimlach te ontlokken. Ze giechelde om hen met haar vriendinnen en genoot van het gevoel van macht terwijl een klein deel van haar verlangde naar een jongen die haar slaaf zou zijn zonder lichamelijke intimiteit te verlangen.

Meisjes liepen door de poort en bespraken wat er de vorige avond op tv was geweest, hun laatste bevlieging op het gebied van popsterren of onafgemaakt huiswerk. De muisachtige Charlotte Harris holde voorbij. 'Boe!' schreeuwde Alice. Charlotte schrok, Kate lachte en Martin zat op zijn fiets als een pauw die zijn kunsten alleen voor haar vertoonde.

Toen hield hij op. Zijn aandacht werd plotseling getrokken door iemand anders.

Susan Ramsey kwam naderbij. Ze liep snel, met schokkerige maar toch vreemd gracieuze bewegingen. Het saaie uniform dat andere meisjes in zwarte kevers veranderde zat nonchalant om haar lijf, maar het leek alsof het speciaal voor haar was ontworpen. Haar haar zat slordig, haar gezicht was gespannen en moe, maar in het koele ochtendlicht straalde ze toch.

Martin begon rondjes om haar te rijden en probeerde haar aandacht te trekken terwijl andere jongens hun rug rechtten alsof ze op appèl stonden. Susan negeerde iedereen en bleef voor zich uit kijken met een afwezige uitdrukking op haar gezicht.

'Wist je dat je haar haar ook kunt kammen?' vroeg Kate sarcastisch.

'Wist je dat je ook kunt nadenken voor je iets zegt?' antwoordde Susan terwijl ze doorliep.

De bel voor de ochtendlessen rinkelde. Alice liep naar de school en keek om. Martin zat nog steeds op zijn fiets. Ze wuifde, maar hij keek dwars door haar heen alsof ze onzichtbaar was. Haar schoonheid werd overtroffen door iemand anders.

Susan liep snel door. Alice volgde iets trager terwijl de haat in haar groeide als een tumor. Ze kon er niets aan doen. Nog niet. Maar ze zou afwachten. Wachten op een kans.

En dan zou ze toeslaan.

Mei.

Het was vroeg in de nacht. Susan lag in bed en keek naar het licht op de overloop dat onder de deur scheen.

Haar stiefvader zat in zijn studeerkamer. Ze hoorde zijn stoel kraken. Ze had er zoveel avonden naar geluisterd dat ze wist wat elk geluid betekende. Het geknars van de vering als hij achteroverleunde en zich uitrekte. Het geritsel van kleding als hij gemakkelijker ging zitten. Ten slotte het zuchtende geluid van het zitkussen terwijl hij opstond.

Vroeger zou haar hart gaan bonzen. Maar nu niet meer.

Het was al drie maanden geleden dat hij voor het laatst was gekomen. Een stormachtige nacht in februari net na haar veertiende verjaardag. Hij zat op het bed terwijl zij naakt lag en zijn klamme hand over haar hals en borsten voelde gaan. Een dikke, vijfpotige spin die over haar buik kroop en in de richting van het zachte donshaar dat tussen haar benen groeide terwijl ze naar de wind en de regen luisterde en zich voorstelde dat ze langs de rivier liep en met Jennifer speelde. Als ze maar weg was uit deze kamer.

Uiteindelijk had hij gezucht. Zijn ogen stonden dof en koud. In de voorgaande maanden had ze gemerkt dat hij minder hitsig werd. Nu was de laatste warmte verdwenen.

Hij ging staan. 'Bedek jezelf. Lig daar niet zo. Het is verkeerd.'

'Ik moest dat van u.'

'Omdat jij me dwingt. Het is jouw schuld. Niet die van mij.'

Ze deed wat er gezegd werd terwijl hij toekeek. Zijn houding was opeens verwijtend. 'Je bent slim. Volkomen achterbaks. Maar mij hou je niet voor de gek. Ze denken dat je goed bent, maar dat is niet zo. Ze denken ook dat je mooi bent, maar dat ben je ook niet. Dat was je. Nu ben je net zo lelijk en gewoon als de rest.'

'U bent toch nog mijn vriend? U zult het tegen niemand vertellen?'

Een zucht. De verwijtende blik bleef. 'Nee, ik vertel het niet.'

Hij was de kamer uit gelopen. Intuïtief wist ze dat hun vreemde en angstaanjagende ritueel voor de laatste keer had plaatsgevonden.

Het zou nu beter moeten gaan. Haar slaap, die jarenlang was verstoord, zou gemakkelijker moeten komen.

Maar dat was niet zo. Ze was er zo aan gewend naar hem te luisteren dat ze er niet meer mee kon ophouden. Ze lag urenlang wakker. De kamer leek rond te draaien en ze klampte zich aan het bed vast uit angst dat ze de lucht in zou vliegen. En als de slaap eindelijk kwam, droomde ze van een wereld waarin iedereen rende terwijl zij stilstond, of waarin iedereen schreeuwde terwijl zij naar rust verlangde, of waarin iedereen lachte terwijl zij wilde huilen. Een wereld die ze niet begreep en waarin haar plaats op zijn minst onzeker was.

Waarom kwam hij niet meer? Ze had geprobeerd het hem te vragen, maar hij was kwaad geworden en had gezegd dat ze het er nooit meer over mocht hebben. Zij bleef achter met vragen die in haar hoofd rondzoemden als wespen.

Zag hij niet langer de slechtheid in haar? Was ze niet meer verdorven? Was ze niet meer te redden?

Misschien ben je nooit slecht geweest.

De stem kwam ergens van buiten haar. Als het gefluister van een geest, even fragiel in de lucht hangend als een sneeuwvlok die bij de geringste aanraking zou oplossen.

Het licht op de overloop ging uit. Ze hoorde zijn voetstappen op de trap. Hij ging naar zijn eigen slaapkamer en liet haar achter, woelend in bed en alleen met haar dromen.

De foto van haar vader stond op het nachtkastje. Ze stelde zich voor dat hij naast haar stond. Maar toen ze hem wilde aanraken loste ook hij op als een sneeuwvlok.

Een natte zaterdag in juli, een week na het begin van de zomervakantie. Ze zat bij het raam in de oude leeszaal van de bibliotheek van Kendleton.

De bibliotheek lag op Market Court. De leeszaal, een verdieping boven de gewone bibliotheek, werd zelden gebruikt. De zaal bevatte enkele planken overbodige tijdschriften, een tafel en drie stoelen.

Verder niets. Het raam dat uitkeek op de trappen van het stadhuis werd grotendeels aan het oog onttrokken door de overhangende rand van het dak, waardoor Susan kon kijken zonder gezien te worden. Een lokale zakenman bood de burgemeester een cheque aan als steun voor de reparatie van het kerkdak. Het toegestroomde publiek schuilde onder paraplu's terwijl journalisten foto's namen en de burgemeester, een gewichtig doende vriend van Susans stiefvader, straalde als de Cheshire kat in *Alice in Wonderland*.

'Hallo.'

Er stond een jongen in de deuropening. Hij had een stapel boeken onder zijn arm. Ongeveer zeventien jaar met lichtbruin haar. Ze herkende hem van school.

'Ik wilde hier werken,' zei hij zenuwachtig. 'Het is hier rustiger dan beneden.'

Ze draaide zich naar het raam en keek of de regen al ophield. Als dat zo was zou ze Jennifer meenemen naar de schommels. De burgemeester hield een toespraak: even langdradig en saai als zijn conversatie aan tafel.

De jongen legde zijn boeken op het tafeltje, las en maakte aantekeningen.

'Wat doe je?' vroeg ze ten slotte.

'Ik doe onderzoek voor de opstelwedstrijd. Vijfduizend woorden over de oorzaken van de Engelse burgeroorlog.'

'Wat waren de oorzaken?'

'Dat weet ik niet. Vandaar het onderzoek.' Hij glimlachte en daarmee veranderde een plezierig in een aantrekkelijk gezicht. 'Jij bent toch Susan Ramsey?'

'Hoe weet je hoe ik heet?'

'Iedereen kent je.'

Ze was op haar hoede. 'Hoezo?'

'Het mooiste meisje van de school.'

'O.' Korte stilte. 'Bedankt.'

'Je zit toch bij Alice Wetherby in de klas? Haar broer zit bij mij in de klas.'

'Vind je hem aardig?'

'Hij is oké. En Alice?'

Ze trok een lelijk gezicht.

'Echt waar?'

'Ik kan haar niet uitstaan.'

'Eigenlijk kan ik hem ook niet uitstaan.'

Ze lachten naar elkaar. Samenzweerderig. Vertrouwelijk. Op hun gemak.

'Weet je op wie je lijkt?' vroeg hij.

'Elizabeth Taylor. Dat zeggen ze.'

'Dat klopt. Weet je op wie ze zeggen dat ik lijk?'

'Wie?'

'Mijn oma.'

Ze lachte. Het was het soort grapje dat haar vader altijd maakte. Hij leek een beetje op haar vader.

'Waarom ben je hier op een zaterdag?' vroeg hij.

'Omdat het regent.' En omdat het beter was dan thuiszitten. Maar dat wilde ze niet zeggen. 'En jij?'

'Omdat het rustig is. Mijn vader is thuis en hij maakt vaak lawaai.'

'En je moeder?'

'Die is vorig jaar overleden.'

Ze voelde zich opgelaten. 'Het spijt me... eh...'

'Paul. Paul Benson.'

'Het spijt me, Paul. Mijn vader is overleden toen ik zeven was. Het is het ergste wat er kan gebeuren, iemand verliezen van wie je houdt.'

'Ik denk altijd aan haar. Gek, hè?'

'Waarom is dat gek?'

'Omdat ze er niet door terugkomt.'

Stilte. Hij ging verder met zijn werk. De regen werd minder en de burgemeester sprak nog steeds tegen een publiek met glazige gezichten. De zoon van mevrouw Pembroke, de mismaakte man die haar stiefvader de bijnaam Scarface had gegeven, stond in de menigte te fluisteren met zijn partner over wie men zei dat ze op zijn geld uit was. Ze had een leuke lach, net als Paul.

Plotseling wist Susan een manier om hem weer aan het lachen te krijgen.

'Kom eens hier,' zei ze.

Hij deed het. Ze opende het raam en schreeuwde 'Saai!' Toen

sloot ze het raam weer. De burgemeester schrok en raakte van slag. Het publiek voelde de redding nabij en begon te klappen.

'Ik kan maar beter gaan,' zei ze toen ze uitgelachen waren. 'Anders leid ik je te veel af.'

'Tot kijk dan maar.'

'Dag.'

Toen ze bij de deur kwam, riep hij haar naam. Ze draaide zich om.

'Ik ben hier maandag weer voor het geval je me nog wat meer wilt afleiden.'

'Als het slecht weer is.'

Maandag werd het prachtig weer. De eerste mooie dag van de vakantie.

Maar ze ging wel terug.

Een mooie avond in augustus. Susan ging haar huis binnen.

Haar moeder en stiefvader zaten samen in de woonkamer. Haar moeder zat een blouse te verstellen en oom Andrew dronk een glas whisky. Op de radio werd klassieke muziek gespeeld.

'Waar ben je geweest?' wilde hij weten.

'Even wandelen.'

'Je zei dat je een halfuurtje weg zou zijn. Het zijn er bijna twee geworden.'

'Sorry, ik had de tijd niet in de gaten.' Ze glimlachte om de leugen te verbergen.

'Wat heb je al die tijd gedaan?'

'Beetje rondgekeken. Het is nu heel mooi buiten.'

En dat was zo. Paul had hetzelfde gezegd tijdens het wandelen.

Het gezicht van oom Andrew betrok. 'Je moet je huiswerk maken. Ik betaal geen smakken schoolgeld om jou in alle vakken lage cijfers te laten halen.'

'Dat is niet zo.'

'Bijna wel.'

Jarenlang waren haar schoolprestaties magertjes geweest. Door slaapgebrek kon ze zich moeilijk concentreren. In het verleden had hij zich daar niet zo druk over gemaakt, maar de laatste maanden was zijn houding strenger geworden.

'Susan doet haar best,' kwam haar moeder tussenbeide.

'Nou, dat zou je anders niet zeggen.'

'Ik bedoelde alleen maar...'

'Het is jouw taak om haar in bedwang te houden. Dat is toch niet te veel gevraagd, zelfs van jou niet? Je hebt verder toch niets te doen dan de hele dag zitten.'

Susan was niet op haar gemak. Het gedrag van oom Andrew ten opzichte van haar moeder was altijd kleinerend geweest, maar sinds kort was zijn ogenschijnlijke welwillendheid vervangen door minachting. Ze vond het niet leuk, maar ze kon niets doen.

'Het is niet de schuld van mijn moeder,' zei ze snel. 'Je moet boos zijn op mij.'

'Ik ben ook boos op jou.' Hij dronk zijn glas leeg en schonk nog eens in. Zijn alcoholverbruik steeg. Weer een verandering. De vader van Paul dronk de laatste tijd ook meer, hoewel hij altijd wel een slok had gelust. Dat had Paul verteld.

Hij had haar veel verteld. Dat hij soms nog huilde om zijn moeder en dat zijn vader hem daarom verachtte. Zijn vader spotte altijd met het feit dat hij van muziek en literatuur hield terwijl hij niet bijzonder goed was in sport. Dat hij geen echte vent was. Zijn klasgenoten dreven ook de spot met hem. Idioten als Edward Wetherby en Martin Phillips die lachten en hem kussen toebliezen terwijl hij deed of hij het niet merkte en er stiekem over fantaseerde de grijns van hun gezicht te meppen.

Zij had hem ook dingen verteld. De herinneringen aan haar vader. De nachtmerrie van de zenuwinzinking van haar moeder. Er waren nog andere nachtmerries maar die hield ze geheim.

'Ga naar bed,' zei oom Andrew.

Ze kuste hem goedenacht. Zijn wang was heet en vochtig. Ze haatte het gevoel van zijn huid.

Terwijl ze de trap opliep ging hij verder met haar moeder de les te lezen. Zijn toon was even minachtend als altijd.

Begin september. Drie dagen voor het begin van het nieuwe seizoen. Ze liep langs de rivieroever met Paul.

Het was een prachtige nazomermiddag. Eenden gleden langs hen, bedelend om eten. Ze liepen langs Kendleton Lock naar de brug die naar het dorp Bexley leidde. De zoon van mevrouw Pembroke naderde en luisterde naar zijn op geld beluste partner die de vorm van de wolken beschreef. Hij glimlachte naar hen en keerde zijn mismaakte gezicht af.

Over de brug was het pad meer overgroeid. Er kwamen maar weinig mensen naar dit stuk van de rivier, maar zij had er altijd van gehouden. Haar vader had haar hiernaartoe genomen terwijl ze op zijn schouders zat. Hij wees naar vogels en planten en leerde haar evenveel van de natuur te houden als hijzelf.

Ten slotte leidde ze Paul weg van het water en tussen de bomen die zo dicht opeen stonden dat de takken de hemel aan het zicht onttrokken. Opeens weken de bomen uiteen en kwamen ze op een open plek met een grote vijver in het midden. Libellen dansten boven het water, de gretige tongen van kikkers vermijdend die op de bladeren van waterlelies zaten.

'Ik kwam hier altijd met mijn vader,' zei ze. 'We picknickten hier vaak en dan vertelde hij verhaaltjes. Hij noemde deze plek de grot van de nimfen. Hij had altijd overal namen voor. Geheime namen die we aan niemand vertelden. Zelfs niet aan mijn moeder.'

'Maar nu heb je het aan mij verteld.'

'Ja, nu weet jij het ook.'

Er stond één boom bij de vijver. De takken ervan wierpen schaduwen over het water. Ze gingen eronder zitten. Een stel wortels stak boven het ondiepe gedeelte van de poel uit. Ze wees ernaar. 'Papa noemde dat altijd de vingers van de trollen.'

'En jou noemde hij *Kleine Susie Sparkle*.'

Plotseling voelde ze zich leeg. 'Dat is lang geleden.'

'Mijn moeder noemde me altijd haar kleine wonder. Ze dacht dat ze geen kinderen kon krijgen, weet je, maar toen kwam ik. En nu is zij verdwenen en heb ik alleen pa nog. Weet je hoe hij me noemt?'

'Nou?'

'Mietje. Zo denkt hij over me.'

'Dat meent hij niet.'

'Iedereen denkt zo over me. Edward Wetherby en zijn vrienden. Ik baal ervan.'

'Die zijn gek.'

Hij liet zijn hoofd hangen en keek naar de grond. Overal klonk het gezang van vogels.

'Maar ik kan geen mietje zijn want als dat zo was, waarom wil ik je dan zo graag kussen?'

Hij keek op en staarde haar aan met ogen die op die van haar vader leken, maar dan droeviger. Ze wilde die droefheid voorgoed laten verdwijnen.

'Ik wil jou ook kussen,' zei ze.

En dat deed ze. Haar tong ging tussen zijn lippen door en streelde de binnenkant van zijn mond. Zijn huid voelde zacht en warm aan. Hij sloeg zijn armen om haar heen en trok haar naar zich toe.

De meisjes in haar klas praatten voortdurend over seks en giechelden in hoekjes over die verdorven, wonderlijke daad waarvoor niemand daadwerkelijk de moed had maar die iedereen fascineerde. En terwijl ze praatten, dachten ze aan Emma Hill, een ouder meisje dat zwanger was geraakt en van school was gestuurd. Een dreigende waarschuwing van de gevaren die op de loer lagen als je van het pad van de deugdzaamheid afdwaalde, hoe zoet de verleidingen ook waren.

Ze hield zich verre van die gesprekken, bang dat de meisjes de aard van haar eigen ervaring zouden ontdekken, terwijl ze zich afvroeg of die daad die ze zogenaamd zelf wilde maar die haar altijd vies en beschaamd achterliet ooit zo mooi kon zijn als ze leken te geloven.

Paul streelde haar wang. Hij leek teer en kwetsbaar. Hij gaf haar hetzelfde beschermende gevoel dat ze ook bij Jennifer had. Maar zijn armen waren sterk en gaven haar een veilig gevoel. Strijdige gevoelens die verwarrend hadden moeten zijn, maar in plaats daarvan voelde ze een gloed die ze niet eerder had ervaren. Het was sterker dan begeerte. Beter. Puurder.

Volmaakt.

'Ik hou van je,' zei ze.

Ze kuste hem opnieuw. Ze ging in het gras liggen en trok hem naar zich toe. Ze wist wat er ging gebeuren en voelde geen schaamte. Alleen het verlangen om dicht bij hem te zijn en hem gelukkig te maken.

Hij was onhandig. Nerveus en beschroomd. Zij nam de leiding. Vleiend en geruststellend. Ze leidde hem in haar. Hij stootte enkele malen en trok zich toen terug, kwam trillend klaar en drukte zijn gezicht in het gras.

Ze fluisterde zijn naam. Hij antwoordde niet. Ze probeerde het opnieuw.

Hij keek haar aan. 'Het spijt me.'

'Waarom?'

'Ik was niet erg goed.'

Ze aaide over zijn haar. 'Jawel.'

'Het komt omdat het mijn eerste keer is.'

'Het was heel fijn, Paul, echt waar.'

'De eerste keer is altijd moeilijk.'

'Dat klopt.' Ze glimlachte geruststellend. 'Vroeger vond ik er nooit iets aan, maar...'

Ze keek met grote schrikogen. Opeens besefte ze wat ze gezegd had.

'Vroeger?'

'Eén keer maar. Met een jongen op een feestje, de vorige zomer. Hij had me dronken gevoerd. Het was niet mijn schuld.'

'Nooit, zei je. Dus het was vaker dan één keer.'

'Dat zei ik niet.'

'Dat zei je wel.' De warme uitdrukking verdween van zijn gezicht en maakte plaats voor gekwetstheid en woede. 'Hoeveel mensen heb je hiermee naartoe genomen?'

'Niemand!'

'Waarom mij dan wel?'

'Omdat je bijzonder bent.'

'Zei je dat ook tegen die anderen?'

'Er waren geen anderen.'

'Hoe weet ik dat zeker?'

'Het is de waarheid.' Ze stond op het punt in tranen uit te barsten en wilde dat hij haar vasthield en zei dat hij haar geloofde. In plaats daarvan sloeg hij met een stok op de droge aarde.

'Er waren geen anderen. Dat is de waarheid.'

Hij stond op. 'We moeten gaan. Je stiefvader wordt boos als je te lang wegblijft.'

In stilte liepen ze terug langs de rivieroever. Haar hart klopte nog steeds hevig. De eenden vergezelden hen net als op de heenreis. Ze wilde dat ze de klok kon terugdraaien. Ze wilde dat dit nooit gebeurd was.

Ze kwamen bij haar huis en keken elkaar aan op de stoep. 'Er waren geen anderen, Paul. Alleen die jongen op het feest.'

Hij knikte.

'Je bent toch nog mijn vriend?'

Een glimlach. Zwakjes, maar toch een glimlach.

'Je vertelt het toch tegen niemand?'

'Nee.'

Ze keek hem na terwijl hij wegliep. Bij de hoek draaide hij zich altijd om en zwaaide dan. Deze keer liep hij gewoon door.

Martin Phillips verveelde zich. Hij stond met Brian Harper bij het Normandische kruis op Market Court te wachten op Edward Wetherby, die sigaren aan het stelen was uit het bureau van zijn vader.

Paul Benson liep voorbij. Omdat hij zin had in wat afleiding riep hij: 'Ben je naar je vriendje geweest?'

Paul negeerde hem.

'Benson, ik heb het tegen jou!'

Langzaam kwam Paul dichterbij. 'Waarom kijk je zo zuur?' wilde Brian weten.

'Waarschijnlijk heeft hij nog steeds liefdesverdriet omdat Eddie Fisher Debbie Reynolds verlaten heeft voor Liz Taylor en niet voor hem,' grapte Martin. 'Geeft niks, Benson. Montgomery Clift is nog vrijgezel.'

Paul schudde zijn hoofd. 'Jullie weten nergens van.'

'We weten dat jij van de verkeerde kant bent,' zei Brian.

'Waarom moeten jullie steeds mij hebben?'

'Omdat we dat leuk vinden.'

Paul draaide zich om en liep verder. 'Zal ik je eens iets vertellen?' riep Martin hem na. 'We beginnen een campagne om homo's uit Kendleton te verbannen. Je kunt maar beter je spullen pakken.'

Paul stopte. Stond even stil. Toen liep hij naar hen terug.

'Je schijnt alles van homo's te weten. Weet je zeker dat je zelf geen homo bent?'

'Rot op.'

'Met hoeveel meisjes ben je dan naar bed geweest?'

Martin voelde zich ongemakkelijk. Dit was een hachelijk onderwerp. Geen van zijn vrienden zou toegeven dat ze nog maagd waren, hoewel hij er zeker van was dat ze dat allemaal waren. Zelf wilde hij het ook niet toegeven.

'Meer dan een flikker zoals jij.'

'Ik heb vanmiddag nog seks gehad.'

'Hoe heette hij?' snierde Brian.

'Susan Ramsey.'

'Dat geloof ik niet,' zei Martin.

'Dan niet. Het maakt niet uit. Ik weet dat het waar is.'

Martin herinnerde zich dat Edward had opgeschept over een meisje met wie hij naar bed was geweest tijdens een vakantie in Frankrijk. 'Ze vond het heerlijk. We hebben het vier keer gedaan.' Zijn toon was agressief geweest, alsof hij bang was dat zijn leugen niet geloofd zou worden. Niet dat hij zich zorgen hoefde te maken. Zijn toehoorders wilden maar al te graag dat hun eigen fantasieën geloofd werden en dachten er niet aan om de verhalen van een ander in twijfel te trekken.

Maar in de ogen van Paul viel geen agressiviteit te bespeuren. Alleen een kalme zekerheid.

'Echt waar?'

Paul knikte.

'Heb je met de ijskoningin geneukt? Tjonge, Benson, ik ben onder de indruk.'

Voor de eerste keer glimlachte Paul.

'Hoe was het? Vooruit, je kunt het ons wel vertellen. Wij zijn je vrienden.'

De glimlach kreeg iets heimelijks. 'Ik hoop maar dat ik niets heb opgelopen.'

'Hoezo?'

'Ze is niet zo'n ijskoningin als je misschien denkt...'

Alice Wetherby lag op bed en draaide plaatjes.

Haar broer Edward kwam de kamer binnen. Ze gooide een kussen naar hem. 'Je moet kloppen!'

'Heb je chocolade?'

'Je hebt gerookt. Ik ruik het. Mama wordt razend als ze het ontdekt.'

Hij gooide het kussen terug terwijl Cliff Richard over zijn levende pop zong. 'Hoe kun je naar die onzin luisteren?'

'Omdat ik het leuk vind en jij ook. Je doet alleen maar alsof je van jazz houdt omdat je denkt dat je dan volwassen overkomt, maar in feite is het iets voor homo's.'

'Dat is niet waar.'

'Jawel. Voor je het weet zit je kleren te naaien met Paul Benson.'

'Paul is geen homo. Hij heeft het gedaan met Susan Ramsey en hij is trouwens niet de enige.'

Alice walgde. Het idee het met iemand te doen was al erg genoeg, laat staan met meer mensen.

Plotseling kreeg ze een lumineus idee.

Tien minuten later belde ze Kate Christie. 'Je raadt nooit...'

De eerste dag van het nieuwe semester. Susan ging op weg naar school.

Ze liep vlug. Dat deed ze altijd als ze nerveus was. Een fietser schoot voorbij en belde. Alan Forrester, die een jaar hoger zat. Charlotte vond Alan leuk.

Maar Paul vond ze leuker.

Ze hadden elkaar niet meer gezien sinds die middag bij de rivier. Ze had hem gebeld maar er had niemand opgenomen. Misschien had hij het druk. Misschien.

Ze merkte dat een groepje meisjes naar haar stond te staren. Eén meisje begon te giechelen. Sommige jongens staarden ook. Ze fluisterden en lachten aanstellerig.

Wat was er aan de hand?

Ze kwam bij het hek waar het gebruikelijke groepje stond. Alice Wetherby en haar trawanten. Idioten als Martin Phillips die kunstjes deden op hun fiets.

En iedereen gaapte haar aan.

Een bezorgd kijkende Charlotte haastte zich naar haar toe. 'Het is niet waar, hè? Wat ze zeggen over jou en Paul Benson?' Een onhandige stilte. 'En al die anderen?'

Ze kreeg een onaangenaam gevoel in haar maag.

'Iedereen praat erover. Alice kan haar lol niet op. Ik heb gezegd dat het onzin was. Dat is toch ook zo?'

Ze slikte. Haar keel voelde droog aan.

Toen hoorde ze achter haar een bekende stem.

Paul kwam eraan, Brian Harper liep naast hem. Ze liepen te praten als oude vrienden.

Ze bleef staan en wachtte af. Paul stopte niet eens. Hij liep door alsof ze onzichtbaar was.

Charlotte nam haar bij de arm. 'Kom, we gaan naar de les.'

Ze duwde haar weg en liep achter Paul aan. Toen hij bij het hek kwam riep ze zijn naam. Hij negeerde haar. Ze probeerde het opnieuw.

Deze keer draaide hij zich om. Zijn ogen waren koud en vol minachting. 'Donder op, snol,' zei hij en hij liep verder.

Alice en haar groep lachten. Ze sloeg haar armen om zich heen en besefte dat ze trilde. Ze had het gevoel dat ze naakt was. Het vernislaagje van fatsoen was verdwenen zodat iedereen nu kon zien hoe verdorven ze in werkelijkheid was.

Martin Phillips pakte haar bij de pols. 'Laat hem. Ik heb vanavond niets te doen. Wie weet kunnen we een hoop lol hebben.'

Even leken haar benen het te begeven en dacht ze dat ze op de grond zou vallen. Het gelach rondom haar nam toe en Martin zat aan haar lichaam te plukken.

En toen, ergens diep uit haar geheugen, kwam een stem. Een stem die jarenlang had gezwegen. Diep, warm en welluidend. Even troostrijk als een knuffel.

Haar vader.

Je bent sterk, Susie. Vergeet dat nooit. Je bent sterk en je kunt dit overleven.

Ze rechtte haar rug alsof ze door een onzichtbare hand omhoog werd getrokken. Ze ramde haar elleboog tegen Martins borst. Hij stootte een kreet van pijn uit. 'Sodemieter op,' zei ze voordat ze naar haar eigen schoolhek liep. Ze liep kaarsrecht en negeerde het gefluister dat achter haar klonk als een wolk hongerige insecten.

Laat in de middag. Ze liep alleen naar huis. Charlotte had met haar mee willen lopen, maar dat had ze geweigerd. Ze kon de sympathie en de vragende ogen niet verdragen.

Maar Charlotte was loyaal geweest. Ze had de verhalen die zich als een lopend vuurtje verspreidden, het ene nog uitgebreider dan het andere, niet geloofd. Dat zou ze niet vergeten.

Op Market Court was het druk. Vrouwen met boodschappenmanden en mannen in werkkleding. Ze liep naar de bakkerij. Ze hield haar hoofd fier rechtop en had het gevoel dat iedereen haar aankeek. Ze ging een chocoladebeest kopen, een kat. Dat vond Jennifer het leukste. Ze zou die avond op Jennifer passen.

Ze liep langs Cobhams Milk Bar, een populaire plek bij de tieners van de stad. Martin Phillips zat aan een tafeltje bij het raam met Edward en Alice Wetherby. Kate Christie was er ook, en Brian Harper.

En Paul.

Ze zaten om iets te lachen. Om haar, waarschijnlijk. Paul zag er gelukkig en ontspannen uit. Hij was niet langer een buitenstaander, hij hoorde erbij. Alleen omdat hij haar volkomen had vernederd.

Ze stond stil en keek naar hem. De eerste jongen om wie ze had gegeven. Even deed zijn verraad zoveel pijn dat ze ter plekke wilde sterven.

Maar dat zou zwak zijn.

Dus ging ze de bar in.

Toen hij haar zag verdween de glimlach van zijn gezicht. Net goed.

'Je hebt gelijk,' zei ze, met stemverheffing zodat iedereen haar kon horen. 'Ik heb er tientallen gehad. Zoveel dat ik de tel kwijt ben en geen van allen was zo zielig als jij. Jij was zo slecht dat ik er niet eens meer om kon lachen.'

Op tafel stond een chocolademilkshake. Ze gooide het over hem heen. Sommige jongens van een andere school begonnen te joelen.

'Dus schep maar op zoveel je wilt als je dat stoer vindt, maar vergeet niet dat ik alleen maar medelijden en verveling heb gevoeld.'

De woedende eigenaar van de zaak kwam eraan. 'Ik ga,' zei ze tegen hem en wierp een minachtende blik op Paul die zijn gezicht zat af te vegen. 'Er is hier niets wat de moeite waard is om voor te blijven.'

De schooljongens bleven maar joelen. Ze blies ze een luchtkus toe, draaide zich om en vertrok.

Vroeg in de avond. Oom George beschreef wat hij allemaal in voorraad had in de keuken. 'Er is melk in de koelkast en cacao in de kast. Ze slaapt vaak goed na een warme drank.' Ze knikte terwijl Jennifer, al in pyjama, naast haar op de bank sprong.

'Je hebt het telefoonnummer. Bel me als er problemen zijn.'

Hij liep naar de gang. Jennifer liep achter hem aan. Ze wilde hem helpen bij het aantrekken van zijn jas. Hij hurkte neer en glimlachte terwijl zij zijn armen in de mouwen deed. Daarna tilde hij haar op en omhelsde haar. 'Wie is mijn bijzondere meisje?'

'Ik!'

Hij kietelde haar tussen de ribben. Ze giechelde. Susan keek toe en dacht aan de geur van haar vader. Een mengeling van parfum, pijptabak en oude kleren. Opeens rook ze het heel sterk, alsof ze weer in het verleden was, toen ze zich net zo veilig en zeker had gevoeld als Jennifer nu.

De tranen waar ze de hele dag tegen had gevochten kwamen nu toch. Ze huilde in stilte, vechtend om een herinnering vast te houden die haar leek te ontsnappen en die dan voorgoed verloren zou gaan.

De voordeur ging open en dicht. Toen voetstappen. Jennifer stond haar aan te kijken. Ze probeerde te glimlachen maar de tranen bleven komen, alsof er een dam was gebroken. Dan hielp wilskracht alleen niet meer. Jennifer klom op haar knie en omhelsde haar en ze snikte in het roodblonde haar, zichzelf verachtend omdat ze zwak was, maar niet bij machte om te stoppen.

'Het spijt me, Jenjen,' zei ze toen ze haar emoties iets meer onder controle had. 'Ik wilde je niet laten schrikken.'

'Waarom huil je?'

'Ik doe gewoon stom.' Ze veegde haar ogen droog. 'Ik zie er vast vreselijk uit.'

'Je bent mooi. Ik wou dat ik zo mooi was als jij.'

'Dat ben je. Je lijkt op je mama en die was ook mooi.'

Jennifer kreeg opeens een bezorgde uitdrukking op haar gezicht. Ze stopte haar duim in haar mond.

'Wat is er, liefje?'

Geen antwoord.

'Jenjen?'

'Mijn mama is in de hemel.'

'Dat klopt.'

'Ik wil niet dat papa daar ook heen gaat.'

Ze was verbijsterd. Het was nooit bij haar opgekomen dat zo'n jong iemand al angst kon hebben om het verlies van een dierbaar iemand. Teder streelde ze Jennifers haar. 'Vind je dat een enge gedachte?'

Een knikje. Jennifers lip begon te trillen.

'Je vader gaat nog lang niet naar de hemel, Jenjen.'

'Sam Hastings zei van wel.'

'Sam Hastings is een stom kind dat nog in bed plast. Wat weet hij ervan? Jouw vader gaat pas naar de hemel als jij groot en volwassen bent en als je zelf kinderen hebt die niet in hun bed plassen, want ze worden veel slimmer dan Sam.'

Haar lip bleef trillen. Het maakte haar ongerust. 'Geloof je me niet?'

'Beloof je dat?'

Ze opende haar mond om het te beloven.

Maar papa stierf toen ik zeven was, twee jaar ouder dan zij. Stel dat oom George iets overkomt, net als hem? Ik kan niets beloven.

'Beloofd?'

Ze nam Jennifers hand en drukte hem tegen haar wang. 'Hou je van me, Jenjen?'

'Ja.'

'Dan ga ik je iets heel bijzonders beloven. Een belofte die ik nooit zal breken. Ik beloof dat ik altijd voor je zal zorgen. Ik zal je altijd beschermen en ervoor zorgen dat je geen nare dingen meemaakt, want je bent mijn kleine zusje en ik hou van je. Ik hou meer van je dan van wie dan ook.'

Dat laatste zei ze impulsief, alleen maar om te troosten en gerust te stellen. Maar zodra ze die woorden had uitgesproken besefte ze met een schok dat het waar was.

Langzaam brak een glimlach door op Jennifers gezicht. Dat maakte Susan gelukkiger dan ze ooit met Paul was geweest. Veel gelukkiger.

'Het spijt me als ik je bang heb gemaakt, Jenjen. Ik zal het nooit meer doen. Dat beloof ik ook.'

Jennifer nestelde zich bij haar op schoot. Susan wiegde haar als een baby, zachtjes zingend, en keek toe hoe ze in slaap viel.

De volgende morgen zat ze in de klas naar een leeg blad papier te staren. Er kon oorlog zijn, hele naties konden opkomen of instorten, maar het ritueel van de vakantieleeslijst was even constant als de sterren.

Er werd gefluisterd. Ze voelde dat er ogen op haar gericht waren. Het leek alsof de hele school het van haar wist. Alice, de grootste roddelaarster, had haar werk goed gedaan.

Ze keek naar Charlotte aan de andere kant van het lokaal. Charlotte die niet kon geloven dat ze slecht was. Charlotte voor wie ze ooit geen geheimen had gehad.

Maar dat was lang geleden.

Charlotte knikte bemoedigend alsof ze wilde zeggen: 'Laat je niet kleinkrijgen.' Ze knikte terug alsof ze zei: 'Dat lukt wel.'

Juffrouw Troughton begon de lijsten op te halen. Haar lijst werd fronsend bekeken. 'Dit is niet erg indrukwekkend.'

'Wees niet te streng voor haar,' siste Alice. 'Ze heeft de laatste tijd haar handen vol gehad.' Onderdrukt gegiechel in de klas.

'Niet met jouw broer. Gelukkig dat er microscopen en pincetten bestaan.'

Meer gegiechel. Geschokt deze keer. Laat ze maar geschokt zijn. Laat ze maar slecht denken over mij. Ze mogen denken wat ze willen.

Maar stel dat iemand het aan mama vertelt?

Een ijzige hand leek haar hart te omvatten. Ze bleef rustig ademen en weigerde toe te geven aan de angst. Als haar moeder iets te weten kwam, zou ze het gewoon ontkennen. Gewoon gemene roddel. Charlotte zou haar steunen en niemand kon iets bewijzen. Als Paul haar uitdaagde, zou ze hem een leugenaar noemen en nog veel ergere dingen. Ze zou terugvechten en ze zou hem verslaan. Als het moest zou ze iedereen verslaan.

Want ze was sterk. Dat was haar wapen. Ze zou sterk zijn voor haar moeder, net zoals ze sterk zou zijn voor Jennifer. En ze zou het overleven.

Ze keek recht voor zich uit, met rechte rug en negeerde het gefluister en de starende blikken.

En met de vurige wens dat voor een keer iemand eens sterk voor haar zou zijn.

Die avond vertelde ze het aan oom Andrew. Ze wilde het niet, maar het leek haar het beste als hij het wist.

Ze vertelde het in zijn studeerkamer terwijl haar moeder beneden het avondeten bereidde. 'Weet je zeker dat je niets over mij hebt gezegd?' vroeg hij toen ze was uitgesproken.

'Ja.'

Hij knikte. Op zijn gezicht was een mengeling van emoties te lezen: bezorgdheid, opluchting, en nog iets wat ze niet kon benoemen.

'Het spijt me,' zei ze. 'Het was niet...'

'Vond je het fijn?'

Ze was te beschaamd om te antwoorden.

Hij boog zich naar haar toe. 'Ik moet het weten.'

'Ja.'

'Wiens idee was het? Het jouwe of het zijne? Vertel op, Susie. We hebben geen geheimen voor elkaar.'

'Het mijne.'

'Pas veertien en toch het initiatief genomen.'

Ze slikte. 'Niet doen.'

'Het moet. Het is belangrijk.'

'Waarom?'

'Omdat het betekent dat ik gelijk had. Je bent een slecht mens, precies zoals ik altijd al gezegd heb.'

Nu herkende ze die emotie in zijn gezicht.

Plezier.

Het gaf haar een vies gevoel. Ze verliet de kamer.

Een winderige zaterdag in november. Ze zat in Randall's Tea Room en keek hoe Jennifer haar aardbeienmilkshake opdronk.

'Mag ik er nog een?'

'Nee. Ik heb je vader beloofd dat ik je niet zou volproppen, dus rustig aan.'

Een serveerster maakte hun tafeltje schoon terwijl twee anderen stonden te roddelen bij de toonbank. Er waren maar drie andere klanten. De meeste mensen in de stad gaven de voorkeur aan Hobson's Tea Shop, maar Susan wilde daar niet meer heen sinds ze daar op een avond in april, zevenenhalf jaar geleden, haar vader voor haar ogen had zien sterven.

Het raam keek uit op Market Court. Mevrouw Wetherby en Alice gingen de kledingzaak binnen die ooit Ramsey's Studio was geweest. Iemand had haar verteld dat het niet goed ging met die zaak en ze had een heimelijk plezier gevoeld.

Terwijl ze wachtte op de rekening luisterde ze naar Jennifer die uit een boek voorlas. Af en toe hielp ze met moeilijke woorden. Niet dat dat vaak nodig was. Jennifer was bijna zes en kon al heel goed lezen.

'Goed zo, Jenjen,' zei ze toen het verhaal uit was.

Jennifer keek trots. 'Juffrouw Hicks zegt dat ik het beste voorlees van de hele klas.'

'Dat geloof ik best. Wat zullen we nu doen?'

'Naar de schommels.'

Susan stelde zich opeens voor hoe ze hoog in de lucht moest braken. 'Laten we naar de rivier gaan en de eendjes voeren. Ik heb brood bij me.'

Jennifer straalde.

'Moet je nog naar de wc?'

'Ja. Jij moet meekomen.'

Het toilet was achter in de zaak. Terwijl Jennifer in het hokje zat bekeek Susan haar gezicht in de spiegel. Ze had wallen onder haar ogen. Ze sliep nog steeds slecht. De wind had haar haar in de war gemaakt. Ze streek het glad. 'Alles goed, Jenjen?'

Stilte.

'Jenjen?'

Het geluid van de spoelbak. Jennifer verscheen. 'Wat is een snol?'

'Wat?'

'Er staat dat jij een snol bent.' Jennifer wees naar het wc-hokje. Ze keek weer trots. 'Ik heb het helemaal zelf gelezen.'

En daar stond het op de muur, in grote donkere letters.

Susan Ramsey is de grootste snol van de stad.

Het was niet de graffiti die haar van streek maakte. Ze was wel erger gewend op school.

Het was het feit dat Jennifer het had gezien.
En dat haar moeder het zou kunnen zien.
Jennifer kwam naast haar staan. 'Wat is een snol?'
'Niks.'
'Maar er staat...'
'Het betekent niks.'
'Maar...'
Ontkennen, ontkennen. Sterk zijn, sterk zijn.
'Het is een grapje. Iemand denkt dat ik op een trol lijk. Is dat niet stom? Kom, we gaan toch maar naar de schommels. Vind je dat leuk?'
'Ja!' Jennifer greep haar hand en probeerde haar naar de deur te trekken. In plaats daarvan knielde ze en legde ze haar handen op Jennifers schouders.
'Jenjen, beloof me dat je niemand hier iets over zegt.'
'Waarom?'
'Omdat...' Ze dacht snel na. 'Omdat mama er trots op is dat de mensen denken dat ik mooi ben. Ze zou boos zijn als ze wist dat iemand dacht dat ik eruitzag als een trol. Net zoals jouw vader boos zou zijn als hij wist dat je een milkshake hebt gehad.'
Jennifer knikte.
Ze legde haar vingers op de lippen. 'Dus niks zeggen.'
Jennifer deed het gebaar na en probeerde haar weer mee te trekken. Weer verzette ze zich. Ze maakte haar zakdoek nat en probeerde de woorden van de muur te vegen. Ze slaagde erin haar naam zo vlekkerig te maken dat het niet meer te lezen was. Pas daarna liet ze zich meevoeren.

Eerste kerstdag. Ze zat te lunchen met haar moeder en oom Andrew.
De sfeer was gespannen. Oom Andrew, die voortdurend had gedronken sinds ze uit de kerk waren gekomen, stak zijn vork in de kalkoen en zei dat hij niet gaar was.
'Weet je het zeker, schat?' vroeg haar moeder bezorgd.
'Natuurlijk weet ik het zeker. De aardappels zijn ook niet gaar. Niets is gaar.'
Buiten sneeuwde het. Het plein was bedekt met een laagje wit,

als een grote taart. Het gezin Hastings liep langs het raam, dik ingepakt tegen de kou. De vorige avond waren zij en andere buren op een feestje geweest dat oom Andrew had georganiseerd. Hij had zich gedragen als een perfecte gastheer, beleefd en charmant. Uit niets liet hij merken hoe hij in werkelijkheid was.

Het kwam niet alleen door het drinken. Zijn humeur was zo slecht, dat elke fout van haar moeder of zijzelf een explosie van razernij opwekte. En als hij in zo'n bui was en er niets viel aan te merken, verzon hij gewoon iets, net zoals nu.

Hij begon met zijn vingers op tafel te trommelen. Ze voelde hoe ze verstrakte. Buiten gooiden de Hastings-jongens met sneeuwballen.

'Hoe durf je me die troep voor te zetten? Kijk eens om je heen. Kijk waar we wonen, en wat we hebben. Weet je hoe hard ik moet werken om dat allemaal te betalen? Ik geef je alles en jij kunt me niet eens een fatsoenlijke maaltijd voorzetten.'

Hij schonk weer wijn in voor zichzelf. Susan wilde hem vertellen dat er niets mis was met het eten, maar dat zou de zaken alleen maar erger hebben gemaakt.

Een sneeuwbal bonsde tegen het raam. Meneer Hastings riep een excuus en haalde zijn zonen binnen. Oom Andrew glimlachte en zwaaide. Op en top joviaal en charmant. Niemand mocht iets in de gaten krijgen.

'Weet je niet meer hoe het was toen John overleed? Hoe onverzorgd hij je achterliet? Wat zou er van jou geworden zijn als ik niet op de proppen was gekomen? Dan zou je niet in zo'n mooi huis wonen. Er zijn niet veel mannen die een vrouw zouden trouwen met jouw verleden. De mensen verklaarden me voor gek maar ik wilde niet luisteren, hoewel ik naderhand vaak genoeg heb gewenst dat ik het wel had gedaan.'

Haar moeder was bijna in tranen. Onder tafel balde Susan haar vuisten. Ze zette haar nagels zo hard in haar handpalm dat het dreigde te gaan bloeden.

Niets zeggen. Hij houdt zo op. Hij houdt altijd op.

Maak het niet erger maak het niet erger maak het niet erger.

'Maar je weet niet wat dankbaarheid is, hè? O, nee. Je zou waarschijnlijk liever willen dat John hier nu zat in plaats van ik. Een mislukkeling die niet eens voor zijn eigen gezin kon zorgen. Een zielige nietsnut die niet...'

'Praat niet zo over mijn vader!'

Haar moeder keek geschokt. 'Susan...'

'Waarom niet?' wilde oom Andrew weten. 'Het is de waarheid.'

'Nee, dat is niet zo. En zelfs al was het waar dan was hij altijd nog twee keer beter dan u.'

Hij zette grote ogen op. Het leek of hij een klap had gehad.

Toen pakte hij zijn bord op en smeet het tegen de muur. Haar moeder gilde.

'Maak me niet kwaad, Susan. Anders zou ik mijn zelfbeheersing kunnen verliezen en dingen zeggen die beter niet gezegd kunnen worden. Wil je dat soms?'

Ze staarden elkaar aan.

'Nou?'

Haar hart ging tekeer. Ze wilde schreeuwen. In plaats daarvan schudde ze haar hoofd.

Haar moeder huilde. Hij legde een arm om haar heen en maakte sussende geluidjes alsof hij een angstig kind troostte. 'Stil maar,' fluisterde hij, met plotselinge tederheid in zijn stem. 'Ik zeg dit alleen voor je eigen bestwil. Je weet dat ik van je hou. Wie houdt er meer van je dan ik?' Terwijl hij sprak, glimlachte hij tegen Susan. Die man die beweerde dat hij haar vriend was. Die haar geheim altijd verborgen had gehouden.

Net zoals zij zijn geheim verborgen had gehouden.

Ze dwong zichzelf terug te glimlachen terwijl ze voor het eerst besefte hoezeer ze hem haatte.

Maart 1961.

Halfelf in de avond. Ze zat met haar moeder in de woonkamer te wachten tot oom Andrew terug zou komen.

Hij had de middag doorgebracht in Riverdale in verband met het testament van mevrouw Pembroke. De op geld beluste gezelschapsdame had niets geërfd, iets waarover hij zich had verkneukeld alsof het om een persoonlijke triomf ging. Hij leek zich steeds meer te verheugen in het ongeluk van anderen.

Hij had thuis moeten zijn voor het eten. Haar moeder had een van zijn lievelingskostjes gemaakt. Maar hij was steeds vaker 's avonds weg, in café The Crown bij de rivier in Bexley. Het was de oudste pub in de regio, uit de zestiende eeuw. Haar vader had haar daar soms mee naartoe genomen op zomermiddagen. Ze herinnerde zich dat ze buiten aan een tafel hadden gezeten, limonade met een rietje uit een flesje drinkend. Maar oom Andrew ging altijd alleen.

Ze keek naar de klok op de schoorsteenmantel en vroeg zich af hoe laat hij thuis zou komen. En in wat voor stemming hij zou zijn.

'Je moet naar bed gaan,' zei haar moeder. 'Hij verwacht dat ik op hem wacht.'

'Ik wacht samen met jou.'

'Susie...'

'Je weet hoe hij is wanneer hij gedronken heeft. Het is beter als we met zijn tweeën zijn.'

'Hij wordt boos als je nog zo laat op bent. Dat bewijst volgens hem dat ik een slechte moeder ben.'

'Je bent geen slechte moeder. Je bent geweldig.'

Haar moeder schudde haar hoofd.

'Je bent zelf geweldig. Als hij er anders over denkt, heeft hij het mis.' Een korte stilte. 'Hoewel je dat beter niet tegen hem kunt zeggen. Je mag tot elf uur opblijven. Niet later.'

Het werd elf uur en er was nog steeds geen teken van hem. Met tegenzin ging ze naar boven terwijl haar moeder alleen bleef wachten.

De volgende ochtend ontbeten ze in de keuken. Oom Andrew lag nog in bed. 'Hij hoeft pas rond de middag naar zijn werk,' legde haar moeder uit.

'Hoe laat kwam hij thuis?'

'Laat.'

'En hoe was zijn humeur?'

'Niet best, maar vandaag zal het wel beter gaan.'

Ze geloofde het niet maar probeerde er overtuigd uit te zien. Hoewel ze geen honger had, pakte ze nog een stukje geroosterd brood. Haar moeder maakte zich zorgen als ze niet at.

Het raam stond open. Een mot vloog de keuken in en cirkelde boven tafel. Toen haar moeder hem wegjoeg, viel de mouw van haar ochtendjas terug en werd een lelijke blauwe plek op haar arm zichtbaar.

'Wat is dat?'

'Niets.' Haastig bedekte ze haar arm.

Susan liep rond de tafel en duwde de mouw omhoog. De plek had ronde deukjes aan de bovenkant. Als de knokkels van een vuist.

'Hij heeft je geslagen, hè?'

'Ik ben tegen de deur opgelopen toen ik naar bed ging.'

'Ik geloof je niet.'

'Je moet gaan. Je komt te laat.'

'Maar mam...'

'Genoeg, Susie.'

Ze stonden op en keken elkaar aan. Ze was nu langer dan haar moeder. Niet dat het veel veranderde. Vanaf het moment van de zenuwinzinking had ze zich groter gevoeld.

'Je hoeft me niet te beschermen, mam. Ik moet jou beschermen.'

'Dat is niet zo.'

'Jawel. Ik heb het papa beloofd.'

'Toen was je nog klein.'

'Dat doet er niet toe. Ik meende het toen en ik meen het nu.'

'Je mist hem nog steeds, hè?'

'Elke dag.'

'Ik ook. Het was een goede man. De beste die ik gekend heb.' Haar moeders lip begon te trillen. 'En als ik een wens mocht doen...'

Er klonken voetstappen van boven. Zwaar en dreigend, waardoor ze beiden schrokken. Haastig veegde haar moeder haar tranen weg. 'Maar je stiefvader is ook een goede man, Susie. We moeten blij met hem zijn. En nu naar school.'

'Maar mam...'

'Toe, Susie, ga nou maar.'

Met een akelige mengeling van boosheid en hulpeloosheid liep ze naar de deur.

De ochtendlessen waren voorbij. Ze liep door een gang die naar boenwas rook en overal klonk het getik van hakken op tegels. Tientallen opgewonden stemmen weerkaatsten tegen de muren en het plafond. De paasvakantie stond voor de deur.

Achter haar klonk gelach, zacht en heimelijk. Het volgde haar als een vieze lucht. Ze probeerde het te negeren maar de woede en frustratie voelde ze nog steeds. Een molotovcocktail van emotie die maar een vonkje nodig had om te exploderen.

Ze draaide zich snel om en zag twee meisjes van een klas lager. 'Wat is er zo grappig?'

Beiden schrokken. 'Niets,' zei de een vlug.

'Vinden jullie het grappig om mensen achter hun rug uit te lachen? Om dingen over hen op de muren van toiletten te schrijven?'

'We hebben niets...'

'Als je iets te zeggen hebt, heb dan de moed om het in mijn gezicht te zeggen!' Ze deed een stap in hun richting, met gebalde vuisten. Ze deinsden terug, duidelijk bang.

'Wat is er aan de hand?' Een toezichthoudster haastte zich naderbij. 'Susan? Alison?'

'Zij denkt dat we haar uitlachten,' wauwelde het meisje dat Alison heette. 'Maar dat deden we echt niet. We hebben gisteravond *Spartacus* gezien in de bioscoop en Claire zei dat ze vond dat Kirk Douglas er sexy uitzag in zijn gladiatorbroekje.'

Het meisje dat Claire heette knikte instemmend. Beiden zagen er zwak en weerloos uit en Susan besefte dat ze de waarheid spraken.

Ze voelde zich beschaamd. Alsof ze net zo'n tiran was als oom Andrew.

'Het spijt me,' zei ze tegen hen. 'Ik wilde jullie niet bang maken.'

'Ga dan maar naar je klas en hou je verder rustig,' zei de toezichthoudster.

Anderen waren erbij komen staan. Kate Christie vormde met haar lippen het woord 'gek' tegen Alice Wetherby. Beiden grijnsden, blij dat ze weer iets hadden dat ze tegen haar konden gebruiken.

Hen en zichzelf verwensend deed ze wat haar gezegd was.

Heathcote School
27 mei 1961

Geachte mevrouw Bishop,
Zoals u weet ben ik dit jaar Susans klassenleraar. Ik was van plan uw man

en u te spreken tijdens de ouderavond van vorige week maar ik heb begrepen dat hij verplichtingen op zijn werk had en dat u zich niet goed voelde. Ik hoop dat u zich nu beter voelt.

Gedurende haar tijd op school heeft Susan nooit de leerprestaties geboekt die we konden verwachten van een meisje dat overduidelijk intelligent is. In de afgelopen maanden is daar nog in toenemende mate agressief gedrag bij gekomen. Veel leraren vinden haar onbeleefd en beschouwen haar als een storende invloed in de klas.

Susan is nu vijftien. Aan het eind van het volgend jaar moet ze examen doen en ik hoef niet te benadrukken hoe belangrijk het is dat ze dan goed presteert. Het kan nog steeds, op voorwaarde dat ze haar gedrag verbetert en zich meer op haar studie toelegt. Ik vroeg me af of ik iets kan doen om dit te helpen bereiken.

Neemt u me niet kwalijk dat ik deze brief schrijf, maar ik heb nu eenmaal altijd een zwak gehad voor Susan. Ze is, denk ik, een van die zeldzame mensen die alles kunnen bereiken wat ze willen in hun leven en ik zou het jammer vinden als haar mogelijkheden niet werden benut.

Laat u me alstublieft weten of ik kan helpen.

Hoogachtend,
Audrey Morris

Een milde ochtend, eind juni. Susan liep naar school.

Een jongere jongen kwam naast haar lopen. 'Hallo, sexy,' zei hij, om indruk te maken op zijn vrienden. 'Heb je wat te doen vanavond?' Normaal zou ze hem een klap hebben gegeven maar deze keer had ze belangrijkere zaken aan haar hoofd.

De vorige avond had oom George verteld dat hij een opdracht had gekregen in Australië die achttien maanden zou duren en die de komende januari zou beginnen. Hij dacht niet dat hij het zou doen, maar ze wist zeker dat hij haar zou verlaten, net zoals hij had gedaan toen ze zeven was.

En deze keer zou hij Jennifer meenemen. De enige die haar kon laten lachen, hoe slecht ze zich ook voelde. Die haar hielp geloven dat er nog steeds iets goeds in haar was. De persoon van wie ze meer hield dan van wie dan ook. Haar kleine zusje. Het enige volmaakte in haar leven.

In de verte liep Alan Forrester naast zijn fiets. Hij sprak met Charlotte die al jaren op hem viel. Ze wist niet dat die twee bevriend waren. Charlotte lachte en zag er blij en opgewonden uit.

De jongen bleef haar lastigvallen. 'Zullen we iets afspreken?' vroeg hij, in een poging als een Amerikaanse gangster te klinken.

'Vanavond niet,' zei ze. 'Vraag het nog maar eens als je ballen zijn ingedaald.'

Hij werd rood terwijl zijn vrienden jouwden. Alan en Charlotte namen afscheid van elkaar bij het schoolhek. Hij kuste haar op de wang. Zij werd ook rood. Ondanks haar zorgen was Susan blij. Charlotte vond zichzelf lelijk en saai en had iemand nodig om haar een bijzonder gevoel te geven.

Net zoals zijzelf Jennifer nodig had.

Laat hij haar niet van me wegnemen. Alstublieft God, laat hij haar niet wegnemen.

Maandagavond.

Ze had uren gelopen, langs de rivier en daarna door de stad. Zonder doel, alleen om de sfeer van vrees te ontlopen die het huis vulde als mist.

Oom Andrew had het avondeten gemist. Hij zou wel in The Crown zitten, goedgeluimd en aardig, rondjes gevend en verhalen vertellend en zijn drinkebroeders behagend. Maar als hij thuis kwam, maakte de alcohol hem altijd agressief.

Drie dagen geleden had haar moeder haar vinger gebroken. Tussen de deur gezeten. Dat was het verhaal dat ze van hem moest vertellen en dat ze niet durfde te ontkennen uit angst dat hij haar zou verlaten, iets waar hij altijd mee dreigde. 'En waar blijf je dan? Je kunt niet overleven zonder mij. Je hebt me nodig en dat zal altijd zo blijven.'

Het kon zo niet doorgaan. Susan wist dat ze iets moest doen. Maar wat?

Ze stond voor de deur van Osborne Row 37. Het huis waar ze samen met haar vader had gewoond. Ze wilde dat hij haar vertelde wat ze moest doen, maar toen ze probeerde zijn stem in haar hoofd op te roepen, hoorde ze niets. Alleen het tollen van haar gedachten.

Iemand riep haar naam. Lizzie Flynn liep op haar af met Charlotte die een nieuwe blouse en rok droeg. Haar haar was zorgvuldig gekapt en haar lippen waren gestift.

En ze huilde.

'Ik trof haar aan op Market Court,' zei Lizzie. 'Ze had twee uur bij het Normandische kruis gestaan. Die lul van een Alan Forrester heeft haar gedumpt.'

'Waarom?'

'Omdat Alice Wetherby dat had bevolen. Ze zat bij het raam in Cobhams met haar troep vriendinnen. Ze hadden dikke pret. Ik zat daar met mijn zus. Zodoende weet ik wat er aan de hand was.'

'Waarom zou ze zoiets doen?'

'Omdat ik het proefwerk Engels beter heb gemaakt dan zij,' fluisterde Charlotte. 'Je weet hoe ze is in dat soort dingen.'

'Dus laat ze Alan eerst doen of hij gek is op Charlotte,' ging Lizzie verder. 'Hij is bevriend met die gekke broer van haar. Alan belooft Charlotte dat hij met haar uitgaat, vraagt of ze zich mooi wil aankleden en laat haar dan voor schut staan waar die trut bij is.'

'Het spijt me,' zei Susan tegen Charlotte.

Charlotte wreef haar ogen droog. Lizzie keek ontstemd. 'Is dat alles wat je te zeggen hebt? Het was heel gemeen. Alice heeft een lesje nodig.'

Ze knikte vermoeid.

'Ga je er nog wat aan doen?'

'Ik weet het niet.'

'Je moet iets doen.' Lizzies ogen schoten vuur. 'Zoiets mag ze niet ongestraft doen.'

'Waarom doe jij niets?'

'Omdat ik niet op Heathcote zit...'

'Of Charlotte? Waarom moet ik het altijd doen?' Ze werd overmand door frustratie. 'Ik heb mijn eigen problemen. Als Charlotte Alice een lesje wil leren, waarom houdt ze dan niet op met zo verdomde zwak te zijn en probeert ze het niet zelf?'

Charlotte werd rood. Lizzie schudde haar hoofd. 'Je bent echt veranderd. Ik vond je altijd aardig. Je was altijd een trouwe vriendin. Nu ben je alleen nog maar geïnteresseerd in jezelf. Je bent een egoïstisch kreng. Niets beter dan Alice.'

Ze kon het niet aanhoren. Ze duwde hen opzij en liep naar huis.

De volgende ochtend zat ze alleen aan de keukentafel.

Oom Andrew verscheen. Hij knoopte zijn das. Hij was ongeschoren en zag er vermoeid uit. Ze had geen idee hoe laat hij de vorige nacht was thuisgekomen.

'Waar is mama?' vroeg ze.

'In haar kamer.' Hij pakte een snee geroosterd brood. 'Ik zit in mijn studeerkamer. Ik moet bellen.'

Ze ging met een kop thee naar boven. Haar moeder zat in bed. Ze had haar nachtpon aan en de middelvinger van haar linkerhand zat in het verband. De gordijnen waren dicht en het raam stond open. Het geluid van de vogels in het park was hoorbaar.

Ze zette het kopje op het nachtkastje en ging op de rand van het bed zitten. Haar moeder staarde naar de lakens, haar gezicht vertrokken van pijn.

'Wat is er gebeurd, mam? Wat heeft hij gedaan?'

Geen antwoord.

'Mam?'

Ze hief haar hoofd. Even was de blik in haar ogen net zo nietszeggend als op de dag van haar zenuwinzinking. Haar hart begon te bonzen.

'Mam, ik ben het.'

Herkenning. Een koele glimlach. 'Wat kom je doen?'

'Wat heeft hij gedaan?'

Haar moeder tilde haar nachtpon op en liet een serie blauwe plekken zien op haar buik.

Susan schrok.

'Doe niet net of je het erg vindt.'

'Natuurlijk vind ik het erg. Hij mag je niet zo behandelen. Hij kan niet...'

'Het is jouw schuld.'

'Wat?'

'Het komt allemaal door jou.'

'Hoe kun je zoiets zeggen?'

'Omdat het zo is. Het is jouw schuld. Toen hij je nog aardig vond deed hij ook vriendelijk tegen mij maar nu maak je hem alleen maar kwaad en ik ben degene die eronder lijdt.'

'Maar mam...'

'Ga weg! Ga naar school. Ik wil je niet zien.'

Ze stond in de deuropening, trillend van de schok, gekwetst en boos en luisterde naar oom Andrew die zat te lachen aan de telefoon. Een en al warmte en innemendheid. Haar stiefvader. De aardigste man die er was.

Loop weg, Susie. Maak het niet erger.

Loop weg loop weg loop weg.

Maar ze kon het niet. Niet langer.

Dus ging ze naar boven.

Hij zat achter zijn bureau, met zijn gezicht naar de muur, zo hevig aan het lachen dat hij haar niet hoorde binnenkomen. Ze sloot de deur achter zich, reikte over hem heen en verbrak de verbinding.

'Wel verdomme...'

Ze draaide zijn stoel rond en keek hem recht aan. 'Als je mijn moeder nog één keer aanraakt zul je er spijt van krijgen, dat zweer ik!'

Hij zette grote ogen op. Even leek hij bang.

Maar slechts voor even.

'Is dat een bedreiging, Susie?'

'Laat haar met rust.'

'Of anders?'

'Dat zul je wel zien.'

'Ik zou maar niet dreigen. Dat zou me kwaad kunnen maken en wie weet wat er dan gebeurt.'

'Je zegt toch niets tegen haar.'

'O, nee?'

'Je hebt het beloofd!'

'Misschien meende ik het niet echt.'

'Dat kun je niet maken! Je weet wat dat voor haar zou kunnen betekenen.'

Hij glimlachte. Hij genoot van haar wanhoop en zijn eigen macht. 'Dan geen bedreigingen meer, want een achteloze opmerking kan al genoeg zijn. Dan komt alles aan het licht en stel je eens voor hoe je moeder dan over je zou denken.'

'En stel je eens voor hoe de rest van de stad over ons beiden zou denken.'

De glimlach verdween.

'Want het is niet alleen mijn smerige geheimpje, toch? En als het uitkomt, denk je dat je dan nog bevriend kunt zijn met de burgemeester en zaken kunt doen met mensen als mevrouw Pembroke? Vergeet het maar. Ze zouden je meteen laten vallen.'

Zijn gezicht betrok. Hij ging staan. 'Je kunt maar beter je mond houden, Susie.'

Ze zwichtte niet voor hem. 'Wat denk je dat zij ervan zouden vinden, oom Andrew?'

Hij deed een stap in haar richting. 'Ik zei dat je je mond moest houden.'

'Ik zou mama kunnen verliezen, maar jij zou ook verliezen. Je zou alles verliezen, daar zorg ik wel voor!'

'Ophouden zei ik!'

'En als ik dat niet doe? Ga je dan slaan? Doe maar. Ik ben niet bang. Ik ben mijn moeder niet. Maar dat is nou net het punt, hè? Je slaat me niet. Het is alleen maar opwindend als iemand bang is.'

Hij smeet haar tegen de wand en greep haar bij de keel. Zijn adem stokte, zijn ogen waren vernauwd tot spleetjes. Hij zag eruit als een beest. Als een moordenaar.

En ten slotte werd ze bang.

'En wie gelooft jou? Susan Ramsey, de slet van de stad. Het meisje dat iedere jongen heeft gehad. Ik heb die verhalen over jou wel gehoord. En als jij verhalen over mij gaat rondstrooien, zullen ze hun hoofd schudden en medelijden met me hebben. De man die je in huis nam en je van alles het beste heeft gegeven. Die een veel betere vader voor je is geweest dan je eigen vader. Maar toch ben je ontspoord en gedraag je je als de valse slet die je nu eenmaal bent.'

Ze kreeg geen lucht meer. Haar hoofd tolde.

'En je moeder gelooft het ook niet. Niet uit jouw mond. Ze kan het zich niet veroorloven het te geloven want ze heeft me nodig. Ze overleeft niet zonder mij. Ze heeft het nu al moeilijk. Ze zit op het randje, Susie. Een harde duw van mij en ze gaat eraan en deze keer zal ze niet terugkomen. Je zult haar voor altijd verliezen, net zoals je je eigen vader hebt verloren.'

Hij legde een vinger op haar lippen.

'Dus als je niet wilt dat dat gebeurt, moet je je mond houden. Als je me ooit nog eens boos maakt, zal het je meer spijten dan je je kunt voorstellen.'

Toen liet hij haar los. Hij deed een stap terug en sloeg zijn armen over elkaar.

'Begrijp je wat ik zeg?'

Ze wreef haar hals.

'Nou?'

'Ja.'

'En nu wegwezen.'

Een halfuur later kwam ze bij het schoolhek.

Er liepen mensen om haar heen. Haar hoofd was zo in de war dat ze de stemmen niet kon verstaan, alsof de rest van de wereld opeens een andere taal sprak.

Charlotte liep voor haar, met neerhangende schouders. Alice en Kate stonden glunderend bij het hek te wachten. Alan Forrester kwam aanfietsen, vrolijk fluitend, niet denkend aan de pijn die hij had helpen veroorzaken.

En toen ze hem zag, knapte er iets in haar.

Ze riep zijn naam. Hij stopte naast haar en grijnsde stompzinnig. 'Wat is er?'

Ze stompte hem op zijn mond. Hij viel van zijn fiets op de grond.

Alice besefte wat er stond te gebeuren en probeerde weg te lopen. Maar anderen stonden haar in de weg. Susan liep op haar af en schoof Kate, die protesteerde, opzij. 'We moeten eens praten, Alice,' kondigde ze aan. Ze greep Alice bij haar haar en sleepte haar naar het hek.

Alice probeerde haar weg te duwen. 'Je hebt mijn haar losgetrokken...'

Susan mepte haar zo hard ze kon in het gezicht. 'Luister!'

Toen boog ze naar voren zodat hun neuzen elkaar bijna raakten.

'Als je ooit nog eens iemand kwetst om wie ik geef, pak ik een mes en snij ik je keel door. Begrepen?'

'Je bent gek...'

'Dat klopt. Ik ben gek, net als mijn moeder en dat betekent dat ik het doe. Zeg me dat je het hebt begrepen.'

Jankend wreef Alice over haar wang.

'Zeg het!'

'Begrepen.' Alice was doodsbang. Een opwindende aanblik,

vond Susan. Het gaf haar een gevoel van kracht. Ze voelde zich beter dan ze zich in lange tijd had gevoeld.

Ze trok haar arm terug alsof ze nog een klap ging uitdelen. Alice kromp in elkaar. Ze genoot van de angst die ze veroorzaakte en van de macht die ze had.

En hoorde de stem van haar vader in haar hoofd.

Dit is niet goed, Susie. Dit is geen kracht. Dit is niet de juiste manier. Hier ben jij te goed voor.

De euforie verdween en maakte plaats voor frustratie die zo intens was dat ze het wel kon uitschreeuwen.

Wat is dan wel de juiste manier? Wie ben jij om mij de les te lezen? Waarom maak je me verdrietig? Je hebt me in de steek gelaten toen ik je nodig had en de enige op wie ik nu nog kan vertrouwen, ben ik zelf.

En ik weet niet wat ik moet doen.

Waarschuwend hief ze haar vinger op tegen Alice. 'Onthou het goed.'

Toen dwong ze zichzelf door te lopen.

Tien minuten later liep Charlotte de toiletten binnen op de eerste verdieping.

Susan stond bij de wastafels naar haar aanblik in de spiegel te kijken. Twee eerstejaars wasten hun handen en keken haar behoedzaam aan, alsof ze een gevaarlijk beest was. Charlotte gebaarde dat ze moesten weggaan en deed de deur achter hen op slot.

'Susie?'

Susan bleef in de spiegel staren. Ze trilde. Het leek of de spanning in haar lichaam zich ontlaadde met elektrische schokken.

'Susie?'

'Laat me met rust.' De stem klonk gespannen. Als een elastiekje dat op het punt staat te knappen.

'Bedankt dat je het voor me hebt opgenomen.'

Stilte.

'Ik had het zelf moeten doen, zoals je al zei. Het had niet gehoeven.' Een korte stilte. 'Maar ik ben toch blij dat je het gedaan hebt.'

Iemand probeerde de deur open te doen. Charlotte wachtte vergeefs op een antwoord van Susan.

'Wil je dat ik ga?' vroeg ze.

'Ja.'

Ze voelde zich gekwetst, maar wist dat ze geen recht had om het te tonen. Ze draaide zich om en wilde vertrekken.

'Je bent nog steeds mijn beste vriendin, Charlotte. Ik meende niet wat ik gisteravond zei. Je bent helemaal niet zwak.'

Charlotte voelde een brok in haar keel. 'Jij bent ook mijn beste vriendin. Dat ben je altijd geweest en ik wilde dat je me weer net als vroeger vertrouwde.'

Susan schudde haar hoofd. 'Niet doen...'

'Jawel. Ik weet dat er iets mis is en ik wil helpen, maar dat kan niet als je me niet zegt wat er aan de hand is. We hadden nooit geheimen voor elkaar en dat hoeft nu ook niet zo te zijn. Je kunt me helemaal vertrouwen, dat weet je.'

Susan barstte in tranen uit. Charlotte wilde dichterbij komen, maar Susan stak een arm uit en hield haar op afstand.

'Susie...'

Susan wreef over haar slapen terwijl haar lippen het woord 'zwak' vormden, steeds weer opnieuw.

'Je bent niet zwak, Susie. Je bent de sterkste die ik ken. Dat je je geheimen niet aan mij toevertrouwt, verandert daar niets aan.'

Mensen beukten op de deur. Een toezichthoudster schreeuwde dat er problemen van zouden komen als de deur niet onmiddellijk werd geopend. Susan haalde diep adem en beheerste haar emoties. Ze liet de kraan lopen en maakte haar gezicht nat. 'Zeg maar dat ik hem op slot heb gedaan. Ik heb al zoveel problemen, dat kan er ook nog wel bij.'

'Wil je het niet vertellen?'

'Dat kan ik niet.'

'Alsjeblieft, Susie.'

Susan nam haar hand en gaf er een kneepje in. 'Bedankt.'

Toen ging ze de deur openmaken.

Augustus.

Susan zat bij de rivier met Jennifer en keek omhoog naar de lucht. Er waren geen wolken, maar de lucht was zo droog dat het zou kunnen gaan stormen.

Beiden zaten met hun voeten in het water. De stroming trok aan hun tenen. Jennifer gooide stukjes brood naar de eendjes. 'Susie, zijn er eendjes in Australië?'

Ze knikte en probeerde haar droefheid te verbergen achter een glimlach. Oom George had de opdracht geaccepteerd, zoals ze al had verwacht.

Zwanen gleden dichterbij, op zoek naar voedsel. De eenden stoven uiteen. Hevig zuchtend gooide Jennifer ze wat brood toe.

'Wat is er, Jenjen?'

'Ik wou dat je meeging.'

Dat wilde ze zelf ook. Dolgraag. Weg uit Kendleton met al zijn gefluister en gesneer, naar een plek waar niemand haar kende.

Maar wat zou er gebeuren met de mensen die ze achterliet?

Oom Andrew had haar moeder niet meer geslagen na hun confrontatie. Hij deed aardiger tegen haar. Even neerbuigend als altijd, maar toch aardiger. Hij dronk ook minder. En toen de heer en mevrouw Wetherby kwamen klagen over haar 'boosaardige aanval op die arme Alice' had hij haar kant gekozen en hun woede laten verdampen met veel verontschuldigingen en vertoon van charmant gedrag. De heer en mevrouw Forrester waren niet op bezoek geweest, maar het was ook niet te verwachten dat Alan zou bekennen dat hij was gevloerd door een meisje.

Ze wilde geloven dat die verbetering door haar was gekomen. Dat ze hem zo bang had gemaakt dat hij zijn leven had gebeterd. Maar in haar hart wist ze dat dit niet zo was. Hij was niet bang voor haar. Zij was degene die bang moest zijn.

Het ging beter. Daar moest ze dan maar tevreden mee zijn.

Maar pas als ze wist waarom zou haar gevoel van ongemak verdwijnen.

'Waarom ga je niet mee?' vroeg Jennifer.

'Omdat ik hier moet blijven om op mijn moeder te passen.'

Jennifer keek verwijtend. 'Je hebt beloofd dat je voor me zou zorgen.'

'Dat doe ik ook.'

'Niet waar.' Jennifer begon te huilen. Het kwam aan als een klap. Susan probeerde haar te omhelzen maar ze werd weggeduwd. In plaats daarvan streelde ze haar haar. Het leek goud in de zon en begon steeds meer op het haar van tante Emma te lijken. Een vrouw die een vervangende moeder voor haar was geweest, net als zij zelf voor Jennifer was. Een moeder en een zus.

Ze probeerde het opnieuw. Deze keer liet Jennifer zich wel omhelzen.

'Ik zal altijd voor je zorgen, Jenjen. Zelfs als je weggaat, en dat is pas over vier maanden, blijf ik daarbinnen nog bij je.' Ze raakte Jennifers borst aan. 'En als je je ooit droevig voelt moet je aan mij denken en weten dat ik aan jou denk en als ik dat doe zorg ik voor je en dat is de waarheid.'

Dat was natuurlijk niet zo. Ze kon niets beters verzinnen.

Maar Jennifer klaarde erdoor op en dat was waar het om ging.

'Maar je zult je niet droevig voelen. Je gaat heel veel lol maken. Er zijn zoveel dingen die je kunt zien en doen...' Ze begon een beeld van Australië te schetsen als het meest opwindende oord ter wereld. Misschien was dat zo. Hoe het er ook was, het moest wel beter zijn dan hier.

Een kanaalboot zakte de rivier af. Het water rimpelde en verstoorde de eenden en zwanen. Een man met grijze ogen en een vriendelijk gezicht stond aan het roer terwijl twee bulterriërs naar elkaar zaten te bijten op het dek, nukkig vanwege de hitte en de naderende storm.

De man zwaaide naar hen. Ze zwaaide terug en wenste dat ze met haar moeder en Jennifer aan boord kon klimmen om weg te varen en nooit meer terug te komen.

Zaterdagmorgen. Een week later.

Ze stond in de keuken bij het aanrecht en hielp haar moeder met het afwassen van de ontbijtspullen. Oom Andrew was vroeg vertrokken om te gaan golfen met oom George. De laatste tijd gingen ze vaker met elkaar om, sinds het nieuws over Australië bekend was. Ze waren al twintig jaar bevriend en ze zouden elkaar missen.

Maar niet zoveel als zij Jennifer zou missen.

Ze keek naar de achtertuin. Het gras was verdord, de grond uitgedroogd. De storm van zeven dagen geleden had niets veranderd aan de hitte die als een deken over de stad lag.

'Hoe laat ga je Jennifer ophalen?' vroeg haar moeder.

'Over een halfuur.'

'Ze zal de kermis leuk vinden.'
'Ik ook.'
Haar moeder glimlachte. Ze zag er meer ontspannen uit dan in de afgelopen maanden.
'Waarom ga je niet mee, mam?'
'Ik moet dingen doen.'
'Je moet ook eens iets leuks doen.'
'Je klinkt als je vader als je zo praat.'
'En hij had altijd gelijk. Ga nou mee.' Ze glimlachte ook. 'Ze hebben er zweefmolens.'
Haar moeder huiverde.
'Weet je nog dat we in de zweefmolen gingen op de kermis van Lexham met papa en Charlotte?'
'Hou op. Jij zat op mijn knie en Charlotte op die van je vader en je liet ons zo hoog gaan dat ik bang was dat je misselijk zou worden na al die suikerspinnen!'
'Niet waar. Je was bang omdat je hoogtevrees hebt. Ik weet nog dat je riep: "Nee, Susie! Niet zo hoog! In hemelsnaam, niet zo hoog!"'
'En je vader bleef maar "Swing Low Sweet Chariot" zingen!'
'En toen klaagde die stomme koe in de andere schommel dat hij "negermuziek" zong en toen deed hij Al Jolson na en begon hij haar mammie te noemen!'
Ze moesten nu allebei hard lachen. Terwijl ze haar ogen uitwreef, had Susan opeens het gevoel dat haar vader ergens toekeek en ook lachte.
'Ga nou mee, mam. Ik weet zeker dat je het leuk vindt.'
'Goed. Maar we moeten dit eerst afmaken. Op de studeerkamer van je stiefvader staat nog een bord dat moet worden afgewassen.'
'Ik haal het wel even.'
Toen ze naar boven liep besefte ze dat ze zich gelukkig voelde. Opeens waren de redenen voor het veranderde gedrag van oom Andrew niet zo belangrijk meer. De verandering zelf was genoeg.
De deur van zijn studeerkamer stond open. Het bord stond op zijn bureau, op een stapel papieren. Ze pakte het op.
En ze zag de brochure die eronder lag.

Collins Academy – een goede school

Ze bekeek de eerste pagina.

Collins Academy is opgericht in 1870 en heeft een lange historie van academische successen. Het is een kostschool voor meisjes tussen de elf en de achttien, gelegen in het prachtige Schotse platteland...

Schotland?

Met bonzend hart las ze verder.

Vijf minuten later kwam ze de keuken binnen. 'Wat moet dit voorstellen?'

Haar moeder draaide zich om. Toen ze de brochure zag, verbleekte ze.

'Ik ga niet naar kostschool!'

'Het is maar een idee.'

'Van wie? Van jou?'

'Nee.'

'Van hem dus. Dat dacht ik al. Hij probeert ons uit elkaar te halen maar dat zal niet lukken. Als hij me wegstuurt, zorg ik dat ik van school word getrapt en dan kom ik weer naar huis. Daar kun je zeker van zijn!'

'Maar Susie...'

'Hij doet nu aardig maar hoe lang denk je dat dat duurt? En als hij ermee stopt als ik er niet ben? Wie beschermt je dan?'

'En wat als hij niet meer aardig doet terwijl jij hier bent? Denk maar niet dat je me kunt beschermen. Het komt sowieso door jou dat hij zo doet.'

'Dat is niet waar!'

'Jazeker! Het is een goede man. Hij misdraagt zich alleen maar omdat jij hem kwaad maakt.'

'Wie probeer je te overtuigen, mam? Mij of jezelf?'

'Het is een goede man. Echt!'

'En je hebt hem nodig, hè? Dat geloof je. Dat heeft hij je leren geloven. Dat je hem veel meer nodig hebt dan mij.'

Stilte.

'Heb ik gelijk of niet?'

Haar moeder sloeg haar ogen neer.

'Dat dacht ik al.'

'Susie...'

'Je hoeft niet mee naar de kermis. Zoals je al zei, je hebt dingen te doen.'

Ze legde de brochure op tafel en liep de keuken uit.

Een maandagmorgen vroeg in september. De eerste dag van het nieuwe schooljaar. Na haar ontbijt ging Susan naar boven om haar tanden te poetsen.

Ze droeg haar Heathcote-uniform. Sinds haar ontdekking van de brochure had haar moeder het niet meer gehad over kostschool. Oom Andrew ook niet.

Maar dat betekende niet dat hij er niet aan dacht.

En wat doet hij mama aan als ik weiger te gaan?

Toen ze de tweede verdieping bereikte hoorde ze stemmen in de studeerkamer. Oom George was op bezoek. Ze wist dat ze even gedag moest zeggen maar ze was er niet voor in de stemming. In plaats daarvan liep ze zachtjes over de overloop zodat ze haar niet zouden opmerken.

Ze stond in de badkamer tussen de studeerkamer en haar slaapkamer. In de spiegel zag ze een los draadje aan haar mouw hangen. Ze pakte een nagelschaartje en wilde het afknippen.

Hun stemmen waren goed hoorbaar. Ze nam aan dat ze spraken over het golf van de vorige dag. Terloops begon ze naar het gesprek te luisteren.

En ze besefte dat ze over iets heel anders praatten.

'Het is niet dat ik haar niet wil meenemen,' zei oom George. 'Natuurlijk wil ik dat. Ze is mijn dochter. Maar ik ben zoveel op pad Ik kan wel weken achter elkaar van huis zijn.'

'En dat zou betekenen dat je haar bij vreemden moet achterlaten in een vreemd land. Dat is niet eerlijk, zo'n jong kind nog.'

'Ik vraag me nog steeds af of ik hen zal vertellen dat ik van gedachten ben veranderd.'

'Dat moet je niet doen.' De stem van oom Andrew klonk nadrukkelijk. 'Je hebt altijd gezegd dat die baan een unieke kans is, net zoals ik steeds heb gezegd dat Jennifer bij ons laten de perfecte oplossing is.'

'Het is wel een hele opgave.'

'Nee, hoor. We zijn dol op Jennifer. En ze zou je kunnen bezoeken tijdens de vakanties, als je tijd voor haar hebt. Op die manier raakt ze ook niet huis, haard en school kwijt.'

'Bleef Susie ook maar hier. Je weet hoe Jennifer haar aanbidt.'

'Ja, maar daar is niets aan te doen. Het gaat niet goed op Heathcote en er zijn geen andere geschikte scholen in de regio, dus vanaf het volgende semester moet het kostschool worden. Jennifer kan Susies kamer hebben. Dat vindt ze vast leuk.'

'Dat denk ik ook.' Oom George zuchtte. 'Nou, als je het zeker weet.'

'Ja, dus maak je geen zorgen. Ik zal goed voor Jennifer zorgen. Ze wordt mijn oogappel...'

Susan voelde dat ze ijskoud werd.

Het gesprek ging door. Ze probeerde te luisteren maar plotseling was het net als op de dag dat haar vader stierf en al het geluid uit de wereld was verdwenen, waardoor ze gevangenzat in een stomme film, met alleen haar gedachten als gezelschap.

Maar deze keer waren het niet zomaar willekeurige losse woorden. Ze hadden vorm en structuur. Het was heel eenvoudig te begrijpen.

En eindelijk werd alles duidelijk.

Haar rechterhand deed zeer. De schaar had in haar vinger gesneden. Bloed uit de wond drupte in de wasbak. Hetzelfde donkere bloed dat had aangekondigd dat ze vrouw werd en dat haar had gered van oom Andrews bezoekjes.

Maar Jennifer was nog een kind. Een lief, knap, kwetsbaar kind dat in de goedheid van anderen geloofde. Een kind dat alles zou geloven wat een vertrouwde volwassene zou zeggen. Een kind dat niemand als slecht kon beschouwen. Tenzij ze zelf door en door slecht waren.

Ze stelde zich voor hoe Jennifer in haar bed zou liggen, luisterend naar de geluiden uit de studeerkamer, kijkend naar de schaduwen in de gang, in het besef dat ze slecht was en dat dit afschrikwekkende ritueel haar eigen schuld was. Dat zou ze denken, maar ze zou het niet begrijpen. Ze zou bidden dat haar vader zou komen om haar te redden en tegelijkertijd denken dat hij haar zou haten als hij ontdekte hoe slecht ze was.

Ze zou bidden dat Susan zou komen om haar te redden...

Je mag het nooit aan iemand vertellen, Jenjen, want als je dat doet zeggen ze het tegen je vader en dan blijft hij in Australië en zie je hem nooit meer terug. Je zult hem voor altijd kwijtraken, Jenjen, net zoals met je moeder is gebeurd.

Ze staarde in de spiegel. In haar geest zag ze haar vader zoals hij eruit had gezien op de dag dat hij overleed. Een aardige man met slordig haar, twinkelende ogen en een lach die een hele kamer kon opvrolijken. Maar nu lachte hij niet. Zijn uitdrukking was angstig alsof hij voorvoelde dat er iets gewelddadigs in haar opborrelde.

Dit is verkeerd, Susie. Dit is niet de manier. Luister naar me. Alsjeblieft, luister...

Maar dat deed ze niet. Niet naar een geest uit een eerder leven dat meer weg had van een sprookje dan van het echte leven. Hij kon haar niet helpen. De enige op wie ze kon vertrouwen was zijzelf.

Ze strekte haar arm uit en raakte het glas aan. 'Tot ziens, papa,' fluisterde ze. 'Ik hou van je en ik zal je altijd missen.'

Zijn beeld vervaagde. Bloeddruppels gleden omlaag langs de spiegel. Ze trok er een streep door met een vinger en maakte er een rij kruisjes van die voor haar ogen leken te groeien, de kamer vulden en het tot een rood kerkhof maakten waar elk graf dezelfde naam droeg.

Opeens doorbrak een stem de stilte. Haar moeder, schel en bezorgd. 'Susie, waar ben je? Je komt te laat.' Er kwam geen geluid uit de studeerkamer. Wie weet hoe lang ze daar had gestaan, verdwaald in de donkere krochten van haar geest.

Maar nu was ze er weer.

En ze wist wat haar te doen stond.

Halfdrie die middag. Audrey Morris, een oudere lerares, stond in de hal van de meisjesschool te wachten op een van de vijfdejaars.

Twee jongens stonden naast haar. Beiden droegen het blauw met zwarte uniform. Ook vijfdejaars, nieuwe leerlingen. De rest van haar klas kreeg in het tekenlokaal les van een succesvolle schilder uit de regio. Kunstzinnige vorming was het enige gebied waarop de meisjesschool haar concurrent aan de overkant van de straat kon verslaan.

Een jongen legde uit waarom ze te laat waren. Iets over administratieve procedures. Zijn kameraad maakte zijn excuses voor het eventuele ongemak. Hij sprak met een licht Londens accent. Normaal gesproken hield Audrey niet van accenten, maar deze keer, begeleid door een hoffelijke glimlach, had het een zekere charme.

Ze hoorde voetstappen. Susan Ramsey kwam aanzetten. De mooie, eigenwijze Susan Ramsey die met de helft van alle jongens van de stad naar bed was geweest als je de verhalen mocht geloven. Maar Audrey geloofde ze niet. Ze was altijd dol op Susan geweest.

Snel stelde ze iedereen aan elkaar voor. De jongen met het Londense accent stak een hand uit. Terwijl Susan hem een hand gaf, viel het Audrey op wat een knap stel ze vormden. Net een stel filmsterren die voor de eerste keer op een glamourset in Hollywood komen.

Greta Garbo, dit is John Gilbert. Vivien Leigh, dit is Laurence Olivier. Lauren Bacall, dit is Humphrey Bogart.

Susie Sparkle, dit is Ronnie Sunshine.

DEEL V

Kendleton, september 1961

Ze stonden tegenover elkaar in de gang. Twee mensen die elkaar voor het eerst ontmoeten en die het ritueel uitvoeren dat bij een dergelijke gebeurtenis hoort. Het schudden van handen, het uitwisselen van namen en glimlachjes en het maskeren van eventuele negatieve gevoelens over de ontmoeting.

Hij viel haar niet op. Gewoon iemand. Niets aan hem maakte indruk. Ze had andere zaken aan haar hoofd.

Hij zag een meisje van zijn eigen leeftijd. Even lang als hij, en knap genoeg om arrogant te zijn. Volgens hem waren knappe meisjes altijd arrogant. Ervan overtuigd dat ze elke jongen voor zich konden winnen met een glimlach.

Maar hem niet. Hij zou nooit een meisje kunnen begeren bij wie niet iets in het gezicht hem aan zijn moeder deed denken.

Ze zei hoe ze heette. Haar ogen waren net viooltjes. Diep en gevaarlijk. Een onnadenkende jongen zou ervoor kunnen vallen en zou ten onder gaan. Maar hij niet. Hij keek haar in de ogen en bleef kalm, zich bewust van het feit dat hij immuun was voor die macht.

En plotseling wist hij het.

Het voelde als een elektrische schok in zijn hersens. Een absolute zekerheid die niets te maken had met logica of verstand. Het was iets wat veel primitiever was. Een flits van puur dierlijk instinct.

Jij bent net als ik.

'Deze kant op,' zei ze.

In het tekenlokaal was het druk. Jongens en meisjes zaten aan tafeltjes rond een tafel waarop boeken, fruit en een wereldbol zorgvuldig waren gerangschikt. Potloden krasten over papier terwijl een kunstenaar uit de regio de techniek van het stilleven uitlegde en mevrouw Abbott, de tekenlerares, maar bleef zeggen hoe fijn het was dat ze zo'n vermaarde gast hadden.

Ze ging achterin zitten, recht vooruit starend, kijkend naar de film die zich op een scherm achter haar ogen afspeelde. De film waarin het meisje nacht na nacht wakker lag, met bonzend hart en droge keel, luisterend naar mogelijke voetstappen en kijkend naar de schaduwen. Een film die spoedig opnieuw gemaakt zou worden met een nieuwe actrice in de hoofdrol. Een actrice die zou bezwijken onder de eisen van de rol. Daarom zou ze er alles aan doen om te voorkomen dat die actrice gekozen werd.

Ze wachtte op de woede, de angst en de wanhoop. Al die emoties die ze had leren voelen, hoewel niet van harte. Maar sinds die ochtend had ze alleen maar een vreemde kalmte gevoeld die wel bij iemand anders leek te horen. Een ander iemand, die geen tijd had voor angst of vrees. Niet nu duidelijk was wat er gedaan moest worden.

De tijd verstreek. Ze bleef naar het scherm kijken, zich onbewust van haar hand die het potlood over het papier bewoog, alsof ze een medium was dat geleid werd door een geest.

Hij zat bij het raam en nam de nieuwe omgeving in zich op. Het schoolgebouw was veel fraaier dan het gebouw in Hepton. De gebouwen aan de overkant waren nog mooier, met faciliteiten waar zijn voormalige klasgenoten versteld van zouden staan. Een enorme bibliotheek, een gloednieuw laboratorium, een zwembad en een stuk of vijf sportvelden, gemaaid, gemarkeerd en klaar voor gebruik.

Zijn nieuwe klasgenoten waren om hem heen aan het werk. Voor hen was de omgeving vanzelfsprekend op een manier die het voor hem nooit zou zijn. Het was vreemd om te bedenken dat hij nu in een statiger huis woonde dan wie dan ook van hen. Twee jongens zaten moppen te vertellen. De leraar fronste zijn wenkbrauwen en sommige meisjes giechelden. De andere nieuwe jongen deed mee.

Hij wilde erbij horen en geaccepteerd worden. Dat zou hij zelf nooit doen. Hij zou het beter aanpakken. Eerst zou hij het belangrijk moeten vinden dat ze positief over hem dachten en dat was nog niet voorgekomen.

Behalve het meisje dat met haar paarsblauwe ogen keek naar iets wat duizenden kilometers was verwijderd van de ruimte waarin ze zich bevonden.

De leraar zei dat ze moesten stoppen. De schilder liep langs de tafeltjes en gaf commentaar bij elke tekening. Toen hij de schets van het meisje zag, keek hij bedenkelijk. 'Wat moet dit voorstellen?'

'Dat weet ik niet.'

'Het lijkt op een kruis.'

'Misschien is het dat wel.' Haar stem klonk vlak en afstandelijk.

'Waarom heb je niet getekend wat je werd gevraagd?'

'Dat had geen zin.'

'Waarom niet?'

'Omdat ik, als ik van school afga, prostituee word en in dat soort werk doet het er niet toe of je een schaal met fruit goed kunt natekenen.'

De hele klas hield de adem in. Zelfs de grappenmakers leken geschokt. 'Naar de directrice, onmiddellijk!' schreeuwde de lerares, toen ze eindelijk weer iets kon uitbrengen.

Hij keek haar na terwijl ze door de klas liep. Hij keek of ze zich beschaamd voelde of de aandacht wilde trekken, maar niets wees daarop. Ze leek volkomen afstandelijk. Hij vroeg zich af waar haar gedachten haar hadden heen gevoerd en of er nog plaats voor hem was.

De schilder zag er geagiteerd uit en ging verder met zijn inspectie. Het werk van een mooi, blond meisje kreeg lof. Alice Wetherby, een van zijn nieuwe buren, leek nu erg tevreden met zichzelf. Bij zijn eigen tekening werd weer bedenkelijk gekeken. 'Dit was niet de opdracht.'

'O, nee? Het spijt me. Ik kwam wat later en ik heb de opdracht zeker verkeerd begrepen.'

'Het is wel heel goed gedaan. Je hebt echt talent.'

'Dank u. Ik wil later kunstenaar worden.'

'Welke kunstenaars bewonder je?'

'Hogarth, vanwege zijn realisme. Turner, vanwege zijn kleurgebruik. Blake, vanwege zijn verbeeldingskracht. En Millais. Zijn *Ophelia* is mijn lievelingsschilderij.'

'Dat is ook een van mijn lievelingsschilderijen.' De kunstschilder glimlachte. 'Nou, veel geluk, eh...'

'Ronnie. Ronnie Sidney.'

'Dat is een goede naam voor een kunstenaar. Ik zal die naam in de gaten houden.'

Alice staarde hem nieuwsgierig aan. Een van de moppentappers vormde met zijn lippen het woord 'homo'. Hij keek naar zijn tekening, vond het mooi en glimlachte ook.

Twintig minuten later liep ze naar buiten. Jongens en meisjes van de tekenles stonden in groepjes op de grote trap. Het gesprek viel stil toen ze verscheen. Charlotte haastte zich naderbij. 'Wat is er gebeurd?'

'Een week schorsing. Nog één misstap en ik word van school gestuurd. Van nu af aan moet ik me gedragen als een volmaakte jongedame.'

Ze begon te lachen terwijl de anderen toekeken, fluisterden en oordeelden. Vroeger zou hun afkeuring pijn hebben gedaan. Nu was het totaal onbelangrijk.

'Het is niet leuk, Susie!'

'Nee?'

'Waarom doe je zo?'

'Misschien ben ik behekst.'

'Waar heb je het over?'

'Ik praat helemaal niet. Het is de stem van iemand anders.'

Charlotte was ontsteld. 'Wat zullen je ouders zeggen?'

'Mijn moeder zegt alles wat ze van mijn stiefvader moet zeggen. Maar het kan hem niets schelen. Hij heeft andere zaken aan zijn hoofd.'

'Wat voor zaken...'

'Pardon.'

Een van de nieuwe jongens stond naast haar. Hij gaf haar een tekening. 'Dit is voor jou.'

'Waarom heb je mij nagetekend?'

'Omdat ik je interessant vind.'

'Nee, je vindt me ordinair. Maar dat ben ik niet. Net als alle andere prostituees neuk ik alleen voor geld. Niet voor slordige tekeningetjes zoals deze.'

Ze scheurde de tekening doormidden en liet de stukken papier op de grond vallen voordat ze naar de hoofdingang liep. Charlotte liep druk pratend achter haar aan maar ze wilde de woorden niet horen en blokkeerde haar geest alsof er in haar hoofd een volumeknop zat.

En nog steeds was er het gevoel van kalmte.

Hij keek toe hoe ze wegliep. Sommige jongens riepen haar dingen na, maar ze negeerde hen, behield haar waardigheid en hield haar hoofd fier rechtop.

Zijn verwoeste tekening lag op de grond. Het geschenk dat ze niet wilde, net zoals ze hem ook niet wilde kennen.

Maar dat zou nog wel komen.

Alice keek naar Ronnie Sidney die de stukken papier opraapte. Haar nieuwsgierigheid werd nog groter toen ze dichterbij kwam. 'Mag ik eens kijken?'

Hij schudde zijn hoofd en sloeg zijn blik neer alsof hij verlegen was. Dat vond ze leuk.

'Kom nou. Ik beloof dat ik niks akeligs zal zeggen.'

Hij gaf haar de fragmenten. 'Je bent echt goed,' zei ze.

'Bedankt.'

'En zij is echt mooi.'

'Vind je?'

'Daarom heb je haar toch getekend?'

'Nee.'

'Waarom dan?'

Weer leek hij verlegen.

'Zeg dan.'

'Omdat jij je hand voor je gezicht had.'

Alice was meer verrukt dan verrast. Ze begon voorzichtig te glimlachen, maar het werd algauw een stralende lach. Hij was heel knap. Meer dan ze eerst had beseft.

'Jij bent Alice Wetherby,' zei hij. 'Je woont bij mij in de straat.'

'Waarom ben je dan niet even gedag komen zeggen?'

'Dat was ik wel van plan maar…' Weer schudde hij zijn hoofd. De verlegenheid was terug maar de glimlach bleef. Het was een leuke glimlach. Echt leuk.

Ze voelde een opgewonden kriebel in haar maag.

Kate Christie kwam bij hen staan. 'Waarom heb je die gek nagetekend?'

'Ronnie, dit is mijn vriendin Kate.'

Ronnie stak zijn hand uit. Kate giechelde. 'Je lijkt op John Leyton. Die vind ik geweldig.'

'Wat kom je doen?' wilde Alice weten, haar best doend niet geërgerd te klinken.

'Als je mee thee wilt drinken, moeten we nu gaan.'

'Ik kom niet.'

'Maar je zei…'

'Dat ik vrijdag zou komen.'

'Nee…'

'Ja. Tot morgen.' Haar toon was resoluut.

Kate liep weg, weer giechelend. 'Sorry,' zei Alice. 'Ze kan erg kinderachtig doen.'

'Maar ze is toch aardig. Dat moet wel als ze jouw vriendin is.'

De kriebel in haar maag kwam terug. 'Ga je nu naar huis, Ronnie?'

'Ja.'

'Zal ik met je meelopen?'

'Dat is leuk.'

Twee jongens zagen ze gaan. Ze had met beiden in het verleden geflirt, genietend van het gevoel van macht dat het gaf. Jongens waren allemaal hetzelfde. Grove, onhandige schepsels, die maar in één ding waren geïnteresseerd en die om dat te bereiken bereid waren elke vernedering op de koop toe te nemen.

Maar Ronnie leek anders. Hoffelijk en charmant. Een eenzame *gentleman* in een omgeving vol pummels.

Ze liepen de laan in. De zon stond hoog boven de bomen. 'Het is hier heel mooi,' zei hij. 'In Hepton, waar ik vandaan kom, is alles saai en grijs, maar hier zit het eruit als een schilderij.'

'Wil je voor mij een schilderij maken?'

'Als je belooft het niet doormidden te scheuren als ik het aan je geef.'

'Natuurlijk niet.' Ze pakte even zijn arm vast. 'Ik ben helemaal niet zoals zij.'

'Is ze echt gek?'

'Zeker. Vorig semester is ze me zonder reden aangevlogen. Het was heel eng.'

'Dat moet wel.' Hij leek bezorgd. 'Vertel eens wat er is gebeurd...'

Ze liep Market Court op. Charlotte liep achter haar aan als een angstig jong hondje. Het plein was vol mensen die in slowmotion liepen en zonder geluid spraken. Haar kalmte was als rustgevende drug. Haar zintuigen waren verdoofd en veranderden de wereld in een droom.

Tot het moment dat ze Jennifer zag. Toen werd alles weer normaal.

Ze liep in gezelschap van een ander klein meisje bij een snoepwinkel. Beiden hadden hetzelfde rood met bruine schooluniform aan dat Susan ook ooit had gehad en ze aten een ijsje. Ze kwam naar Susan toe die haar zo stevig omhelsde dat ze protesteerde. 'Je doet me pijn!'

'Sorry.' Susan verslapte haar greep. 'Ik ben blij je te zien, dat is alles.'

'Mijn nieuwe lerares heet mevrouw Boyd. We moesten voorlezen en ze zei dat ik de beste was en ze heeft ons een nieuw liedje geleerd dat "Land of the Buffalo" heet. Luister.'

Jennifer begon te zingen. Haar mond zat onder de chocolade. Voorzichtig veegde Susan het weg. 'Kan ik je een geheim vertellen, Jenjen?'

'Wat?'

'We gaan nooit uit elkaar. We blijven altijd samen.'

Jennifers gezicht klaarde op. 'Altijd?'

'Altijd.' Ze likte wat gesmolten ijs van haar vinger en veegde hem schoon. 'Is mijn vinger nat? Is mijn vinger droog? God sla me dood als ik net loog.'

Jennifer glimlachte. Stralend en puur en vol vertrouwen. De

glimlach van een kind dat niets wist van boosaardigheid, schaamte of angst.

En daar ook nooit iets van zou weten.

'Eet nu maar je ijsje op. Ik zie je straks wel.'

Jennifer deed wat er gevraagd werd. Susan ging staan en keek naar de mensen rondom haar. Iedereen deed gewoon, alsof alles normaal was. Van nu af aan zou zij hetzelfde doen. Ze zou niet meer geschorst worden. Ze zou niet langer de aandacht trekken en vragen oproepen. Ze zou zich terughoudend en beheerst opstellen en zo'n volmaakte buitenkant laten zien dat niemand ooit zou kunnen raden hoeveel lelijkheid daaronder verborgen lag.

Aarzelend kwam Charlotte naderbij. 'Susie...'

Ze wees op de twee kleine meisjes die zorgeloos hun ijsje zaten te eten. 'Weet je nog dat wij zo waren?'

'Wat heb je, Susie? Wat is er aan de hand?'

'Niets. Ik voel me een beetje gek vandaag, maar morgen doe ik weer normaal.'

'Zal ik met je mee naar huis gaan? Morele steun als je het nieuws gaat vertellen.'

'Nee. Ik ben zelf mans genoeg. Maar bedankt voor je bezorgdheid. Ik bof maar met een vriendin als jij.'

Ze kuste Charlotte op de wang, draaide zich om en liep weg. Ze neuriede een wijsje en glimlachte alsof alles normaal was en ze zich nergens zorgen om maakte.

Twee dagen later. Charles Pembroke zat aan het ontbijt met zijn vrouw en stiefzoon.

De kamer was vol licht. Er stond geen wolkje aan de hemel en het beloofde weer een prachtige dag te worden in een zomer die geen einde leek te kennen. Charles moest die ochtend college geven en hij keek op zijn horloge. 'Ronnie, als je mee wilt rijden: we vertrekken over vijf minuten.'

Anna keek bedenkelijk. 'Ik heb net brood gebakken. Hij moet daar iets van eten voor hij gaat.'

Ronnie slikte een stukje worst door. 'Ik heb genoeg, mam.'

'Maar ik heb het speciaal voor jou gemaakt.' Anna wendde zich tot Charles. 'Kun je nog even wachten?'

Eigenlijk kon dat niet maar hij wilde haar gelukkig maken. 'Natuurlijk.'

Anna liep de kamer uit. Charles nipte van zijn koffie en las de streekkrant. De burgemeester was zojuist herkozen. Volgens Andrew Bishop was dat een goede zaak.

Ronnie staarde hem aan. Bestudeerde hem met die ogen die niets verrieden. 'Alles goed, Ronnie?'

'Door mij kom je nu te laat, hè?'

'Nee.'

'Ik kan best lopen.'

'Doe je dat liever?'

'Ik wil alleen niet dat je door mij te laat komt.'

'Dat zal niet gebeuren.' Hij glimlachte. 'Echt niet.'

'Reken er maar niet op. Ik mag pas weg als ik bijna ontplof.' Ronnie glimlachte ook. 'Je weet hoe mam is.'

'Ja.'

'Maar ik klaag niet, hoor. De maaltijden van tante Vera waren of aangebrand of niet gaar. Oom Stan zei altijd dat de enige reden waarom we niet zijn verhongerd was omdat God ons patatkramen heeft gegeven.'

Charles lachte.

'Mama kan goed koken, hè?'

'Nou en of. We boffen maar.'

'Zeker. In Hepton maakte ze niet van die lekkere dingen.'

'Nee?'

'Dat kon ze zich niet veroorloven.'

'Nee, dat is natuurlijk zo.'

'Arme mam. Ze vond het vreselijk dat we arm waren. Toen ik klein was, beloofde ze altijd dat we op een dag heel veel geld zouden hebben. Wat ze er ook voor moest doen.'

Charles negeerde de steek onder water. 'En nu is dat zo,' zei hij minzaam.

'En daarom barst mijn maag nog eens.' Ronnie lachte weer. Misschien was het toch geen sarcastische opmerking geweest. Misschien.

Anna kwam terug met het brood. 'Gemaakt met ei, zoals jij het graag hebt,' zei ze tegen Ronnie.

'Maar ik zit echt vol, mam.'

'Ik luister niet naar je.' Ze sneed een stuk brood af en stak het in zijn mond. Melodramatisch zuchtend begon hij te kauwen.

Er werd op de deur geklopt. Meg, de schoonmaakster, kwam binnen met een stapel kleren. 'Pardon, mevrouw Pembroke, ik vroeg me af...'

Anna's gezicht betrok. 'Wat ben je daarmee van plan?'

'Ik wilde ze wassen.'

'Dat zijn Ronnies kleren.'

'Dat weet ik, maar...'

'Ik was Ronnies kleren zelf. Hoe vaak moet ik dat nog zeggen?'

'Het spijt me...'

'Doe de volgende keer wat ik zeg en blijf van die kleren af. Dat is toch niet zo moeilijk?'

Charles greep snel in. 'Leg ze maar terug in de wasmand van Ronnie, Meg. Maar bedankt voor de moeite. Erg attent van je.'

'Dat was een beetje hard,' zei hij tegen Anna toen Meg weg was. 'Ze bedoelde het goed.'

Anna keek nog steeds kwaad. Charles herinnerde zich hoe ze zich bij het begin van hun huwelijk had gedragen. Ze was nerveus omdat ze nu zo'n groot huis bestierde. De verlegenheid die ze moest overwinnen in de omgang met het huishoudelijk personeel. Hoe ze telkens zijn steun en bevestiging had gezocht, hoe ze hem als haar gids en beschermer zag.

Tot de dag dat Ronnie kwam.

Ze deed alles voor hem. Ze waste en verstelde zijn kleding. Kookte altijd voor hem. Maakte zijn kamer schoon. Ze zorgde ervoor dat het hem aan niets ontbrak, op een manier die zowel toegewijd als bezitterig was. Ze hield anderen op afstand, als een angstvallige vogel die zijn jong beschermt.

Hij begreep het wel. Zes lange jaren had ze Ronnie steeds maar even kunnen zien tijdens korte bezoekjes, en die werden steeds verstoord door Vera's eisen. Het was heel natuurlijk dat ze haar moederliefde die zo lang was gedwarsboomd nu op hem losliet.

Maar toch maakte hij zich zorgen om de intensiteit van die liefde.

Een artikel in de krant trok zijn aandacht. 'Ronnie, ken je een jongen op school die Paul Benson heet?'

'Nee. Hoezo?'
'Hij heeft net een landelijke schrijfwedstrijd gewonnen.'
'Mag ik eens kijken?'
Charles overhandigde de krant.
'Ik wil wedden dat jij een beter stuk had kunnen schrijven,' zei Anna tegen Ronnie.
'Dat weet je niet, mam. Misschien is hij wel briljant.'
'Jij bent briljant. De briljantste in Kendleton.'
'Als het zo doorgaat, word ik ook de dikste.'
'Maar je blijft toch de knapste. En nu dooreten!' Ze probeerde meer eten in zijn mond te proppen, maar hij duwde haar hand weg en lachte. Ze omhelsde hem en kuste hem op de wang terwijl hij haar arm streelde. Hun gebaren straalden vertrouwelijkheid uit. Terwijl Charles toekeek ving hij Ronnies blik. Even leek de barrière verdwenen. Zijn ogen glansden triomfantelijk, alsof hij wilde zeggen: 'Je ziet hoe het zit. Ik kom op de eerste plaats en dat zal altijd zo zijn.'
Was dat echt wat hij bedoelde te zeggen? Of werd zijn eigen waarneming beïnvloed door afgunst?
Hij kon niet langer wachten. 'Het spijt me, Ronnie, maar we moeten gaan.'
'Nog een paar minuten,' smeekte Anna. 'Toe nou.'
'Ik vind het niet erg om te lopen, mam. Het is tenslotte een mooie dag.'
'Dan loop ik met je mee tot Market Court.'
'Weet je nog dat je me naar de lagere school in Hepton bracht? Op de hoek van Knox Road stond altijd een vrouw met krulspelden.'
'Ja. Een vreselijk mens. Altijd aan het roddelen.'
'En haar man zat altijd in het café. Maar ja, wat moet je anders met zo'n vrouw...'
Charles luisterde hoe ze spraken over mensen die hem niets zeiden. Hij voelde zich buitengesloten. Maar het was heel natuurlijk dat ze soms over hun verleden wilden praten.
Hij liep naar de deur, Ronnie bij zijn ontbijt en zijn moeder achterlatend.

'Heb je echt een leuke dag gehad?'

'Heel leuk. Twee uur scheikunde en twee uur Latijn. Daar kan toch niets tegenop?'

Anna lachte. Ze zat bij Ronnie op bed. De avond was warm en de ramen stonden open. De geur van de rivier was te bespeuren. 'Denk je dat je het daar naar je zin hebt?' vroeg ze.

'De faciliteiten zijn nogal tweederangs, maar ik zal proberen er het beste van te maken.'

Weer lachte ze. Hij ook. Hij zag er elegant uit in de zijden pyjama die ze voor hem had gekocht. Vroeger had ze zoiets niet kunnen betalen. Maar nu wel.

Een vloerplank in de gang kraakte. Gewoon omdat het een oud huis was, maar toch verstrakte ze even, half verwachtend dat Vera zou binnenstormen om een of ander zinloos klusje gedaan te krijgen. Het verleden bleef zich opdringen.

'Heb je al vrienden gemaakt?'

'Nee.'

'Hoe zit het met Alice Wetherby? Je liep vanmiddag met haar naar huis.'

'Dat betekent niet dat ze mijn vriendin is.'

'Ze is erg knap.'

'En verwend. Ik loop liever alleen, maar ze vindt mijn gezelschap blijkbaar prettig en ik kan haar niet zomaar negeren. Ze woont in onze straat.'

Ze verborg haar opluchting onder een toegeeflijk lachje. 'Natuurlijk. Welk meisje zou niet in gezelschap van zo'n knappe jongen willen zijn?'

'Mam!'

'Het is toch zo?' Ze streek het haar uit zijn ogen. De pyjama deed hem jonger lijken dan hij was. Hij leek meer op de kleine jongen die hij was geweest dan op de jongeman die hij snel zou zijn. Ze vond dat prettig.

'Charles zegt dat je je vrienden altijd mee mag nemen.'

'Dat is heel wat anders dan in Moreton Street.'

'Dit is Moreton Street niet. Dit is je thuis en je hebt geen toestemming meer nodig. Charles wil dat je dat weet.'

Hij knikte.

'Je vindt hem toch aardig?'
'Natuurlijk. Hij is je man.'
'Is dat de enige reden?'
'Nee.'
'Waarom dan?'
Hij keek bezorgd.
'Ronnie?'
'Omdat hij mijn vader niet is. Mijn vader heeft je gekwetst. Charles zou dat nooit doen.'
'Je vader heeft jou ook gekwetst.'
'Niet echt. Ik heb hem nooit gekend.'
'Maar dat wilde je wel. Je had het altijd over hem.'
'Toen was ik nog jong. Een klein kind.'
Even bleef de bezorgde blik hangen. Toen was het weg, vervangen door de glimlach van Ronnie Sunshine. Even geruststellend als een knuffel.
'Ga maar slapen,' zei ze.
Hij ging liggen. Buiten klonk het geluid van vechtende zwanen. De kamer keek prachtig uit over de rivier. Een antiek bureau stond bij de erker. Een van de laden zat op slot. Ze wees ernaar. 'Wat zit daarin?'
'Niets.'
'Waarom zit die lade dan op slot?'
'Is dat zo?'
'Dat moet jij weten. Jij hebt de sleutel.'
'Ik wil hem wel openlaten als je dat wilt.'
'Niet als je dat niet wilt.'
'Het kan me niet schelen.'
'Mij ook niet. Je mag best geheimpjes hebben.'
'Ik heb geen geheimen. Niet voor jou.'
Ze keek hoe hij daar lag en dacht aan de kleine slaapkamer in Hepton. De wanden waren bedekt geweest met tekeningen die hij voor haar had gemaakt, vol kleur en vreugde. Maar er waren andere tekeningen die hij haar nooit had laten zien. Degene die hij had verborgen onder de losse vloerplank onder zijn bed.
Ze had hem nooit verteld dat ze wist van die plank. Af en toe, toen hij nog erg jong was, keek ze eronder en bestudeerde ze de

duistere, boze visioenen die hij daar bewaarde. Maar uiteindelijk was ze daarmee gestopt. Het waren tenslotte maar tekeningen. Afbeeldingen zonder zin of betekenis. Ongeveer vanaf zijn zevende had ze niet langer gekeken. Dat was rond de tijd dat Vera dat ongeluk had met het frituurvet en de rolschaats.

Hij glimlachte naar haar. Weer zo'n heerlijke Ronnie Sunshinelach die al haar zorgen als bij toverkracht deed verdwijnen. Iets wat hij moest weten, want niemand kende haar beter dan hij.

Maar zij kende hem ook beter dan wie dan ook. Wat hij ook voor geheimen had, het was toch allemaal even tijdelijk als een onweersbui in de zomer. Voorbijtrekkende buien die de schoonheid van het seizoen niet konden verstoren.

Meer kan het niet zijn. Ik weet het zeker.

'Welterusten, mam. Ik hou van je.'

Ze omhelsde hem terwijl de zwanen buiten verder vochten.

De volgende ochtend ruimde ze zijn kamer op en ze keek naar de boeken op zijn bureau.

De titels alleen al waren voldoende om haar te doen duizelen. *De geschiedenis van de industriële revolutie. William Pitt: een biografie. Lord Byron en de romantische beweging in de Engelse cultuur. De geboorte van de democratie: revolutie en hervormingen in het Europa van de negentiende eeuw.* Het was moeilijk te geloven dat haar kleine Ronnie al die boeken had gelezen en begrepen.

Maar hij was haar kleine Ronnie niet meer. Over een maand zou hij zestien worden. In de ogen van velen een man, ver afstaand van de jongen van negen die ze in Hepton had moeten achterlaten. Een jongen die haar nodig had gehad op een manier die ze nooit eerder had ervaren.

Maar hij had haar nog steeds nodig. Dat was niet veranderd. Wel op een andere manier misschien, maar dat hij haar nodig had, was gebleven.

Hij is nog steeds mijn Ronnie Sunshine. Hoe oud hij ook is, dat zal nooit veranderen.

Ze stootte met haar been tegen de lade met het slot. Ze trok aan het handvat, in de hoop dat de lade zou openen. Maar hij bleef dicht.

Zondagmiddag. Susan liep Market Court op.

Er had zich een menigte verzameld rond de trappen van het stadhuis. Paul Benson zou zijn essayprijs ontvangen uit handen van de burgemeester en worden gefotografeerd voor de plaatselijke krant. Het was niet haar bedoeling geweest om te komen kijken maar op het laatste moment had ze besloten dat ze niet weg kon blijven.

Het was een mooie dag. Paul stond in de zon en zag er piekfijn uit in zijn schooluniform. De burgemeester, hoogdravend als altijd, hield een toespraak over de prijzen die hij zelf had gewonnen toen hij ongeveer even oud was en dat hij daarom de respectabele positie had bereikt die hij nu bekleedde. Ze stond wat achteraf. Ze wilde niet dat Paul haar zag en zou denken dat ze nog steeds iets voor hem voelde. Want dat was niet zo. Ze voelde niets meer voor hem.

Ten slotte overhandigde de burgemeester de prijs aan Paul. De menigte begon te klappen. 'Even lachen,' zei de fotograaf. De grijns van Paul spleet zijn gezicht bijna in tweeën. Toen ze het zag, besefte ze dat ze hem nog steeds haatte, om zowel de wreedheid waarmee hij haar had behandeld als haar eigen zwakte om iets voor hem te voelen.

En toen gebeurde het.

Er viel iets uit de lucht. Precies op het moment dat de foto werd genomen. Iets donkers en zwaars kwam op het hoofd van Paul en de burgemeester terecht en viel in stukken uiteen.

Het applaus stierf weg en er heerste opeens een verbijsterde stilte. Een bruine brok kleefde in het haar van Paul. Ook zijn colbertje zat onder het spul. De burgemeester, al even bevuild, veegde zijn kleren af en keek rond met grote schrikogen van afschuw.

'Het is koeienstront!' riep een man in de menigte.

Iemand lachte. Anderen deden mee. Susan keek omhoog naar het raam van de leeszaal van de oude bibliotheek, maar het werd aan het zicht onttrokken door de dakrand. De dader was niet te zien.

De burgemeester begon met een rood aangelopen hoofd te tieren over deze schandelijke daad. Paul, al even rood, was bijna in tranen. De fotograaf had de dag van zijn leven. Hij zag de krantenkoppen al voor zich. 'Burgemeester slachtoffer van verdwaalde drol',

'Onzichtbare opstandige koe verpest grote dag student', 'Ophangen is nog te goed voor die runderen'.

Het gelach bleef aanzwellen. Algauw lachte ze mee, zo intens dat ze er buikpijn van kreeg.

Tien minuten later zat ze op een bankje op de hoek van het plein een ijsje te eten. De menigte had zich verspreid, de meesten nog met een lach op het gezicht. Martin Phillips en Brian Harper, Pauls zogenaamde vrienden, reden op hun fiets rond het Normandische kruis. Ze vroeg zich af of zij verantwoordelijk waren voor het incident.

'Hallo.'

Er stond een jongen naast haar. Degene die haar had nagetekend. Ronald of zoiets.

Hij ging op het bankje zitten. 'Ga zitten,' zei ze sarcastisch.

'Ben je blij?'

'Waarmee?'

'Met wat er gebeurd is. Ik zag je vanuit het raam.'

'Welk raam?'

'In de bibliotheek.'

Ze beet hard in haar aardbeienijsje. Martin, die met losse handen fietste, zwenkte om een hond te ontwijken en viel prompt van zijn fiets. Brian joelde. Ze wilde net hetzelfde doen, toen ze besefte wat Ronald had gezegd.

'Heb jij het gedaan?'

'Ja.'

'Waarom?'

'Om de manier waarop hij je heeft behandeld.'

'Wie heeft je daarover verteld?'

'Alice Wetherby.'

'Je bent met haar bevriend, maar je doet iets voor mij?' Ze snoof verachtelijk. 'Daar geloof ik niks van.'

'Ik ben niet met haar bevriend. We wonen toevallig in dezelfde straat.'

'Woon je in The Avenue?'

'Ja.'

'Dus je moeder is de nieuwe mevrouw Pembroke.'

Hij knikte.

'En wat vindt zij ervan dat je drollen naar vips gooit?'

'Ze is er heel trots op. Welke moeder zou dat niet zijn?'

Opeens merkte ze dat ze lachte. Hij keek haar aan. Zijn blonde haar omlijstte een knap gezicht en pientere ogen. Zijn kleren zaten hem als gegoten. Hij leek op de mannelijke versie van Alice.

Meteen schoot ze in de verdediging. Ze wist waar hij op uit was. Waar alle jongens op uit zijn. En ze wist hoe ze ervoor moest zorgen dat hem dat zou spijten.

'Er zijn eenvoudigere manieren om indruk op me te maken. Je hoeft alleen maar de magische woorden te zeggen.'

'Welke woorden zijn dat?'

'Dat ik op Elizabeth Taylor lijk.'

'Je lijkt op wie je bent.'

'En wie is dat?'

'Een bijzonder iemand.'

'Ja ja. Ik ben bijzonder. Het enige meisje in deze stad die het met iedereen heeft gedaan. Eén complimentje en ik spreid mijn benen. Dat denk je, hè?'

'Hoe weet jij wat ik denk?'

'Omdat ik door je heen kan kijken als een röntgenapparaat. Je gelooft die roddels omdat dat gemakkelijker is dan uit te zoeken wat waar is. Tenzij die roddel natuurlijk over je moeder gaat.'

Hij fronste zijn wenkbrauwen. 'Wat zeggen ze over mijn moeder?'

'Heb je dat niet gehoord? Dat verbaast me. Iedereen heeft het erover.'

'Waarover?'

'Dat ze alleen maar op geld uit is. Dat ze zelfs met een lepralijder zou trouwen als zijn bankrekening vet genoeg was.'

'Dat is niet waar.'

'Ze is zeker met je stiefvader getrouwd vanwege zijn uiterlijk.'

'Je weet helemaal niets van haar.'

'O, nee? Als je roddels over mij gelooft waarom zou ik die roddels over haar dan niet geloven? Het is tenslotte een vrij land, zelfs voor hoeren en geldwolven.'

Hij stond op. Hij zag er zo kwaad uit dat ze dacht dat hij zou gaan slaan. Maar toen hij sprak klonk zijn stem kalm.

'Misschien heb je gelijk. Als geld en een mooi huis willen hebben betekent dat iemand een geldwolf is, dan is ze dat. Maar voor je haar veroordeelt, moet je weten dat ze pas dertien was toen ze haar hele familie heeft verloren bij een luchtaanval. Haar moeder, vader en broer in één klap dood. Ze was pas zeventien toen ze mij kreeg. Mijn vader was dood, ze had geen geld en woonde bij familieleden die niet op haar zaten te wachten en die hun uiterste best deden om ervoor te zorgen dat ze me ter adoptie af zou staan. Maar dat wilde ze niet, en mijn hele leven heeft ze geprobeerd mij de dingen te geven die ze zelf niet heeft gehad. Daarom is ze hier komen werken, en daarom is ze met mijn stiefvader getrouwd. Als dat haar in jouw ogen tot een slecht mens maakt, het zij zo. Maar zij zou nooit iemand veroordelen zonder de feiten te kennen, en als jij dat wel doet dan ben je misschien echt zo'n stomme hoer als ze zeggen.'

Hij draaide zich om en liep weg. Ze zei tegen zichzelf dat het haar niet kon schelen. Ze probeerde zich te concentreren op haar woede maar ze merkte dat een ander gevoel dat ze niet had verwacht, sterker was. Schaamte.

'Ronald, wacht.'

Hij bleef staan en keek naar zijn voeten.

'Kom terug.'

Dat deed hij. Ze zaten in stilte, naast elkaar in de middagzon terwijl vrouwen met boodschappenmanden langsliepen, klagend over de hoge prijzen.

'Sorry,' zei ze na een tijdje.

Hij gaf geen antwoord. Ze wilde dat hij zou reageren en gaf hem een por. Haar ijsje was aan het smelten en ze deed er wat van op zijn neus. 'Niet zo mokken,' zei ze.

Nog steeds geen antwoord. Weer gaf ze hem een por. 'Kom op, Ronald. Lach eens.'

'Ik heet Ronnie,' zei hij opeens. 'Niemand noemt me Ronald.'

'Dat verbaast me niets. Het is een vreselijke naam.'

'Geef Ronald Colman maar de schuld. Mijn moeder heeft me naar hem vernoemd.'

'Waarom? Was hij haar idool?'

'Nee. Maar ze kon de naam Humphrey Bogart niet spellen.'

Weer moest ze lachen. Eindelijk glimlachte hij ook. Warm en echt. Misschien leek hij toch niet echt op Alice.

'Het spijt me wat ik over je moeder zei. Ik geloof niet dat ze een geldwolf is.'

'Anderen wel?'

Ze dacht aan haar stiefvader. 'Sommigen. Maar dat zijn idioten.'

'Het spijt me dat ik kwaad werd.'

'Ik zou ook kwaad worden als iemand dingen over mijn moeder zei.'

'Je zou denken dat ik er nu wel aan gewend moest zijn.'

'Hoezo?'

'Niets. Helemaal niets.'

Haar ijsje was nu helemaal gesmolten. Ze gooide het in de afvalbak. 'Daar gaat mijn goeie geld.'

'Ik wil wel een andere voor je kopen.'

'Het geeft niet. Ik had er tien keer zoveel voor over gehad om dat gezicht van Paul te zien.'

'Dat kan nog steeds. Ik accepteer ook cheques.'

'Waarom heb je het gedaan?'

'Voor jou.'

'Maar waarom?'

'Omdat ik je wil leren kennen.'

'Dat ben ik niet waard. Vraag het maar aan iedereen.'

'Ik geloof niet in roddel en ik denk dat je het wel waard bent.'

'Dus je wilt mijn prins op het witte paard zijn.' Ze schudde haar hoofd. 'Verknoei je tijd niet, Ronnie. Ik hoef niet zo nodig begrepen te worden.'

'Ik wel,' zei hij eenvoudig.

'Zit je zo ingewikkeld in elkaar?'

'Dat zou best kunnen.'

'Je houdt wel van risico's. Heeft iemand je gezien in de bibliotheek?'

'Zie ik er zo stom uit?'

'Ontzettend.'

Weer glimlachte hij. Even aantrekkelijk als daarvoor. Maar de glimlach van Paul was ook aantrekkelijk geweest en het naïeve meisje van twaalf maanden geleden bestond niet meer.

Ze stond op. 'Zoek maar iemand anders die je kan begrijpen. Dat moet niet moeilijk zijn met jouw uiterlijk. De meisjes staan in de rij. Maar Alice zou ik niet kiezen. Onder die zoete buitenkant zit een boosaardige teef. En dat is geen geroddel.'

'Ik zie je nog wel.'

'Uiteraard. We wonen immers in dezelfde stad.'

'Dat bedoelde ik niet.'

'Maar zo is het nu eenmaal. Tot kijk, Ronnie.' Een korte stilte. 'En, eh...'

'Wat?'

'Goed gemikt.'

Toen was het haar beurt om weg te lopen.

Maandagochtend. Twee dagen later. Ze zat aan de ontbijttafel terwijl oom Andrew tekeerging over de grofheid van de moderne jeugd. De krant van de vorige dag lag op tafel. PRIJSUITREIKING VERSTOORD DOOR PRACTICAL JOKE was de kop. Ze had gehoopt op een smeuïger krantenkop, maar de bijbehorende foto van Paul onder de smurrie maakte dat meer dan goed.

'Weet je zeker dat een jongere het heeft gedaan?' vroeg Susans moeder. 'In de krant stond dat ze niet weten wie de dader is.'

Oom Andrew keek haar vernietigend aan. 'Wat is jouw theorie dan? Pensioengerechtigden die protesteren tegen de verhoogde bibliotheektarieven? Het is vast een van die relschoppers uit Holt Street geweest.' Hij smeerde marmelade op zijn toast. 'Het is de schuld van de televisie. Dat brengt ze op allerlei ideeën.'

'Dan is het maar goed dat we er nooit een gehad hebben.'

'Hoewel dat niet heeft kunnen voorkomen dat een zeker persoon geschorst is.' Hij wees naar Susan. 'Je kunt je vanaf nu maar beter goed gedragen.'

'Dat doet ze vast wel,' zei haar moeder.

'Laten we het hopen. Het zou wel aardig zijn als ze haar laatste semester op Heathcote zou doorkomen zonder schorsingen.'

Susan pakte een toast. Ze zat er mistroostig en terneergeslagen bij. Ze hadden haar afgelopen maandag verteld dat ze naar kostschool moest, net nadat ze hen had verteld dat ze geschorst was. 'We hoopten dat het niet zover zou komen,' had oom Andrew gezegd, 'maar na dit incident hebben we echt geen keus meer.' Hij probeerde spijtig te klinken maar in feite was hij in zijn nopjes. Ze had precies gedaan wat hij wilde.

Ze had het natuurlijk niet geaccepteerd. Een actrice moest de voorstelling geven die het publiek verdiende. Ze had geprotesteerd. Gehuild zelfs. Volmaakt vertoon van ontdaanheid, totdat ze zich er uiteindelijk mokkend bij had neergelegd. Oom Andrew was niet de enige die kon huichelen. Ze had een harde leerschool van jaren ervaring achter zich.

En ze was er beter in dan hij.

Hij bleef maar tieren en gaf de jongeren van haar leeftijd de schuld van alles wat er mis was in de wereld. Ze bleef stil zitten en hield haar masker in stand.

Een halfuur later ging ze naar school.

Ze liep snel en negeerde het gefluister en het gestaar. Ze deed net of het haar niets kon schelen, precies zoals ze het afgelopen jaar elke dag had gedaan. Alleen was het deze keer geen toneelspel. Het meisje dat zich niets aantrok van de mening van anderen, was een week geleden voor de spiegel in haar slaapkamer verdwenen en vervangen door iemand die niet begreep dat zoiets triviaals haar ooit had kunnen verontrusten.

De gebruikelijke groepjes stonden bij het hek. Alice was als een opgewonden praatpop aan het ratelen tegen Ronnie, daarbij af en toe vuile blikken op Kate werpend, die zich in het gesprek probeerde te mengen. Niet dat het een echt gesprek was. Ronnie knikte alleen, met een vage maar onmiskenbare trek van verveling op zijn gezicht. Misschien was Alice echt niets meer voor hem dan iemand uit dezelfde straat.

Maar het was niet belangrijk.

Kate probeerde zich nog steeds in het gesprek te mengen, wat meer blikken van Alice opriep. Anderen wierpen ook boze blikken. Jongens met wie Alice ooit had geflirt keken nu dreigend naar Ronnie. Even voelde ze zich bezorgd om hem. Ze hoopte dat hij er niet onder zou lijden dat hij de aandacht van Alice had getrokken.

Maar het was haar probleem niet.

Ronnie ving haar blik. Zijn uitdrukking was vragend. Ze had

geen antwoorden voor hem, haalde haar schouders op en keek weg.

De volgende zondag nam ze Jennifer mee naar een speeltuin in de buurt.

Hand in hand wandelden ze over Queen Anne Square. Het had de afgelopen twee dagen flink geregend en Susan was even bang geweest dat de zomer voorbij was, maar die ochtend was de lucht helder en de zon stralend, dus misschien duurde de zomer nog even.

Terwijl ze de weg naderden die naar Market Court voerde, zag ze Ronnie.

Hij stond op de hoek van de straat, handen in de zakken en staarde haar aan.

'Wat wil je?' riep ze.

'Jou zien.'

'Ik ben bezig.' Ze liep verder.

Jennifer trok aan haar hand. 'Wie is dat?'

'Een of andere stomme jongen. Wat zullen we eerst doen, schommelen of glijden?'

'Schommelen!'

'Ik ga hoger schommelen dan jij.'

'Nee. Ik ga zo hoog als de lucht!'

Ze liepen over Market Court, mensen die ze kenden beleefd groetend. Jennifer bleef maar achterom kijken.

'Wat is er, Jenjen?'

'Die jongen loopt achter ons aan.'

'Dat bewijst hoe stom hij is. Kom, we gaan ons liedje voor hem zingen.'

En dat deden ze. Een wijsje dat ze voor de grap had verzonnen.

Jongens zijn gek, jongens zijn stom.
En meisjes die op jongens vallen zijn superdom!

Ze liepen de Court af en gingen de zijstraat in die naar de speeltuin leidde.

'Hij volgt ons nog steeds,' zei Jennifer.

Ze knikte. Ze probeerde ergernis te voelen terwijl ze besefte dat ze het leuk vond.

De speeltuin lag dicht bij haar vroegere huis en had schommels, een glijbaan en een aftandse draaimolen die was versierd met afbeeldingen van paarden. Het ding werd nog maar zelden gebruikt omdat er vorig jaar een grotere was neergezet. Maar Susan nam Jennifer er nog steeds mee naartoe, net zoals haar vader met haar had gedaan.

Ze liep met Jennifer naar de schommels. Ronnie zat op een bankje bij de ingang. Ze trok een gek gezicht naar hem, greep de touwen beet en zette zich af, hoger en hoger komend. Terwijl de lucht langs haar gezicht woei, sloot ze haar ogen en deed alsof ze vloog. Een kort maar heerlijk moment voelde ze zich als het kind dat ze eens geweest was, voor wie het leven een avontuur was zonder zorgen of angsten.

Naast haar schreeuwde Jennifer het uit van opwinding. 'Ik ga hoger dan jij, Susie! Kijk maar!' Meteen nam haar volwassen kant het weer over. Ze ging langzamer schommelen en opende haar ogen zodat ze kon zien of Jennifer niet hoger ging dan veilig was. Ze zag ook dat er nu anderen in het park waren.

Martin Phillips en Brian Harper zaten op de draaimolen te roken en staarden naar haar, net als Ronnie. Hun fietsen lagen vlak bij hen op de grond. Martin fluisterde iets tegen Brian, die begon te grinniken. Ze zei tegen zichzelf dat ze hen moest negeren. Wat maakte het uit, een beetje gescheld? Schelden deed geen pijn.

Maar Jenjen zou er last van kunnen hebben.

Brian bleef grinniken. Jennifer was opgehouden met schommelen en keek hem behoedzaam aan. 'Ik vind dat geen leuke jongens, Susie.'

'Maak je maar geen zorgen. Ze gaan zo weg.'

'Dat is niet erg vriendelijk,' zei Martin. Hij sprak met dikke tong. Susan wist dat hij vaak alcohol uit de drankkast van zijn vader stal en ze begon zich zorgen te maken.

Ze glimlachte geruststellend naar Jennifer. 'Kom, we gaan naar de glijbaan.'

'Ik heb iets waar je op kunt glijden,' zei Brian.

'Ik ook,' zei Martin, met zijn sigaret tussen duim en wijsvinger geklemd in een poging stoer te doen. Hij inhaleerde diep en kreeg prompt een hoestbui. Hoewel ze wist dat het gevaarlijk was, barstte ze toch in lachen uit.

Hij slikte, zijn ogen stonden waterig. 'Wat is er zo leuk?'

Minachting won het van behoedzaamheid. 'Het gezicht van een zielige kleine jongen die stoer probeert te doen en vreselijk de mist ingaat.'

'Beter dan een stomme hoer die doet alsof ze een dame is.'

Ze wilde niet dat Jennifer dit hoorde. 'Kom, Jenjen. We gaan naar huis.'

'Ja, donder op, hoer,' schold Martin. Brian grinnikte weer.

En toen zei Ronnie: 'Dat moet je niet nog eens zeggen.'

'Waar bemoei jij je mee?' wilde Brian weten.

Ronnie liep naar de draaimolen. 'Ze is geen hoer,' zei hij kalm tegen Martin. 'Dus zeg dat alsjeblieft niet nog een keer.'

Martin keek kwaad. Susan voelde onheil. 'Laat maar, Ronnie.'

'Ja, laat maar, Ronnie,' papegaaide Brian. 'Daar bereik je niets mee bij haar. Daar heb je geld voor nodig.'

Ronnie stompte hem in het gezicht.

De klap kwam slecht aan en gleed langs Brians kaak. Maar het was genoeg om hem woest te maken. Martin en hij sprongen op. Martin greep Ronnie van achteren beet terwijl Brian hem terugsloeg. Beiden waren ouder en sterker en dronken genoeg om hem een flink pak slaag te geven.

En dat kon ze niet toelaten.

Ze ging tussen Ronnie en Brian in staan voor er weer een klap viel. 'Niet doen,' smeekte ze Brian. 'Hij heeft je nauwelijks geraakt.'

'Ga opzij.'

'Je kunt het nauwelijks gevoeld hebben.' Ze hief smekend haar handen op. 'Alsjeblieft.'

Hij aarzelde. Ze profiteerde van het moment, greep hem bij zijn schouders en gaf hem een kopstoot.

'Maar dat zal wel pijn doen!'

Hij schreeuwde het uit en bedekte zijn neus met zijn handen. Ze ramde haar knie in zijn kruis en keerde zich toen naar Martin. Het bloed klopte in haar slapen. 'Jij bent de volgende,' zei ze. Hij liet Ronnie los en leek echt bang. Ze balde haar vuisten en ging in een bokshouding staan. 'Waar ben je bang voor? Ik ben maar een stomme hoer. Wat kan ik nou doen?'

Brian begon op te krabbelen. Ze gaf hem een schop tegen zijn kont en hij viel weer neer. Martin deinsde terug. 'Stomme gek!'

'Dat klopt. Het zit in de familie, wist je dat niet?'

Weer probeerde Brian op te staan. Ze gaf hem nogmaals een schop. Martin pakte zijn fiets. Ze daagde hem uit door hem uit te schelden voor lafbak.

Voor de derde keer probeerde Brian op te staan. Deze keer liet ze hem. Hij hobbelde naar zijn fiets en wreef over zijn pijnlijke testikels. Hij wilde Martin achterna en vluchten, dat was maar al te duidelijk. Ze keek hen na, terwijl haar bloed nog steeds kookte. Toen ze bij de ingang van het park kwamen, draaide Martin zich om. 'Ze moesten je opsluiten!'

'Dat lukt jou niet in je eentje.' Ze lachte boosaardig.

En ze hoorde Jennifer snikken.

Ze zat in elkaar gedoken op de schommel. Haar schouders schokten en ze keek doodsbang. Susans opgewonden stemming verdween en maakte plaats voor schaamte. 'O, liefje, kom hier.'

'Ik dacht dat ze je pijn zouden doen. Ik dacht...'

Ze droogde Jennifers tranen en maakte sussende geluidjes. 'Hoe zouden ze dat kunnen? Het zijn maar jongens en we weten wat we van jongens vinden, toch?' Ze begon hun liedje te neuriën en trok gekke gezichten. Ze probeerde Jennifer aan het lachen te krijgen en uiteindelijk lukte dat ook. 'Dat is beter. Je bent een dappere meid. De dapperste ter wereld.'

Ronnie stond naar hen te kijken. Zijn lip bloedde. Het deed haar deugd. Het was allemaal zijn schuld. Hij veegde zijn lip met zijn hand af. 'Pak je zakdoek,' zei ze.

'Die heb ik niet bij me.'

'Jezus!' Ze gaf Jennifer nog een kus, liep naar hem toe en gaf hem haar zakdoek. 'Neem deze.'

Hij bette zijn kin. 'Doet het pijn?' vroeg ze.

'Nee.'

'Jammer. Je maakt er een smeerboel van. Laat mij maar.' Ze drukte de zakdoek tegen de wond en voelde hoe hij ineenkromp. 'Sta stil, Lancelot. En zoek de volgende keer iemand van je eigen kaliber uit. Dan word je misschien niet doodgeslagen.'

'Ik zou niet doodgeslagen zijn.'

'Ja ja.'

'Het is waar. Mijn neef gebruikte mij altijd als boksbal en bij hem vergeleken zijn die twee een stel mietjes.'

'Het zijn ook mietjes. Ik ben blij dat die neef je heeft geslagen. Je verdient het.'

'Ik ben blij dat jij blij bent.'

'Waarom deed hij het?'

'Om me respect voor hoeren bij te brengen.'

Ze dwong zich bedenkelijk te kijken. Ze was nog steeds boos op hem. Echt waar.

'Ik breng Jennifer naar huis. Als je achter ons aan gaat lopen, probeer dan niet weer in een knokpartij te raken. Ik help je niet nog een keer.'

Ze drukte de zakdoek tegen de snee, zodat hij voor de tweede keer ineenkromp. Toen liep ze terug naar Jennifer.

Twintig minuten later. Ronnie stond in Queen Anne Street en keek hoe Susan Jennifer naar huis bracht.

Hij hield de zakdoek nog steeds tegen zijn lip. De snee was gevoelig maar hij merkte het niet. Hij was te beschaamd over zijn roekeloze gedrag en de slechte indruk die hij gemaakt had.

Susan hield Jennifers hand vast terwijl ze op de deur van een huis op de hoek klopte. Er werd opengedaan door een man van middelbare leeftijd met een vriendelijk gezicht. Waarschijnlijk Jennifers vader. De man raakte de wangen van Jennifer aan. Kennelijk zag hij de sporen van tranen. Hij verwachtte dat Susan naar hem zou wijzen, maar dat deed ze niet. Ze streelde alleen Jennifers haar, liefhebbend glimlachend. Het was een prachtige glimlach. Warm als de zomerzon.

De man nam Jennifer bij de hand en leidde haar naar binnen. Hij gaf aan dat Susan moest binnenkomen maar ze schudde haar hoofd, gebarend dat ze moest gaan maar dat ze snel weer terug zou zijn.

De deur werd gesloten. Ze liep op hem af, als een danseres, met elke stap kracht uitstralend. Mensen hadden wel eens gezegd dat hij ook kracht uitstraalde. Misschien was dat zo. Maar hij had niet haar gratie.

Ze stak haar hand uit. 'Mijn zakdoek.' Haar toon was nors, haar blik standvastig. Die schitterende ogen waar een onnadenkende jongen zodanig voor kon vallen dat hij voor altijd verloren was. Zo'n soort jongen zou hij nooit zijn.

Dat had hij tenminste altijd gedacht.

'Het spijt me. Ik wilde Jennifer niet bang maken. Geloof me, alsjeblieft.'

'Mijn zakdoek.'

Hij gaf hem terug. 'Het spijt me,' zei hij nogmaals.

Ze boog zich naar voren en kuste hem zachtjes op de wang.

'Idioot,' fluisterde ze, voordat ze zich omdraaide en langzaam wegliep.

De volgende morgen beloofde het een mooie dag te worden. Susan droeg haar schooltas en liep over Queen Anne Square.

Ronnie stond op de hoek, net als de vorige dag. Deze keer was het geen verrassing. Ze had verwacht dat hij er zou zijn, hoewel ze niet kon zeggen waarom.

En ze vond het fijn. Hoewel ze dat eigenlijk niet wilde.

'Heb je niets beters te doen dan op straathoeken te staan?'

'Nee.'

'Dan kun je maar beter met me meelopen.'

Ze kwamen bij Market Court. De winkels moesten nog opengaan, maar er stonden al rijen mensen voor de deur te wachten. Zijn lip was gezwollen. Zijzelf had een bult op haar voorhoofd maar die kon ze verbergen onder haar haar.

'Alles goed met Jennifer?' vroeg hij.

'Niet dankzij jou.'

'Of jou. Zelfs ik schrok.'

'En jij bent een professionele bokszak.'

'Nu met pensioen en op zoek naar een waardiger beroep. Pleeborstel of zoiets.'

Ze lachte maar voelde zich tevens ongemakkelijk over hoe gemakkelijk hij dat voor elkaar kreeg.

Ze liepen verder en bereikten ten slotte de schoollaan. Anderen liepen naast hen, smoezend over dit vreemde nieuwe stel. Alice stond bij het hek. Haar mistroostige blik veranderde in een uitdrukking van afschuw toen ze zag met wie Ronnie was.

'Je vriendin heeft ons gezien.'

'Ze is mijn vriendin niet.'

'Goed. Ze verdient beter dan een professionele pleeborstel.'

Deze keer was het zijn beurt om te lachen. Ze voelde zich opgewekt. Zelfs al wilde ze dat niet.

Ze stonden tegenover elkaar buiten het hek. Martin Phillips keek haar behoedzaam aan. Hij was nu bang voor haar, en terecht.

Maar was hij ook bang voor Ronnie?

'Wees voorzichtig,' zei ze opeens.

'Ik kan wel voor mezelf zorgen.'

'Laat je niet provoceren.'

'Ik wil niet dat mensen nare dingen over je zeggen.'

'Het zijn maar woorden. Ze doen er niet toe.'

'Voor mij wel.'

'Dan ben je gek.'

'Uiteraard. Wat verwacht je anders van een professionele pleeborstel?'

Iedereen staarde hen aan. Ronnie leek het niet te merken, laat staan dat het hem iets kon schelen. Hij had een zekere beheersing over zich. Een kracht die als een schild werkte, waardoor alle blikken van hem af leken te kaatsen. Misschien kon hij toch wel voor zichzelf zorgen.

Maar ze wilde het risico niet nemen.

'Als mensen dingen over me zeggen, moet je niet reageren. Alsjeblieft, Ronnie. Doe het voor mij.'

Hij glimlachte. 'Oké. Voor jou.'

De bel ging. 'Ik wacht na schooltijd op je,' zei hij. 'Dan zal ik een nieuw ijsje voor je kopen.'

'Ik eet geen ijs meer.'

'Jawel. Een hoer kan niet zonder ijs. Dat is een medisch feit.'

'En waar heb je dat gelezen? In een stripboek?'

'Nee. *Emergency Ward Ten*.' Een zucht. 'En dan durven ze nog te zeggen dat het een waardeloze serie is.'

'Tot kijk dan, dokter.'

'Tot kijk, Susan.'

'Susie. Niemand noemt me Susan.'

'Dat verbaast me niks. Stomme naam.'

'De schuld van mijn grootmoeder. Mijn vader heeft me naar haar vernoemd.'

'Dus zij heette ook Susan.'
'Nee. Maar papa kon Gwendolyn niet spellen.'
Opnieuw lachte hij. Ze draaide zich om en liep het schoolplein op, de starende blikken van zich afschuddend als vliegen. Behalve zijn blik die zich als twee warme lampen in haar onderrug nestelde.
Ze wilde het geen prettig gevoel vinden, maar het was wel zo.

Tien voor vier. Ze liep het schoolhek uit en zag dat Ronnie op haar stond te wachten.
Verder was er niemand. De school was al twintig minuten geleden afgelopen. Ze had al die tijd in de bibliotheek doorgebracht in de hoop dat hij verdwenen zou zijn als zij kwam. Maar zodra ze hem zag was ze blij dat hij had gewacht.
Een halfuur later zaten ze bij de rivier, in de buurt van Kendleton Lock, hun voeten bungelend in het water met de zon op hun gezicht en eenden en zwanen die hoopten op stukjes brood. Ben Logan, de sluiswachter, hielp een vrouw met het aanmeren van haar boot en zwaaide naar hen.
'Mijn moeder vindt dit een prachtig plekje,' zei Ronnie. 'Vlak voor de oorlog is ze hier met haar familie op vakantie geweest in een kanaalboot. Ze zegt altijd dat dat haar mooiste herinnering is.'
Een vlieg vloog rond haar hoofd. Ze wuifde hem weg met haar hand. 'Het moet vreselijk zijn geweest voor haar. Haar familie verliezen toen ze nog jonger was dan wij nu zijn.'
'Jij was pas zeven toen je je vader verloor.'
'Maar ik had mijn moeder nog.'
'Ik zou niet weten wat ik moest doen als ik de mijne verloor.'
'Je houdt echt veel van haar, hè?'
Hij knikte en maakte golfjes in het water met zijn tenen. Zij deed hetzelfde en genoot van de koelte tegen haar huid.
'Was die familie van jou echt verschrikkelijk?'
'Tegen haar wel.'
'En tegen jou ook, zo te horen. Die neef die jou als boksbal gebruikte.'
'Dat kan me niet schelen. Ik kan voor mezelf zorgen.'
'Ja, dat geloof ik ook. Zorg je ook voor haar?'
'Natuurlijk.'

'Net zoals ik voor mijn moeder zorg.'

Stilte. Ze wachtte tot hij iets zou zeggen, maar hij staarde alleen maar over de rivier.

'Alice zal je wel over mijn moeder verteld hebben. Zoiets zal ze niet gauw laten.'

'Het moet eng geweest zijn. Op die leeftijd begreep je vast nog niet wat er allemaal gebeurde.'

'Dat klopt. En het was eng. Heel eng.'

Hij keek haar aan met een blik van sympathie. 'Denk je nooit...'

'Ja. Voortdurend. Maar het zal niet meer gebeuren. Ik sta het niet toe.'

'Ze mag blij zijn dat ze zo'n sterk iemand heeft om haar te beschermen.'

Ze nam een bokshouding aan.

'Dat bedoelde ik niet.'

'Dat weet ik.' Even stilte. 'Bedankt.'

De sluis ging open. Boten dreven de rivier op. 'Mama had tijdens die vakantie een boot die *Ariel* heette,' zei hij. 'Ze kijkt nog wel eens of ze hem ziet als ze hier komt.'

'Ze komt hier regelmatig. Ik heb haar vaak gezien. Ze ziet er aardig uit.'

'Dat is ze ook. Je zou haar mogen.'

'Je stiefvader ziet er ook aardig uit.'

Hij knikte wat halfslachtig.

'Vind je hem niet aardig?'

'Natuurlijk wel. Hij is haar echtgenoot.'

'Dat is geen reden om iemand aardig te vinden.'

'Goed genoeg.'

'Wat was je vader voor iemand?'

Hij pakte een steen op en liet hem over het water scheren.

'Je moeder zal toch wel over hem verteld hebben?'

Een knikje.

'Vreselijk dat hij zo jong gestorven is. Hoe lang waren ze getrouwd?'

'Ze waren niet getrouwd.'

Ze stond versteld. 'Echt niet?'

'Mijn vader was soldaat. Mijn moeder ontmoette hem op een

dansavond toen ze zestien was. Hij beloofde dat hij na de oorlog terug zou komen om met haar te trouwen, maar toen de oorlog voorbij was, is hij nooit komen opdagen.'

'Is dat de reden waarom je familie wilde dat ze je ter adoptie af zou staan?'

'Ja.'

'Maar ze deed het niet. Dat was dapper.'

'Als jij zwanger zou raken en je was niet getrouwd, zou jij je baby dan weggeven?'

Ze zag Jennifer voor zich die alleen in het donker lag, kijkend naar de schaduwen. Bang, maar met niemand om haar te helpen. 'Nee. Ik denk niet dat ik dat zou kunnen.'

'Ben je geschokt?'

'Zou dat moeten?'

'De mensen in Hepton waren wel geschokt. Iedereen roddelde er altijd over. Ze gebruikten het als een middel om mijn moeder te kleineren en duidelijk te maken dat ze minderwaardig was.'

'Weet iemand het in Kendleton?'

'Alleen mijn stiefvader.'

'En ik nu ook.'

Ze keken elkaar aan. 'Ja,' zei hij. 'Jij nu ook.'

'Bedankt dat je me vertrouwt. Ik beloof dat ik het nooit verder zal vertellen. Ik weet hoe ik een geheim moet bewaren.'

Hij gooide weer een steen. Er kwamen meer boten de sluis in. Een botste tegen een andere en er ontstond ruzie tussen de schippers.

'Er zijn nog andere dingen die ik je zou kunnen vertellen,' zei hij ten slotte.

'Is dat zo?'

Hij keek ongemakkelijk.

'Je kunt het mij wel vertellen, Ronnie. Als je wilt, bedoel ik.'

Hij ademde diep in. Ze wachtte verwachtingsvol.

'De hoofdstad van Albanië is Tirana.'

Even was ze in de war. Toen barstte ze in lachen uit.

'Idioot.'

'Dat dacht ik niet. Ik kan het getal pi tot tweehonderd cijfers achter de komma opdreunen.'

'Ik heb niks gezegd. Je bent ontzettend slim.'
'Dat kun je van jou niet zeggen.'
'Hoeren hoeven niet slim te zijn.'
'Weet je op welke filmster je echt lijkt?'
'Wie?'
'Norma Shearer. Over haar werd gezegd dat je geen enkele gedachte van haar gezicht kon aflezen.'

Ze schopte water naar hem. Hij schopte wat terug. De eenden peddelden weg en snaterden verwijtend. 'Ik ken haar,' zei hij, naar een eend met een kromme vleugel wijzend. 'Ze zit altijd achter onze tuin. Mijn moeder geeft haar zoveel te eten dat het een wonder is dat ze niet zinkt.'

'Het moet heerlijk zijn om een tuin aan het water te hebben.'
'Kom eens langs, dan kun je het zien.'
'Dat kan ik niet doen. Alice zou de weg blokkeren.'
'Dat is het ergste niet. Je moet wel uitkijken voor de landmijnen. Kom volgend weekend theedrinken. Dan kun je mijn moeder ontmoeten.'

Hij glimlachte weer. Terwijl ze naar hem keek, besefte ze dat ze gelukkig was. Dat ze zich bij hem gelukkiger voelde dan ooit, sinds...

Paul.

Haar defensieve neigingen staken weer de kop op. Ze zou zich niet opnieuw laten afleiden door een jongen. Juist nu was het van belang dat ze zich nergens door liet afleiden.

'Ik kan niet. Ik moet het weekend op Jennifer passen.'

Hij keek teleurgesteld. Ze voelde zich rot. Maar er was niets aan te doen.

'Je houdt veel van Jennifer, hè?'
'Ja.'
'En ik kan een geheim bewaren.'
'Wat bedoel je?'
'Niets. Ik wilde alleen dat je het wist.'

Hij keek haar nog steeds aan. Die knappe jongen die zo zelfverzekerd en kalm overkwam. Plotseling wilde ze al haar geheimen vertellen. Haar last delen met iemand die sterk genoeg leek om haar te helpen die last te dragen. Maar ze kon het niemand vertellen.

Nooit.

'Ik moet gaan, Ronnie.'

'Nog niet. Je hebt nog een ijsje van me te goed.'

'Een andere keer misschien.'

'Als je gaat werp ik me in de rivier en zullen de zwanen me doden.'

'Dat doen ze niet.'

'Dat doen ze wel. Ze geloven dat een bad in menselijk bloed hun veren wit houdt. Dat heb ik ook bij *Emergency Ward Ten* gehoord.'

Haar lip begon te trillen. 'Probeer me niet steeds aan het lachen te maken.'

'Waarom niet? Het is gemakkelijker dan te proberen je aan het denken te krijgen.'

Ze schopte meer water naar hem. Het watergevecht eindigde pas toen beiden doornat waren.

Vijftien minuten later gingen ze Cobhams Milk Bar in.

Alle tafeltjes waren bezet met jongens en meisjes van Heathcote en andere scholen. Martin Phillips zat bij Edward Wetherby, maar zijn aanwezigheid deerde haar niet, en Ronnie leek het evenmin iets te kunnen schelen.

Ze stonden bij de toonbank en keken toe hoe de verkoopster hun ijsjes maakte. Toen Ronnie betaalde kwam een meisje om kleingeld vragen voor de jukebox.

Toen riep Edward Wetherby: 'We hebben je vriendin allebei gehad, Ronnie.'

De Milk Bar viel stil. Mensen schoven opgewonden heen en weer, hopend op een lekkere rel. Susan en Ronnie keken elkaar aan. Hij leek volkomen op zijn gemak en ze wist zonder meer dat alles wat hij zou doen goed zou zijn.

En dat was ook zo. Zonder zich ook maar om te draaien zei hij, net hard genoeg, zodat iedereen het kon horen: 'Dat weet ik. En ik zou je willen bedanken dat jullie haar, gezamenlijk bedoel ik, de beste vijf seconden van haar leven hebben bezorgd.'

Iedereen barstte in lachen uit. Edward werd rood. Susan tikte Ronnie op de arm. 'Geen vijf seconden, Ronnie,' zei ze, luid genoeg voor iedereen. 'Ik zei toch dat het bijna zeven seconden waren.'

Toen boog ze zich naar voren zodat haar gezicht dat van Edward bijna raakte en fluisterde: 'Begrijp me goed, als je met hem gaat vechten, vecht ik met jou.' Ze knikte even in de richting van Martin. 'En dat win ik.'

Het gelach hield aan. Ze stond op en nam haar ijsje aan van Ronnie.

'Breng Jennifer mee volgend weekend. Mijn moeder vindt het niet erg. Ze is dol op kinderen.'

'Oké.'

'Goed.'

Ze liepen de zaak uit. Edward bleef opgelaten achter.

Dinsdagavond. Charles klopte op de slaapkamerdeur van Ronnie.

Ronnie zat aan zijn bureau te studeren. 'Stoor ik?' vroeg Charles.

Ronnie schudde zijn hoofd en wees op een stoel naast het bureau. Zijn boek stond vol met wiskundige formules. Charles huiverde. 'Voor mij zijn dat net hiërogliefen.'

'Hield je niet van wiskunde op school?'

'Ik had er een bloedhekel aan. Mijn leraar had een spraakgebrek dus we konden geen woord verstaan van wat hij zei. Hoe iemand ooit een voldoende voor een proefwerk heeft gehaald is een wonder.'

'Mijn vroegere leraar Frans kwam uit Wenen, dus we leerden Frans met een Oostenrijks accent. Het was zo sterk dat niemand ons kon verstaan toen we met de klas naar Parijs gingen.'

Ze lachten.

'Ik wist niet dat je naar Parijs bent geweest.'

'Het ging niet door. Mam wilde wel dat ik ging maar ze kon de reis niet betalen.'

Steek onder water.

'Ze zei dat we dit weekend bezoek krijgen.'

'Is dat goed? Ze zei dat je het leuk zou vinden als ik wat vrienden uitnodigde.'

'Heel leuk.' Een stilte. 'Susan is een mooi meisje.'

Ronnie knikte.

'Mag je haar graag?'

'Ja.'

'Je moet haar eens mee naar de film nemen. Of naar een rockband.'

Ronnie keek geamuseerd. 'Welke groep zou je aanraden?'

'Och, ik weet het niet. Cliff Richard and the Comets. The Everly Quintuplets.'

Ronnie lachte. Charles was blij. 'Echt, Ronnie, als je haar ergens mee naartoe wilt nemen maar krap bij kas zit, moet je het me laten weten. Ik spring graag bij.'

'Dat is aardig.'

'Welnee. De eerste schreden op het pad der liefde moeten gladjes verlopen.'

'Maar ze is niet zo iemand die alleen op iemand valt omdat hij geld heeft.'

Steek onder water.

'Nou ja, het aanbod blijft staan.'

'Ik weet het.' Ronnie glimlachte. 'Bedankt.'

'Doet je lip zeer?'

'Nee. Is mama nog steeds bezorgd?'

'Een beetje. Maar daar zijn moeders voor. Luister, Ronnie, ik dacht laatst dat de wanden van haar slaapkamer een beetje kaal zijn. Waarom laten we niet een paar tekeningen van jou inlijsten, dan kunnen we ze daar ophangen.'

'Dat is een goed idee.'

Weer overviel Charles dat tevreden gevoel. 'We moeten er een paar uitzoeken. Een stuk of zes?'

'Dat lukt wel. Ik weet welke ze mooi vindt.'

Steek onder water.

Maar was dat echt zo? Waren ze wel zo mooi?

'Natuurlijk. Ik hoor het wel als je een keuze hebt gemaakt.'

'Goed.'

Stilte. Charles probeerde iets te bedenken om het gesprek voort te zetten. Hij wilde dat ze vrienden zouden zijn. Nauw bij elkaar betrokken. Hij had altijd vader willen zijn en wist van Anna dat Ronnie altijd een vader had gemist. Nu was er niets wat de vervulling van hun wens in de weg stond.

Maar alleen als Ronnie het wilde.

Hij staarde naar de jongen die hem aankeek. Deze knappe, slimme jongen die zich altijd hoffelijk tegenover hem gedroeg.

En die hem aankeek met die gesloten blik.

Wat verberg je, Ronnie? Wat gaat er in je om? Wie is de echte Ronnie Sunshine?

Hij stond op. 'Ik zal je maar weer alleen laten met je hiërogliefen.'

'Goed. Nogmaals bedankt voor het aanbod.'

'Graag gedaan.'

Twee minuten later ging hij de woonkamer binnen.

Anna zat labeltjes in Ronnies schoolkleding te naaien. 'Waar kom je vandaan?' vroeg ze.

'Ik heb even mijn pijp gepakt en wat gekletst met Ronnie.' Hij ging naast haar zitten. De televisie stond aan. Een komiek vertelde schoonmoedergrapjes en het studiopubliek gierde het uit. Hierna kwam een dramaserie waar ze beiden graag naar keken.

'Hoe is het met Ronnie?'

Hij stopte zijn pijp. 'Zo goed als mogelijk is voor een jongen met wiskundehuiswerk.'

'Denk je dat hij gepest wordt?'

'Nee. Het was maar een knokpartijtje. Mijn vrienden en ik hadden dat voortdurend op school. Als je denkt dat mijn gezicht nu een puinhoop is, dan had je me eens moeten zien toen ik zo oud als Ronnie was.'

Stilte. Hij had gehoopt dat ze zou lachen of, nog beter, een gebaar van affectie zou maken. In plaats daarvan zuchtte ze alleen maar.

'Je moet je geen zorgen over hem maken, schat. Hij is taaier dan je denkt.'

'Vroeger vocht hij nooit.'

'Alle jongens vechten af en toe. Dat hoort bij de leeftijd.'

'Als hij veel vocht, zou ik het weten. Ronnie heeft geen geheimen voor me.'

'Wat betekent dat hij het zou zeggen als hij gepest werd. En anders wordt hij dus niet gepest.' Hij gaf een kneepje in haar arm. 'Dus hou op met tobben.'

Ze ging verder met haar naaiwerk. Hij stak zijn pijp aan en blies rookwolken uit. Buiten wierp de ondergaande zon rode en gouden stralen over het oppervlak van de rivier. 'Als het goed weer blijft,' zei hij, 'kunnen we zaterdag buiten in de tuin eten. Jennifer kan de zwanen voeren.'

Voor het eerst glimlachte ze. 'Zijn mijn maaltijden zo slecht dat ze het eten zou weggooien?'

'Oneetbaar. Waarom denk je dat ik zoveel aankom?'

'Ik denk dat ik het maar bij sandwiches en taart hou. Dingen die kleine kinderen graag eten.'

'Middelbare mannen ook. Hoewel ik me schaam om het toe te geven.'

Ze lachte. Weer gaf hij haar arm een kneepje terwijl de televisiekomiek zijn show besloot en luid applaus kreeg.

'Ik ben blij dat hij een maatje heeft gevonden,' zei ze ten slotte.

'Ik denk dat Ronnie wel meer in haar ziet.'

'Echt?'

'Ze is erg knap.'

'Ja, dat wel.'

'Net als jij.'

Ze negeerde het compliment. 'Maar Ronnie is te jong om in meisjes geïnteresseerd te zijn.'

Hij wordt volgende maand zestien. Dezelfde leeftijd die jij had toen je zijn vader ontmoette.

'Trouwens, hij zou het me wel verteld hebben als hij iets voor haar voelde. Hij vertelt me alles.'

'Natuurlijk.'

'We hebben nooit geheimen voor elkaar. Als hij iets niet vertelde, zou het om iets triviaals gaan. Niet iets wat er echt toe deed of iets betekende.'

Hij knikte. Een vreemde gedachte kroop zijn hoofd binnen. Even geniepig als een dief.

Wie probeer je te overtuigen, Anna? Mij of jezelf?

Denk jij ook dat hij iets verbergt?

Haar hand gleed uit, de naald prikte in haar vinger. Ze huiverde en zag er plotseling uit als een gewond kind. Een golf van liefde overspoelde hem. Hij wilde zijn armen om haar heen slaan en haar dicht tegen zich aan drukken. Haar vrijwaren van ellende en pijn.

Maar het kon niet. Hun huwelijk draaide om vriendschap, niet om romantische liefde. Gescheiden slaapkamers en geen fysieke intimiteit, afgezien van kleine gebaren die hem duidelijk maakten dat ze hem mocht. Maar dat stond mijlenver af van de diepe emoties die hij voor haar voelde.

Hij drukte haar gewonde vinger tegen zijn lippen. 'Doet het pijn?' vroeg hij zacht.

Ze glimlachte weer. 'Niet nu hij beter is gekust.'

'Goed zo.'

'Ons programma begint over een paar minuten. Zal ik vast koffie zetten?'

'Lekker. Bedankt, schat.'

Bij de deur aarzelde ze even en ze draaide zich om.

'Ik ga even bij Ronnie kijken.' Een glimlach. 'Maar ik ben zo terug dus hou mijn plaats bezet.'

Dat deed hij. Maar toen het programma een uur later was afgelopen, was die plaats nog steeds leeg.

Donderdag, vroeg in de avond. Ronnie liep met Susan over Market Court.

Haar benen deden zeer. Ze hadden de namiddag in de bossen ten westen van de stad gelopen. Ze kende die bossen opmerkelijk goed. Ze kon de weg bijna blindelings vinden. Ze had hem een pad laten zien, bijna verborgen door de begroeiing, dat helemaal naar de rivieroever leidde. 'Niemand gebruikt dit pad,' had ze gezegd. 'Ik geloof niet dat iemand weet dat het bestaat.' Hij had wilde bloemen gezien en ze had hem geholpen die te plukken voor zijn moeder.

Ze kwamen op de hoek van Queen Anne Square. 'Ik wacht morgen op je,' zei hij.

'Krijg je er nooit genoeg van om rond te hangen op straathoeken?'

'Nee. Het zit in mijn bloed. Ik stam waarschijnlijk af van een geslacht van inbrekers.'

Ze lachte. Iemand riep haar naam. Een lange, gezette man kwam naderbij. Hij droeg een duur pak en hij had een beminnelijke uitdrukking op zijn gezicht. 'Hallo, Susie. Heb je gewandeld?'

'Ja, oom Andrew.'

'Wie kan je dat kwalijk nemen op zo'n mooie middag.'

Ronnie stak zijn hand uit. 'Ik ben Ronnie Sidney.'

De man keek hem glimlachend aan. 'En ik ben Andrew Bishop, de stiefvader van Susie.' De handdruk was stevig en vriendelijk. 'Sidney, hè? Ben je toevallig de zoon van mevrouw Pembroke?'

'Ja.'

'Nou, welkom in Kendleton. Hoe bevalt het je hier?'

'Heel goed. Mijn moeder schreef al in haar brieven dat het mooi was, maar in werkelijkheid is het nog mooier.'

'Heeft Susie je de bezienswaardigheden laten zien?'

'Ja.'

'Dan weet ik wie ik de schuld moet geven als haar huiswerk eronder lijdt.' Meneer Bishop lachte innemend. Ronnie keerde zich naar Susan, opgelucht dat zijn eerste ontmoeting met iemand van haar familie goed leek te gaan. Ze lachte tegen hem en zag er net zo uit als altijd.

Maar iets aan haar was anders.

Hij wist het instinctief. Een verandering die hij niet waarnam maar wel kon voelen. Haar fysieke aanwezigheid verminderde. De uitstraling van onkwetsbaarheid was verkleind. Dit meisje dat meer moed had dan wie dan ook. Dat voor niemand bang was.

Maar voor hem is ze wel bang.

'Zijn die bloemen voor je moeder?' vroeg meneer Bishop.

'Ja, als ze nog niet dood zijn voor ik thuis ben.' Hij lachte ook en liet niet blijken dat hij iets had gemerkt. 'Mijn moeder heeft Susie en Jennifer uitgenodigd voor de thee op zaterdag.'

'Wat aardig van haar.' Meneer Bishop keek stralend naar Susan. 'En wat leuk voor Jenjen.'

Susan knikte. 'Ja, ze zal het echt leuk vinden.' Ze glimlachte nog steeds en haar stem klonk vast, maar haar lichaam leek wel elektrisch geladen. Vooral bij het horen van de afkorting van Jennifers naam.

'We kunnen maar beter naar huis gaan,' zei meneer Bishop. 'Susies moeder wordt heel boos als we te laat komen voor de thee.' Hij grijnsde naar Susan. 'Dat is toch zo, Susie?'

'Ja, oom Andrew. Tot ziens, Ronnie.'

'Tot ziens, Susie. Tot ziens, meneer Bishop. Leuk u ontmoet te hebben.'

'Insgelijks, Ronnie. Tot gauw, hoop ik.'

Ze liepen weg. Meneer Bishop draaide zich om en zwaaide.

Waarom is ze bang? Hoe heb je haar zo bang gemaakt?

Nog steeds glimlachend wuifde hij terug.

Zaterdagmiddag. Charles zat in de tuin met Anna, Ronnie en hun gasten.

Ze hadden die middag nog een gast: Mary Norris, de weduwe van zijn vriend dokter Henry Norris, die de vorige winter aan een hartaanval was overleden. Henry en hij hadden samen gestudeerd en Mary kon altijd langskomen.

Het was een levendig gezelschap. Jennifer trakteerde hen op een verzameling van liedjes die ze op school had geleerd. Een vurige versie van 'Land of the Buffalo' was zojuist overtroffen door een nog gepassioneerdere vertolking van 'Little Donkey'.

'Nu ga ik "My Old Man Said Follow The Van" zingen,' kondigde ze aan.

'Je hebt nu wel genoeg gezongen, Jenjen,' zei Susan snel.

'Nee. Mevrouw Boyd zei dat ik de beste van de klas was met dat liedje.'

'En ik zou het graag horen,' voegde Mary toe.

'Zie je wel.' Jennifer keek Susan veelbetekenend aan en barstte weer in zingen uit. Charles, die een lach moest onderdrukken, zag dat Mary's lippen ook trilden. Hij ving haar blik op aan de andere kant van de tafel en knipoogde samenzweerderig.

De tafel stond vol met heerlijkheden. Sandwiches, chips en allerlei broodjes en gebak, alles zelfgemaakt door Anna. Jennifer stopte midden in een liedje en dronk gulzig van de limonade. Daarna zuchtte ze tevreden en begon opnieuw. Charles' aanvechting om te lachen werd nog groter. Hij beet op zijn lip en keek naar de zwanen die op het water landden en naar de oever zwommen. Hoewel de zon scheen, wees iets fris in de lucht op de naderende herfst.

Eindelijk was Jennifer klaar. 'Nu is het echt genoeg, Jenjen,' zei Susan resoluut.

'Maar het was prachtig,' zei Mary. 'Je kunt heel goed zingen.'

'Dank u.' Jennifer schonk haar een stralende lach, wendde zich tot Charles en schonk hem dezelfde lach. Dat had ze sinds haar komst hier regelmatig gedaan. Hij lachte terug en lette erop dat de gehavende kant van zijn gezicht niet te zien was.

'Wil je chocoladetaart, Jennifer?' vroeg Anna.

'Ja, graag.'

'Wil je later zangeres worden?' vroeg Mary.

Jennifer knikte. 'Of cowboy. Ik ken een liedje over cowboys.'

'Dat je niet gaat zingen,' zei Susan.

Jennifer keek verontwaardigd. 'Waarom zing je het niet als we onze thee op hebben?' vroeg Mary en ze werd beloond met weer een stralende glimlach. Net als Charles, hoewel hij niet wist waarom.

Meer zwanen kwamen bij de oever. 'We kunnen ze later voeren,' zei Anna tegen Jennifer.

'Hou je van zwanen, Jennifer?' vroeg Mary.

'Ja. Susie en ik geven ze altijd brood bij de sluis.'

'Dan moet je geen cowboy worden,' zei Ronnie. 'Er zijn geen zwanen waar de cowboys wonen. Alleen buffels en coyotes en rode indianen met tomahawks.' Hij stootte een indianenkreet uit die haar deed giechelen. Susan glimlachte kort. Ze leek wat mat en niet helemaal op haar gemak.

'Wil je nog wat eten?' vroeg Charles.

'Nee, dank u, meneer Pembroke.' Ze nipte van haar limonade en staarde naar de tafel. Bij aankomst had ze zeker van haarzelf geleken, maar dat vertrouwen was snel verdwenen. Opnieuw vroeg hij zich af waarom.

'Heb jij ooit cowboy willen worden, Ronnie?' vroeg Mary.

'Ronnie heeft altijd kunstenaar willen worden,' zei Anna, trots naar haar zoon kijkend. 'Vanaf het moment dat hij een potlood kon vasthouden.'

Mary keek naar Susan. 'En jij, liefje? Wat wil jij worden?'

'Ik weet het niet.'

'Nog geen idee?'

Susan schudde haar hoofd. Ze leek vooral slecht op haar gemak bij Mary, hoewel dat niet nodig was. Mary hield van jonge mensen en meestal was dat wederzijds. Van Jennifers kant zeker.

En van Susans kant ook, in het begin. Ze hadden vrolijk zitten praten.

Tot op het moment waarop Mary onthulde wie haar echtgenoot was geweest.

Hij voelde iets kriebelen in zijn hoofd. Een herinnering die nog vorm moest krijgen.

'Jij kunt natuurlijk altijd nog model worden,' ging Mary verder, 'met jouw uiterlijk.'

'Dat zegt mijn vader ook,' zei Jennifer tussen twee happen taart door.

Mary knikte. 'De dochter van mijn neef is ook model en zij is lang niet zo mooi als jij. Ze woont nu in Londen en gaat altijd naar feestjes waar acteurs komen.'

'Dat zou Susie moeten worden,' zei Ronnie.

'Wat, acteur... actrice, bedoel ik?'

'Niet zomaar actrice. Filmster. Zo ziet ze eruit. Als een filmster.'

'Je hebt gelijk,' zei Mary.

Charles voelde de kriebel in zijn hoofd sterker worden.

En plotseling herinnerde hij het zich.

Hij zat in een pub met Henry en luisterde hoe hij sprak over een meisje dat hij had behandeld voor geslachtsziekte. Een ziekte die ze van haar vader had opgelopen.

Zo'n mooi kind. Ziet eruit als een filmster.

En hoeveel meisjes in Kendleton zagen eruit als Susan?

Haar vader moest toen al lang dood zijn geweest. Al lang.

Maar haar stiefvader niet.

Hij kon er natuurlijk niet helemaal zeker van zijn. Maar toch wist hij het.

Hij huiverde. Alsof er iemand over zijn graf liep.

Jennifer glimlachte nog een keer naar hem en vroeg toen aan Susan: 'Was mevrouw Hopkins van de bibliotheek dapper in de oorlog?'

'Waarom vraag je dat, schat?' vroeg Mary.

'Omdat ze een afschuwelijk gezicht heeft.'

'Stil toch, Jenjen!' zei Susan met sissende stem.

'Maar je zei dat meneer Pembroke zo'n afschuwelijk gezicht heeft omdat hij dapper was in de oorlog.'

Susan werd vuurrood. Iedereen was zenuwachtig en geagiteerd behalve Jennifer die alleen maar in de war leek.

'Ik vind dit geen afschuwelijk gezicht,' zei Charles tegen haar. 'Tenminste niet zo afschuwelijk als dit gezicht.' Hij stak zijn tong uit en liet zijn oren klapperen.

Jennifer schaterde het uit.

'Of dit gezicht.' Hij trok een ander gezicht.

De spanning viel weg. Mary en Ronnie begonnen ook te lachen.

'En kijk nou eens.' Hij deed een trucje waarbij het leek of hij zijn duim verwijderde en daarna weer tevoorschijn haalde. Jennifer krijste, haar ogen groot van ongeloof.

'Het lijkt net tovenarij, Jennifer, maar het is heel gemakkelijk. Zal ik je leren hoe het moet?'

Jennifer sprong van haar stoel en rende naar hem toe. 'Laat zien!'

Dat deed hij. Hij leerde haar de truc terwijl de anderen hen aanmoedigden. Hij bleef naar Susan kijken, maar haar ogen bleven op Jennifer gericht en ze had niets in de gaten.

Een halfuur later. Hij zat zijn pijp te roken en keek toe hoe de anderen de zwanen voerden.

'Meneer Pembroke.'

Susan stond naast zijn stoel, even slecht op haar gemak als eerder die dag. 'Ik wilde zeggen dat het me erg spijt...'

'Ik ben zeer gevleid dat je me dapper vindt. Dat is een groot compliment.' Hij glimlachte. 'Hoe onverdiend ook.'

Haar opgelatenheid verdween en nu glimlachte zij ook. Hij besefte dat ze hem aan Eleanor deed denken, het meisje met wie hij verloofd was geweest voor het ongeluk. Susan was knapper, maar de gelijkenis was aanwezig.

'Dus voel je alsjeblieft niet verlegen met de situatie. Dat hoeft niet. Bovendien gaf het me de kans om mijn kunsten als goochelaar te tonen.'

'Dat was heel goed.' Een stilte. 'Dat kun je van het gezang van Jennifer niet zeggen.'

'Daar ben ik het niet mee eens. Haar vertolking van "Little Donkey" had veel zeggingskracht.'

'Ze zingt voortdurend! Het is alsof je naast een wandelende jukebox loopt, alleen kun je haar niet uitzetten.'

Hij lachte. Jennifer, geholpen door Ronnie, klom in een over het water hangende boom. 'Dat is het mooie van die leeftijd,' zei hij. 'Je kent geen angst. Het leven is één groot avontuur. Pas als je ouder wordt leer je de angst kennen.'

De blik in haar ogen werd bedachtzaam. Hij wachtte op een antwoord maar ze zei niets.

'Vind je niet?'

'Niet voor haar.'

'We zijn allemaal bang, soms. Zelfs de dappersten onder ons.'

'Het zal niet gebeuren met haar, als het aan mij ligt. Ik wil dat ze blijft zoals ze is.'

'Ze mag blij zijn met zo'n vriendin als jij.'

'Waarom?'

'Omdat jij me iemand lijkt die je niet gauw bang krijgt.'

Weer een glimlach. 'Geloof dat maar niet. Allerlei dingen maken me bang.'

'Zoals?'

'Lunches op school. Huiswerk Frans. Niet gekozen worden voor het hockeyteam.'

En voor wat je stiefvader je aandeed in het donker toen er niemand was om je te helpen.

Jennifer riep iets naar Susan. 'Je wordt geroepen,' zei hij.

Ze knikte en liep al weg, maar ze draaide zich nog even om.

'Bedankt, meneer Pembroke.'

'Graag gedaan.'

Hij bleef op zijn stoel zitten en blies rook in de lucht. Jennifer zat in de boom en gooide brood naar de zwanen onder haar. Susan klom naast haar, hield haar vast bij haar middel en fluisterde iets in haar oor. Even keek Jennifer zijn kant op. Hij wuifde en ontving een brede grijns als antwoord.

Anna stond bij Mary en keek naar het gezelschap, net als hij. Hij hoopte dat ze van de middag had genoten en had gezien wie Susan werkelijk was. Echt. Warmvoelend. En geen bedreiging.

De tijd verstreek. Susan zei dat ze moest gaan. Jennifer rende naar hem toe. 'Bedankt dat u me de truc hebt geleerd,' zei ze, voordat ze hem op de wang kuste. Hij was geroerd dat een kind zo'n gehavend gezicht wilde kussen. Misschien had Susan daar wel op aangestuurd.

Hij keek hen na terwijl ze wegliepen. Ronnie liep met hen mee tot Market Court. Jennifer hield Susans hand vast en zwaaide haar arm door de lucht. Een mooi klein meisje met roodblond haar dat graag zong en niets wist van angst.

Maar Susan wel. Hij wist het zeker.

Ze wist er heel wat van.

'Wat een charmante meisjes,' merkte Mary op. 'Wat leuk dat ze zo dol zijn op elkaar.'

Hij knikte en hield zijn zorgen voor zichzelf.

Ronnie stond op de hoek van Queen Anne Square. Hij wachtte terwijl Susan Jennifer naar huis bracht.

Zijn schouders deden pijn. Jennifer had een groot deel van de terugtocht op zijn schouders gezeten, nog meer liedjes zingend. Niet dat hij het erg vond. Hij mocht Jennifer.

Terwijl ze het plein overstaken, ging de voordeur van het huis van Susan open. Meneer Bishop kwam naar buiten en riep iets naar hen. Ze stonden op hem te wachten. Jennifer sprong opgewonden op en neer terwijl Susan glimlachte en kleiner leek te worden. Net als de vorige keer.

Meneer Bishop ging op zijn hurken zitten en zei iets tegen Jennifer. Ze begon te lachen. Hij kietelde haar tussen de ribben, pakte haar op, gooide haar in de lucht en ving haar weer op. Hij streelde haar haren en kuste haar op de wang. Nog steeds lachend kuste ze hem terug.

En Susan huiverde. Hoewel haar glimlach op zijn plaats bleef.

Plotseling was Ronnie weer in Hepton, toekijkend hoe Vera zijn moeder vernederde. Hij zat in stilte aan de keukentafel, avond na avond, en verborg de woede die in hem brandde als een zuur omdat iemand van wie hij zielsveel hield werd gekwetst.

Van Susan hield hij ook.

Hij wist het nu. Het was overduidelijk. Dat meisje dat anders was dan iedereen die hij had ontmoet. Haar schoonheid, kracht en moed overtrof alle anderen. Maar toch kon ze gekwetst worden.

En niemand kon iemand die hij liefhad kwetsen. Hij stond het niet toe. Iedereen die dat deed, zou er spijt van krijgen. Vera had dat al ontdekt.

Nu zou Andrew Bishop het ook ontdekken.

Zondagochtend. Susan liep naar beneden om te gaan ontbijten.

Ze liep zachtjes langs de slaapkamer van oom Andrew. Hij was nog niet terug van de pub toen ze de vorige avond naar bed was gegaan. Vier avonden daarvoor was het hetzelfde liedje geweest. Zijn drankgebruik, dat hij even had ingetoomd, was nu weer net zo erg als daarvoor. Evenals zijn humeur. Zijn gedrag verbaasde haar moeder, maar haar niet. Ze begreep wat er gebeurde. Wat zich afspeelde in zijn hoofd.

Hij wordt ongeduldig. Hij kan niet wachten tot januari. Hij wil Jenjen nu.

Onder aan de trap hoorde ze zijn stem. Hij was dus al op. De moed zonk haar in de schoenen.

Maar hij klonk vrolijk. Geanimeerd. Dat was anders nooit zo als hij een kater had.

Wat was er aan de hand?

Ze stond achter de deur van de eetkamer, hield haar adem in en luisterde.

'Dus hij gaat?' vroeg haar moeder.

'Uiteraard. Waarom wachten tot januari als ze willen dat hij in november begint? Alles is al geregeld. Ze moeten alleen nog een huurder voor het huis vinden maar daar zorgt de makelaar wel voor.'

'Maar denk je echt dat het goed is als Susie midden in het schooljaar verhuist?'

Een snuif van ongeduld. 'Waarom niet, in hemelsnaam? Het is een uitstekende school en ze schijnen het niet erg te vinden als ze wat vroeger komt.' Een lach. 'Vergeet niet dat ze er extra geld voor beuren, dus ik denk niet dat ze zullen klagen.'

'Het lijkt allemaal zo overhaast.'

'Dat is niet zo.' Weer dat ongeduld. 'Ze verwachten haar niet voor half oktober dus we hebben nog minstens drie weken om alles voor te bereiden. Dat is tijd genoeg, zelfs voor jou.'

Drie weken? Zit ik over drie weken in Schotland?

Haar hart ging tekeer. Dit kon niet waar zijn. Ze had meer tijd nodig om na te denken en een plan te verzinnen. Veel meer tijd.

Een vloerplank kraakte onder haar voet. 'Ben jij dat, Susie?' riep haar moeder.

Ze ging de kamer binnen. Oom Andrew keek ontstemd. 'Je bent te laat. Op zondag ontbijten we om negen uur.'

'Maar vijf minuten.' Ze moest moeite doen om met vaste stem te spreken.

'Toch te laat.'

'Het spijt me.' Ze kuste hem op de wang. Zijn adem rook naar verschaalde drank. Hij keek nog steeds humeurig, maar zijn ogen keken door haar heen alsof ze een geest was. De geest van nachten uit het verleden, die nu plaatsmaakten voor de geest van nachten die nog kwamen.

Nadat ze haar moeder had gekust ging ze zitten, ze schonk thee in en smeerde wat boter op haar toast. Ze ademde rustig. Dwong zich tot kalmte. Als ze haar vertelden over de gewijzigde plannen, zou ze doen alsof ze van streek was, maar op een berustende manier. De façade hooghouden. Niets laten merken.

Het is maar acteren, Susie. Je kunt het, dat weet je.

'Heb je goed geslapen?' vroeg haar moeder.

'Ja, dank je.'

Oom Andrew gebaarde naar het raam. 'Het wordt zo te zien een mooie dag. We moeten vanmiddag met zijn allen gaan wandelen. Langs de rivier, of zo.'

'Dat is een goed idee,' zei haar moeder.

'Dat is dan afgesproken.' Oom Andrew leunde achterover in zijn stoel en rekte zich uit. 'Susie, je moet Jenjen meenemen. Ze vindt het leuk daar bij het water.'

Haar mond zat vol toast. Ze moest bijna kokhalzen. Ze kon er niet tegen als hij in de buurt bij Jennifer was. Haar aanraakte. Haar vasthield. Haar aan het lachen maakte. Haar leerde dat ze hem kon vertrouwen. Net zoals hij met een ander klein meisje had gedaan, nog niet zo lang geleden.

Drie weken. Meer tijd heb ik niet. Drie weken.

Maar ik kan het doen. Ik kan het. Voor Jenjen kan ik het.

O, god, ik hoop dát ik het kan.

Ze slikte door en glimlachte.

'Dat zou leuk zijn,' zei ze.

'Wat is er, Susie? Wat is er aan de hand?'
'Niets.'

Maandagmiddag na school. Ze liep met Ronnie diep in de bossen.
Ze had hem niet willen zien. Ze had zelfs geprobeerd hem te ontlopen. Ze ging eerder weg uit school en aan het eind van de dag ging ze in de bibliotheek zitten. Maar toen ze eindelijk door het hek naar buiten ging, stond hij daar te wachten.
En ze was blij geweest. Hoewel ze dat eigenlijk niet wilde.
'Ik geloof je niet,' zei hij.
Ze zat op de stam van een omgevallen boom. Hij zat naast haar. 'Ze zeggen dat het spookt in deze bossen,' zei ze. 'Volgens een legende zat een moeder hier honderden jaren geleden met haar dochter te picknicken. Na het eten viel de moeder in slaap. De dochter ging aan de wandel en ze is nooit meer teruggezien. Volgens die legende verloor de moeder haar verstand. De rest van haar leven bleef ze hier zoeken en als je diep genoeg het bos in gaat en luistert, kun je haar nog horen roepen dat haar dochter thuis moet komen.'
'Heb je haar ooit gehoord?'
'Ik dacht een keer van wel, maar het was inbeelding. Het is maar een verhaal.'
'Ik zou je een verhaal kunnen vertellen. Een verhaal dat niemand kent, behalve ik.'
Ze kraste wat in de aarde met een stok. 'Vertel maar, dan.'
'Ik haatte mijn tante. Van al mijn familieleden haatte ik haar het meest. Niet om hoe ze tegen mij deed, maar vanwege de manier waarop ze mijn moeder behandelde. Ze commandeerde haar als een dienstmeid. Vernederde haar voor de ogen van anderen. Hield haar altijd voor dat ze het dak boven ons hoofd op elk willekeurig moment kon wegrukken.
Op een dag maakte ze mijn moeder aan het huilen en ik kon er niet meer tegen. Ik besloot wraak te nemen. Dus ik verborg een rolschaats bij het fornuis terwijl zij stond te koken. Ze trapte erop en kreeg kokend frituurvet over haar arm. Ze hield er littekens aan over. Zelfs nu, als het echt heet is, draagt ze lange mouwen om die te verbergen.
Niemand heeft ooit geweten dat ik erachter zat. Ze dachten dat

het een ongeluk was. Ik heb het een keer aan mijn moeder proberen te vertellen, maar ze wou niet luisteren. Ik ben haar volmaakte zoon, snap je, en volmaakte zonen doen niemand kwaad. Maar ik schaam me niet voor wat ik gedaan heb. Ik vind dat je iemand moet terugpakken die een persoon kwetst van wie je houdt. Ik heb mijn tante pijn gedaan omdat ze mijn moeder pijn deed en als anderen haar pijn zouden doen, zou ik hen ook pijn doen.'

Ze wendde zich naar hem toe. 'Waarom vertel je me dit?'

'Omdat je stiefvader jou pijnigt.'

Stilte. Afgezien van de wind in de takken van de bomen.

'Ik heb ogen, Susie. Ik zie hoe je je gedraagt bij hem.'

'Hoe dan?'

'Bang.'

Ze begon te trillen. De drang om alles eruit te gooien voelde als een fysieke pijn. Maar het was te gevaarlijk.

'Praat erover.'

'Dat kan ik niet.'

'Ja, dat kun je wel.'

Weer een stilte. Ze keek naar de bomen rondom hen heen. De bladeren veranderden van groen in bruin. Weldra zouden ze vallen, de grond bedekkend als een deken.

'Hij kwetst je, hè?'

'Niet meer.'

'Wat heeft hij gedaan? Je kunt me vertrouwen. Dat weet je toch?'

'Dat heeft hij ook ooit gezegd.'

'Maar ik ben hem niet.'

Ze staarde hem aan. Die jongen met zijn ingehouden kracht, die haar verdedigde als anderen haar wilden vernederen. Die haar een gevoel van geluk gaf. En… een gevoel van veiligheid.

'Je moet zweren op je leven dat je het nooit verder zult verklappen.'

'Niet op mijn leven. Op het leven van mijn moeder, want zij betekent alles voor me.'

'Zweer het dan. Op haar leven.'

'Ik zweer het.'

En dus vertelde ze het hem. Het geheim dat ze bijna acht jaar met zich mee had gedragen. De wind ving haar woorden zodra ze uitgesproken waren, alsof die haar geheim wilde helpen bewaren. Hij luisterde en zei niets. Hij keek haar alleen maar aan met warme ogen en oordeelde niet.

'Ik kreeg van hem gonorroe toen ik dertien was. De dokter die me behandelde was de man van Mary. We hingen een verhaal op over een jongen op een feestje, maar hij wist wat er werkelijk aan de hand was. Toen ik besefte wie Mary was, kwam alles terug. Niet dat zij het zou weten. Doktoren mogen niet over hun patiënten praten, zelfs niet met hun vrouw.' Ze lachte hol. 'Ik zou dokter moeten worden. Ik ben goed in geheimen.'

Hij schudde zijn hoofd. 'O, Susie... Waar ben je bang voor? Ik bedoel, wat is je grootste angst?'

'Voor mij is het een droom die ik heb gehad sinds het begon. Daarin ben ik gestorven en in de hemel bij mijn vader. Ik ben zo opgewonden dat ik hem weer ga zien dat ik huil. Maar als we elkaar ontmoeten, zegt hij dat hij me haat. Hij zegt dat ik slecht ben en dat alles wat er is gebeurd mijn schuld is. Dat ik wilde dat het gebeurde. Dat hij zich schaamt als hij me ziet, laat staan dat hij me nog als zijn dochter wil erkennen.'

Ze kreeg een brok in de keel. Ze probeerde te slikken. Vastbesloten sterk te blijven. 'Het doet er trouwens niet toe wat hij denkt. Zo bijzonder was hij niet. Gewoon een man met een fotozaak die slechte grappen vertelde en die niet met geld kon omgaan. Hij liet schulden achter na zijn dood. Zo geweldig was hij. Beter kwijt dan rijk zou ik zeggen.'

Toen barstte ze in tranen uit.

Hij probeerde een arm om haar heen te slaan maar ze duwde hem weg. Ze sloeg met een vuist op haar slaap, uitdrukking gevend aan de woede die ze in zich voelde. 'Zwak. Zwak!'

'Je bent niet zwak, Susie. Dat is wel het laatste wat je bent.'

'Maar Jennifer is wel zwak.'

'Wat bedoel je?'

'Hij gaat met haar beginnen. Hij heeft het al maanden voorbereid. Ik word weggestuurd en zij krijgt mijn slaapkamer. Ze is pas zes! Nog heel klein. Hij denkt dat ik hem niet kan tegenhouden. Hij weet dat niemand me zal geloven als ik het vertel. Niet als het zijn woord tegen het mijne is.'

Ze ademde diep in. De lucht was vochtig. Het kon elk moment gaan regenen.

'Maar ik kan hem niet tegenhouden. Er is maar één definitieve oplossing.'

'Hem vermoorden.'

'Ja.'

Ze staarden elkaar aan. Ze veegde haar ogen droog en voelde zich plotseling gewichtsloos. De last die ze zo lang alleen had gedragen viel van haar af.

'Ik doe het voor je,' zei hij.

Even dacht ze dat ze het niet goed had verstaan. 'Wat?'

'Ik doe het voor je.'

'Waarom?'

'Omdat ik van je hou.'

Een regendruppel viel op zijn wang. Ze voelde dat er ook een op de hare viel.

'Ik hou van je, Susie, en ik doe het voor je. Je hoeft het alleen maar te vragen.'

'We kunnen hier niet blijven,' zei ze.

Ze liepen terug door het bos en lieten de rondspokende moeder alleen achter met haar gekrijs.

Tegen de tijd dat ze de stad hadden bereikt regende het hard. Ze schuilden in Cobhams Milk Bar.

De zaak was bijna leeg. De meeste van hun leeftijdgenoten aten thuis. Ze gingen aan een tafeltje in de hoek zitten, ver van eventuele meeluisteraars, dronken koffie en keken elkaar aan door de opstijgende dampen.

'Ik meende wat ik zei,' vertelde hij haar.

'Nee, je meende het niet.'

'Denk je dat ik bang ben om het te doen?'

'Ben je dat dan niet?'

'Ik heb je al verteld waar ik bang voor ben.'

'En moord staat niet op je lijstje?' Ze schudde haar hoofd. 'Je bent gek.'

'Daarom moet ik het doen. Jij bent bang. Ik niet.'

'Natuurlijk ben ik bang! Stel je voor dat het misgaat. Stel je voor dat je gepakt wordt.'

'Dat gebeurt niet.'
'Maar als het wel gebeurt?'
'Dan neem ik de schuld op me. Ik zou zeggen dat alles mijn idee was. Dat je er niets van af wist. En ze zouden me geloven, want ik kan acteren. En goed ook. Ik heb mijn hele leven geacteerd, zelfs voor mijn moeder.'
'En je zou zoiets voor mij doen?'
'Ja.'
Ze staarde in zijn ogen. Twee mooie grijsgroene cirkels met een centrum van staal. De ogen van iemand die zich niet liet leiden door angst. Iemand die werkelijke kracht had.
Maar zij had ook kracht.
'Ik wil niet dat je het doet, Ronnie.'
'Maar...'
'Niet alleen. We doen het samen. Ik ben niet bang meer. Je hoeft me niet te helpen als je dat niet wilt. Als je van gedachten verandert, begrijp ik dat. Maar als we het samen doen, winnen of verliezen we samen, dus al we gepakt worden nemen we samen de schuld op ons.'
'We worden niet gepakt. We kunnen het. We zijn allebei slim en we kunnen allebei acteren. Niets kan ons tegenhouden. Niet als we samen zijn.'
'En dat zijn we.'
'Ik hou van je, Susie.'
Ze kreeg een brok in haar keel. Net als in het bos.
'Ik hou ook van jou.'
Dat was echt zo.

'Je had moeten zeggen dat je later zou komen.'
'Sorry, mam.'
Acht uur die avond. Anna keek toe hoe Ronnie zijn vlees at. Charles was naar een dineetje van de universiteit in Oxford.
'Ik was bang dat er iets met je gebeurd was.'
'Je maakt je te veel zorgen.' Hij glimlachte naar haar. 'Ik ben nu een grote jongen.'
'Natuurlijk maak ik me zorgen. Ik ben je moeder. Dat is mijn taak.'
'Dat hoeft niet. Ik kan wel voor mezelf zorgen.' Hij sneed zijn vlees. Het mes gleed weg en er spatte jus op het tafelkleed.

Nu was het haar beurt om te glimlachen. 'Ik zie het.'
Hij keek schaapachtig. 'Sorry.'
'Geeft niet, het kan in de was. Smaakt het?'
'Het is heerlijk. Bedankt, mam.' Tevreden kijkend nam hij nog een hap. Ze moest denken aan een spreekwoord: de liefde van de man gaat door de maag.
Maar Ronnie is geen man. Nog niet.
En ik heb zijn hart al.
'Gezellig hè, zo met zijn tweetjes.'
Hij knikte.
'Ik denk steeds dat Vera opeens binnenstormt en orders gaat uitdelen. Het verbaast me dat ze geen contact meer heeft opgenomen sinds je Hepton hebt verlaten.'
'Ze neemt geen contact op. Nooit meer.'
'Hoe kun je dat zo zeker weten?'
'Gewoon een gevoel,' zei hij, hoewel hij zeker klonk. Ze knikte en dacht aan de lade die op slot zat, de plek waar hij zijn geheimen bewaarde. Behalve dat hij geen geheimen had. Niet voor haar. Tenminste geen belangrijke zaken.
'Hoe is het met Susan?'
'Goed. Ze vond het erg leuk, zaterdag. Ze zei dat ze je heel graag mocht.'
'Mocht Jennifer mij ook?'
'Ja, maar ze was nog doller op je taartjes.'
'En hoeveel geef jij om haar?'
'Ze zou volmaakt zijn zonder dat zingen.'
'Ik doelde op Susan.'
Een knikje.
'Nou?'
'Ik mag haar erg graag.'
'Hoe erg?'
'Ze is een goede vriendin.'
'En bovendien erg knap.'
Weer een knikje.
'Ik vond haar ook leuk.'
Hij ging verder met eten. Ze keek naar hem en wilde dat hij wat openhartiger zou zijn. Ze wilde niet nieuwsgierig lijken.

En hij mocht niet weten dat ze jaloers was.

'Heb je haar ouders ontmoet?'

'Alleen haar stiefvader. Hij leek me erg aardig.'

'Ben Logan zegt dat hij drinkt. Hij zegt dat hij hem vaak langs de sluis ziet waggelen en dat het een wonder is dat hij nog niet in de rivier is gevallen en is verdronken.'

'Misschien drinkt hij om te vergeten.'

'Wat moet hij vergeten?'

'Het gezang van Jennifer.' Hij begon 'I'm the Good Ship Lollypop' te neuriën en prikte gebakken aardappelen op zijn mes en vork en liet ze op en neer huppelen, zoals Charlie Chaplin doet met broodjes in *The Gold Rush*. Ze lag slap van het lachen. Hij keek haar grijnzend aan. Ze wist dat hij haar graag aan het lachen maakte.

Maak je Susan ook zo hard aan het lachen? En ben je dan ook zo gelukkig?

Of nog gelukkiger?

Hij ging door met zijn voorstelling. Ze concentreerde zich erop en probeerde de vragen uit haar hoofd te zetten.

Dinsdagmiddag. Alice Wetherby liep naar huis met Kate Christie, die bleef praten over een jongen die ze het afgelopen weekend op een familiefeestje had ontmoet. 'Kun je niet over iets anders praten?' snauwde Alice. 'Hij klinkt ontzettend saai.'

Kate fronste haar wenkbrauwen. 'Reageer het niet op mij af dat Ronnie je niet ziet staan.'

'Dat kan me niks schelen. Ik vond hem toch niet leuk.'

'Dat zal wel. Net goed. Je doet altijd of je iedere jongen kunt krijgen. Mooi niet dus.'

'Dat is het punt. Ik wilde hem niet. Wie wil er nou zo'n zielig moederskindje? Hij is trouwens waarschijnlijk homo. Jongens die van tekenen houden, zijn dat meestal.'

'Misschien moet je Susan eens vragen of hij homo is. Zij zou het moeten weten.'

'Het kan me niet schelen,' zei Alice met klem. 'Het laat me koud.'

Maar dat was helemaal niet zo. Ronnie was de eerste jongen voor wie ze iets had gevoeld en de ontdekking dat hij de voorkeur gaf aan iemand anders had haar meer gekwetst dan ze voor mogelijk had gehouden. Vooral omdat die ander Susan Ramsey was.

Ze wilde om zich heen slaan en pijn veroorzaken, maar Kate was geen bevredigend doelwit.

Toen kwamen ze op Market Court en ontdekte ze een betere prooi.

Ronnies moeder ging Fisher's Book Shop binnen. De knappe, timide, beetje burgerlijke Anna Sidney die haar dierbare zoon aanbad en die met een misvormd gedrocht was getrouwd, in een zielige poging aanzien te kopen voor hen beiden.

'Wil je lol hebben?' vroeg ze Kate.

Anna stond bij de kunstsectie van de winkel en zocht naar verjaardagscadeautjes voor Ronnie. Ze genoot ervan dat ze niet langer op de kosten hoefde te letten.

Ze vond een boek over Millais en begon erin te bladeren om te controleren of zijn lievelingsschilderij van Ophelia bij de illustraties zat.

Toen hoorde ze iemand zijn naam noemen.

Twee mensen spraken over hem, twee meisjes, aan de andere kant van de boekenplanken.

'Ik vind hem leuk. Hij is echt aardig.'

'Daarom zit Susie achter hem aan. Aardige mensen zijn leuker om te kwetsen.'

De eerste stem kende ze niet. De tweede was van Alice Wetherby.

'Paul Benson was ook aardig.'

'En kijk eens wat ze met hem heeft gedaan. Hij had net zijn moeder verloren en dan komt zij ten tonele. Ze doet aardig en bezorgd en zegt dat het een schande is dat zijn vader niet meer om hem geeft. Die verhouding heeft ze echt beschadigd. Edward zegt dat Paul en zijn vader een goede verstandhouding hadden voor ze iets met Paul begon, maar nu kunnen ze het niet meer met elkaar vinden.'

'Ronnie heeft een nauwe band met zijn moeder, hè?'

'Niet lang meer. Ze zorgt wel dat er een kink in de kabel komt. "Je moeder geeft niet om je, Ronnie. Niet nu ze een rijke echtgenoot heeft." Ronnies moeder is aardig maar een beetje zielig. Susie lust haar wel rauw.' Een zucht. 'Nou ja, het is niet mijn probleem. Ik kan dat boek niet vinden. Zeker uitverkocht. Kom, we gaan.'

Het geluid van zich verwijderende voetstappen. Er klonk een belletje toen de deur van de winkel open- en dichtging.

Anna bleef als aan de grond genageld staan, het boek over Millais in haar hand geklemd.

Ze zei tegen zichzelf dat het onzin was. Alice voelde zich aangetrokken tot Ronnie, maar hij viel op iemand anders. Haar woorden waren ingegeven door jaloezie en wrok.

Ze betaalde het boek. De verkoper complimenteerde haar met haar keuze. 'Het is een verjaardagscadeau voor mijn zoon,' legde ze uit. 'Millais is zijn lievelingsschilder.'

De verkoper glimlachte. 'Fijn voor hem dat hij een moeder heeft die weet waar hij van houdt.'

En dat was juist. Ze wist waar Ronnie van hield. Ze kende hem beter dan wie dan ook. Hun band was ijzersterk en onverbrekelijk. Daar kon niemand tussenkomen.

Niet dat zo iemand bestond. Het was allemaal wrok.

Zo zat het. Ze wist het zeker.

Ze liep de winkel uit. Twee oudere dames stonden op de stoep over het weer te praten. Een tikte de ander op de arm en wees. 'Wat een mooi stel.'

Ronnie en Susan liepen over het plein. Ze wandelden langzaam, arm in arm, diep in gesprek, hun hoofden raakten elkaar bijna. Anderen zagen het ook, maar zelf leken ze het niet te merken. Daarvoor gingen ze te veel in elkaar op.

En ze zagen er geweldig uit. Stralend en magnetisch. Als een stel jonge filmsterren, die zo gekozen waren dat de contrasterende kleuren van de een die van de ander versterkten terwijl de rest van de wereld daarbij verbleekte.

'Dat meisje is Susan Ramsey,' zei een van de vrouwen, 'maar ik weet niet wie die jongen is.' Anna wilde zeggen dat hij haar zoon was, maar ze hield zich in. Ze was plotseling bang dat ze haar niet zouden geloven.

Ronnies moeder is aardig maar een beetje zielig.

Zo zielig dat ze hem niet kon vasthouden als iemand anders hem wegkaapte?

Maar dat wilde Susan niet. Ze was een aardig meisje. Dat was ze. Echt.

Hij had net zijn moeder verloren en dan komt zij ten tonele. Ze doet aardig en bezorgd...

Ze zorgt wel dat er een kink in de kabel komt.

Maar dat zou nooit gebeuren. Ronnie had haar net zoveel nodig als zij hem. Ze kende hem beter dan Susan hem ooit zou kennen. Er waren geen geheimen. Niets wat ze niet wist.

Maar hoe zat het dan met die lade?

Ze liepen verder en werden nog steeds nagestaard toen ze het pad naar de rivier insloegen terwijl het al begon te schemeren.

Een halfuur later. Anna zat op Ronnies bed en staarde naar de bureaulade.

Hij zat op slot, zoals altijd. Hij dacht dat hijzelf de enige sleutel had.

Hij wist niet dat zij ook een sleutel had.

Ze hield hem in haar hand. Het metaal voelde koud tegen haar huid. Even snel kijken. Dat was alles. Heel even en dan was het voorbij.

Ze stond op van het bed en liep naar het bureau.

Toen bleef ze staan.

Ze kon het niet. Hij was haar zoon. Haar Ronnie Sunshine. En de inhoud van die lade zou ook zonnig zijn. Geen duistere zaken. Geen schaduwen. Niets wat haar angst zou aanjagen.

Alles is in orde. Susan is geen bedreiging. Ronnie is van jou en de eventuele geheimpjes die hij heeft zijn triviaal.

Het is waar. Je weet dat het waar is.

Ze liep de kamer uit en liet de lade onaangeraakt achter.

Donderdagavond. Andrew Bishop zat in de woonkamer van zijn huis.

Hij was geïrriteerd. Susie had Ronnie Sidney voor het eten uitgenodigd zonder eerst om toestemming te vragen. Niet dat hij het zou hebben toegestaan. Het laatste wat hij aan de eettafel wilde, was vervelend geklets van adolescenten. Hij had de uitnodiging willen terugdraaien, maar toch besloten dat niet te doen. Ronnies stiefvader was rijk en het was handig om hem als contactpersoon aan te houden. Beter om geen aanstoot te geven.

En het zou niet weer gebeuren. Binnen een paar weken zou Susie in Schotland zijn.

Bovendien was er een positief aspect. Jennifer at ook mee. 'Ze is gek op Ronnie,' had Susie verklaard. 'Het is toch niet erg, hè?' En hij had zijn hoofd geschud en gezegd: 'Natuurlijk niet. Ze is toch bijna al familie?'

Jennifer zat aan zijn voeten. Ze droeg een blauw jurkje en speelde met het poppenhuis dat hij aan Susie had gegeven toen haar vader was gestorven. Ze verplaatste de poppen van kamer naar kamer, glimlachte en zong in zichzelf.

'Amuseer je je, Jenjen?' vroeg hij.

Ze knikte.

'Verzin je een verhaaltje?'

'Ja.'

Hij klopte op zijn knie. 'Kom zitten en vertel het me.'

Ze klom op zijn schoot. De stof van haar jurkje gleed omhoog en ontblootte haar dijen. Hij voelde een steek in zijn kruis. De aandrang om ze aan te raken was bijna overweldigend.

Maar hij moest geduld hebben. Het zou nu niet lang meer duren.

Jennifer kletste maar door en grijnsde van oor tot oor. Ze zag er erg knap uit. Net zoals Susie was geweest. Hij sloeg zijn armen om haar heen, kietelde haar tussen de ribben en kuste haar op de wang. Giechelend kuste ze hem terug. Ze wist nog niet dat dit weldra haar thuis zou worden. Als ze het te weten kwam, zou ze van streek zijn, maar niet voor lang. Ze was dol op oom Andrew. Net zoals Susie was geweest.

Ze bleef glimlachen. Haar lichtblauwe ogen groot en vol vertrouwen. Maar ook alsof ze iets wist.

Net zoals Susie het had geweten.

Ze wil dat het gebeurt. Ergens diep vanbinnen wil ze het, dat weet ik.

Een fles whisky stond op de tafel in het midden van de kamer, samen met een doos chocolaatjes. Presentjes van Ronnie. Het was goede whisky. Hij zou ervan genieten.

Vanuit de verte hoorde hij het geluid van kletterende pannen. Zijn vrouw maakte een stoofschotel met kip. Er klonken stemmen in de gang. Susie sprak met Ronnie. Hij kon ze door de half openstaande deur zien. Susie keek nerveus. Bezorgd.

Zijn nieuwsgierigheid was gewekt en hij bleef kijken.

Susie raakte Ronnies arm aan. Hij glimlachte naar haar en leek opeens niet op zijn gemak. Ze boog zich voorover en kuste hem. Nog steeds glimlachend schoof hij iets achteruit en veegde zijn wang af. Susie keek gekwetst. Afgewezen.

Andrew had een merkwaardig gevoel van déjà vu. Maar waarom wist hij niet.

Jennifer ging door met haar verhaal. Susie kwam de kamer binnen. 'Ik ga mam helpen.' Ronnie bleef in de deuropening staan. Hij leek zich nog steeds niet op zijn gemak te voelen.

'Gaat het goed op school, Ronnie?' vroeg hij.

'Ja. De faciliteiten zijn geweldig. Vooral de sportvelden. Op mijn vorige school hadden we alleen een stukje grasland dat was gemarkeerd met onkruidverdelger.'

'Zo erg was het vast niet.'

'Het had ook z'n voordelen. Als je niet mee wilde sporten, liet je je gewoon op een stuk dood gras vallen om daarna iets te schreeuwen over een brandwond.'

Hij lachte. Jennifer snapte het niet. 'Hoe kan dat dan?'

Susie kwam terug. 'Oom Andrew, mam vraagt of je de stoofpot wilt komen proeven. Ze weet niet zeker of het zout genoeg is.'

'Natuurlijk, ik ga meteen.'

De keuken was heet en benauwd. Hij proefde terwijl zijn vrouw gespannen toekeek. 'Goed,' zei hij. Ze knikte terwijl Susan haar neus ophaalde.

'Heb je kou gevat?' vroeg hij.

'Ik denk het.'

'Probeer het niet te verspreiden.' Hij liep terug naar de woonkamer en onderdrukte zijn ergernis toen Susan geweldig hard nieste.

Bij de deuropening bleef hij staan kijken.

Jennifer en Ronnie zaten samen gehurkt bij het poppenhuis. Jennifer ging met haar vinger door de kamers, geheel verdiept in haar verhaal. Haar jurkje was weer omhoog gekropen en haar dijen waren te zien.

En Ronnie streelde ze.

Zijn vingers gleden er zo lichtjes overheen dat ze de huid nauwelijks raakten. Jennifer merkte het niet eens. Een gebaar dat je zou kunnen opvatten als een teken van onschuldige affectie, als hij niet zo'n trek van gefrustreerde hartstocht op zijn gezicht had gehad.

Andrew voelde een vreemde siddering. Een mengeling van geschoktheid en herkenning.

Opwinding.

Hij schraapte zijn keel. Beiden keken op. Jennifer wuifde. Ronnies ogen werden groot van schrik.

'Zijn jullie leuk aan het spelen?' vroeg hij. Hij glimlachte en deed of hij niets had gezien.

Meteen ontspande Ronnie. 'Jennifer vertelt een prachtig verhaal.'

'Dat geloof ik graag.'

Susie kwam binnen, nog steeds snotterend. 'Jenjen, help me even de tafel te dekken.'

'Ik kan ook helpen,' zei Ronnie.

'Laat maar, Jenjen en ik doen het wel.' Haar toon was beleefd maar koel.

Susie en Jennifer gingen de kamer uit. Ronnie ging staan. Vluchtig keek Andrew naar zijn kruis. Hij zag een flauwe bobbel, die ook veroorzaakt kon zijn door een vouw in zijn broek.

Het zou kunnen.

'Jenjen heeft veel fantasie,' zei hij minzaam.

Ronnie knikte. 'Carol had dat ook.'

'Carol?'

'De dochter van onze buren in Hepton. Ik heb vaak op haar gepast. Het was een gemakkelijkere manier om geld te verdienen dan kranten rondbrengen.'

Dat zal wel.

'Nogmaals bedankt voor de whisky. Ik zal ervan genieten.'

Ronnie keek verlangend naar de fles.

'Hou je van whisky?'

Een betrapte blik. 'Ik heb het nog nooit geprobeerd.'

'Echt niet?'

De uitdrukking kreeg iets schaapachtigs. 'Nou ja, een paar keer.'

'En vond je het lekker?'

'Ja, maar ik kan er niet goed tegen. Met Kerstmis kreeg ik een glaasje bij mijn tante en het resultaat was dat ik mijn moeder vertelde dat ik had gespiekt bij een van mijn proefwerken.' Een grijns. 'Ze was geschokt.'

'Ik weet zeker dat ik dat af en toe ook heb gedaan toen ik zo oud was als jij.' Een knipoog. 'En soms pikte ik wat whisky uit het kastje van mijn vader.'

'En daarna vulde u het bij met water?'

'Ja.'

Ronnie grijnsde. 'Dat heb ik ook gedaan. Carols vader had een fles in de kast staan. Ik was bang dat hij het zou merken maar gelukkig was dat niet zo.'

Wat heeft hij nog meer niet gemerkt? Wat heb je nog meer gedaan toen je met Carol alleen was?

En ga je me dat vertellen? Als een paar slokken whisky je tong hebben losgemaakt?

De pijn in zijn kruis was terug. Hij slikte. Zijn keel was droog.

'Susie zegt dat je geschiedenis een leuk vak vindt.'

'Ja.'

'Ik heb een paar tekeningen van Kendleton in mijn studeerkamer, uit de achttiende eeuw. Misschien wil je die na het eten even bekijken?'

'Graag. Bedankt, meneer Bishop.'

'Graag gedaan, Ronnie. Graag gedaan.'

Zaterdagmiddag. Susan stond op een straat in Oxford en keek op haar horloge.

Iemand riep haar naam. Charles Pembroke liep op haar toe. 'Hallo, Susan. Wat doe je hier?'

'Wat boodschappen.'

'Ben je met de bus?'

'Ja.'

'Mijn auto staat hier. Ik kan je een lift naar huis geven, maar ik wil eerst een kop koffie. Ga je mee?'

'Graag.'

Vijf minuten later zaten ze samen in een deftige zaak.

'Is Ronnie niet bij je?' vroeg hij.

'Nee. Ik probeer een verjaardagscadeau voor hem te vinden. Ik denk dat hij bezig is met zijn huiswerk, hoewel hij zei dat hij misschien nog ging wandelen.'

Net als oom Andrew. Die twee zouden elkaar misschien zelfs tegenkomen.

'Wat heb je voor hem gekocht?'

'Nog niets. Het is moeilijk iets voor hem te kopen. Dat is altijd zo bij slimme mensen.'

'En dat is hij zeker.'

'Denkt u dat hij toegelaten wordt in Oxford?'

'Ja, als hij dat wil. En jij ook.'

'Ik niet. Geen schijn van kans.'

'Natuurlijk wel, je hebt een goed stel hersens.'

Ze glimlachte. 'Hersens? U zou mijn rapporten eens moeten zien.'

'En jij die van mij. De leraren werden wanhopig van mij.'

Ze was verbaasd. 'U bent toch echt slim.'

'Maar ik had een hekel aan school. Niet omdat het daar zo vervelend was, maar omdat ik het thuis erg rot had.'

'Waarom?' vroeg ze en ze voelde zich verlegen worden. 'Sorry, het gaat me niets aan.'

'Geeft niets. Ik ben erover begonnen. Het was vanwege mijn vader. Hij kon heel aardig doen, maar hij was driftig. Als hij gedronken had, en hij dronk veel, reageerde hij zich af op mijn stiefmoeder en mijn jongere broer. Ik voelde het altijd als mijn taak om hen te beschermen maar ik wist niet hoe. Ik maakte me veel zorgen over hen en over hem en daardoor kon ik me niet goed concentreren.'

'Hoe hebt u dat dan toch geleerd?'

'Ik raakte bevriend met de leraar geschiedenis. Ik geloof dat hij besefte dat ik niet zo stom was als de anderen dachten. Hij wist mijn vertrouwen te winnen en gaf me raad. Het hielp echt dat ik mijn zorgen met iemand kon delen.'

Hij glimlachte tegen haar. Zijn ogen waren warm en vriendelijk. Net als de ogen van zijn leraar geweest moesten zijn.

Plotseling had ze de neiging om hem alles te vertellen. Hem in vertrouwen te nemen. Zijn advies te vragen over wat ze moest doen.

'Ik heb dat excuus niet. Mijn leven thuis is prima. Ik ben gewoon lui.' Snel veranderde ze van onderwerp. 'Jennifer heeft wat nieuwe liedjes geleerd.'

Even dacht ze dat hij teleurgesteld leek. Maar ze kon zich vergissen.

Toen glimlachte hij weer. 'En dat vind je fijn?'

'Niet zo fijn als de boeren. Ze zingt als we langs de velden lopen en nu geven hun koeien geen melk meer.'

Hij barstte in lachen uit. Een vrouw aan een ander tafeltje staarde naar zijn gehavende gezicht. Dat maakte Susan kwaad. 'Kunnen we iets voor u doen?' riep ze. De vrouw werd rood en keek weg.

'Dat was een beetje hardvochtig,' zei hij.

'Ze zat te staren. Het is onbeleefd.'

'Het is heel gewoon. Trouwens, ik heb er geen last van.'

Iets zei haar dat dat niet helemaal waar was. Maar misschien toch wel.

Ze hoopte het.

'Hoe dan ook, Ronnies moeder slaakte een kreet van schrik toen ze me voor het eerst zag en nu zijn we getrouwd. Geloof me, voordat ze haar gebakje op heeft, denkt die vrouw aan dat tafeltje dat ik haar grote liefde ben.'

Nu was het haar beurt om te lachen. Hij leek tevreden. Zijn ogen leken echt op die van haar vader. Ze dacht aan de manier waarop hij haar afgelopen zaterdag op haar gemak had gesteld en ze kreeg een warm gevoel vanbinnen.

U bent aardig. Een goed mens. Echt.

Weer voelde ze de neiging om hem in vertrouwen te nemen. Maar ze onderdrukte het. Hij was haar vader niet en de enige op wie ze kon vertrouwen, was zijzelf.

En Ronnie.

Acht uur die avond. Onder het voorwendsel dat ze een brief moest posten, ontmoette ze hem.

'Het ging perfect,' zei hij.

'Heeft iemand je gezien?'

'Nee. Maar hij is wel gezien. Door de sluiswachter bijvoorbeeld.'

'Hij dronk bij de lunch. Bijna een hele fles wijn.'

'Hij liep een beetje onvast. De sluiswachter zal dat ook gezien hebben.'

'Hoe lang waren jullie samen?'

'Een uur. Na een kwartier begon hij over Carol. Terloops, alsof het niet belangrijk was. Hij zei niets expliciets. Net genoeg om ervoor te zorgen dat hij me weer wil zien.'

'Wanneer?'

'Komende zondag. Zoals wij hadden afgesproken. Deze keer krijg ik whisky om mijn tong los te maken.'

Ze knikte.

'Ik kan het alleen. Je hoeft er niet bij te zijn.'

'Jawel. We moeten elkaar een alibi kunnen geven.'

'We hebben geen alibi nodig. Een ongeluk van een dronkelap. Dat zal iedereen denken.'

'We doen het samen, Ronnie. Zo en niet anders.'

'Goed dan.'

'Ik ben bang. Stom, hè?'

'Nee. Maar wel onnodig. Ik hou van je, Susie, en ik zal je niet in de steek laten.'

'Ik hou ook van jou.'

Ze kusten elkaar, langzaam en teder.

Daarna liepen ze ieder apart naar huis.

Elf uur. Anna zat in bed en probeerde een roman te lezen, maar ze kon zich niet concentreren. Er speelden te veel andere dingen door haar hoofd.

Er werd geklopt. Charles kwam binnen. 'Is het al te laat om je nog te storen?'

'Nee.'

Hij ging op het bed zitten. De troostende geur van pijptabak hing om hem heen. 'Wat zit je dwars?' vroeg hij zachtjes.

'Niets.'

'En heeft dat niets betrekking op Ronnie?'

'Waarom zeg je dat?'

'Omdat ik je ken.' Hij streelde haar hand met zijn vinger. 'En ik weet ook wat ze zeggen. Gedeelde smart is halve smart.'

Ze glimlachte. 'Ik weet niet of dat altijd opgaat.'

'Met mijn gehoor is niets mis. Probeer het maar.'

'Het is stom.'

'Dat zal ik wel uitmaken.'

'Hij ging vanmiddag wandelen. Ik zei dat ik mee zou gaan, maar dat wilde hij niet.'

Hij bleef haar hand strelen. Ze keek naar de sprei en voelde zich belachelijk. 'Ik zei toch dat het stom was.'

'Hij wilde alleen zijn. Iedereen wil dat op zijn tijd. Het betekent niets.'

'Dat weet ik.'

'Dus?' Hij klonk hoopvol.

'Het is gewoon dat ik niet had verwacht dat het zo zou gaan. Vanaf het moment dat ik voor je moeder kwam werken, heb ik gewenst dat hij hier bij mij zou zijn en nu is hij er, maar is hij...' Ze viel stil, zoekend naar de juiste woorden.

'Geen negen meer?'

'Ja.'

'Opgroeien wil niet zeggen dat je van elkaar vervreemdt. Er is een gezegde. Als je wilt dat de vogel blijft, moet je je hand openhouden. Als hij vrij kan gaan, zal hij altijd terugkomen.'

'Denk je dat ik hem wil opsluiten?'

Stilte. Ze keek weer op. Hij keek haar aan met een meelevende blik.

'Denk je dat?'

'Misschien. Een beetje.'

Ze was gekwetst. 'Dus ik verstik hem?'

'Zo bedoelde ik het niet, schat. Dat weet je.'

Dat klopte. En ze wist ook dat hij gelijk had.

Maar ze wilde het niet toegeven. Zelfs niet aan zichzelf. Het maakte haar zwak. Machteloos

Zielig.

Ze schudde haar hoofd. 'Het is meer dan dat. Het ligt aan haar.'

'Aan wie? Susan?'

'Hij is anders sinds hij haar kent. Geslotener.'

'Dat vind ik niet.'

'Je kent hem niet zoals ik.'

Er kwam een vreemde blik in zijn ogen. Even maar, toen was het weer weg. Het leek op medelijden maar ze was van streek en niet in staat om helder te oordelen.

'En ik weet dat dat meisje slecht voor hem is. Ze zal hem kwetsen. Ik weet het zeker.'

'Je oordeelt te hard over haar.'

'Denk je? Ze gaat moeilijkheden tussen ons veroorzaken. Ik weet het zeker.'

'Dat is niet waar. Weet je waar ze was vanmiddag? In Oxford. Ze probeerde een verjaardagscadeau voor hem te vinden. We hebben samen koffiegedronken en ze vroeg wat jij hem gaf, zodat ze zeker wist dat hij niet twee keer hetzelfde zou krijgen.'

Ze voelde zich verraden. 'Wat leuk voor je,' zei ze sarcastisch.

'Het was leuk. Ze is echt een aardig meisje. Er steekt geen kwaad in haar.'

'Ik ken haar type. Verwend en hatelijk.'

'Dat is niet waar.' Zijn toon was resoluut. 'Ze heeft een lief karakter. Iemand die een harder leven achter de rug heeft dan je denkt, zonder dat het een slechte invloed op haar heeft gehad.'

'En jouw gevoel is zeker onfeilbaar?'

'Natuurlijk.' Zijn toon werd zachter. 'Bij jou had ik toch ook gelijk?'

Stilte. Zijn hand drukte de hare. Opnieuw wist ze dat hij gelijk had. Alice was verwend en hatelijk. Susan was anders, Susan was goed.

En mooi en slim en sterk. Iemand die alle andere mensen in Ronnies leven in de schaduw kon stellen. Zelfs zijn eigen moeder.

'Waarom denk je dat ze een hard leven achter de rug heeft?'

'Ik weet het niet. Gewoon een gevoel. Alle families hebben geheimen, toch?'

'Ik niet. Niet met Ronnie.'

En dat was waar.

Behalve datgene wat hij in de lade bewaarde.

'Je kunt niet verhinderen dat hij om haar geeft, maar je kunt er wel voor zorgen dat het je niet meer van streek maakt. Kinderen worden ouder en worden verliefd. Dat is een levensfeit. Maar daarom blijven ze nog wel van hun ouders houden. Vooral als die band zo hecht is als tussen Ronnie en jou.'

'Die is hecht. Ik ken hem beter dan wie dan ook.' Een stilte. 'En dat zal altijd zo blijven.'

Hij staarde haar aan. Zijn uitdrukking was teder en beschermend. Alsof ze zelf een kind was. Een zwak iemand, die bescherming nodig had.

Iemand die zielig was.

'Ik ben moe,' zei ze. 'Ik ga slapen.'

Hij boog zich voorover om haar wang te kussen. Ze wendde haar hoofd af. Slechts een paar centimeter, maar genoeg om afkeer aan te duiden. Even leek hij gekwetst. Het gaf haar een sterk gevoel. Hoewel ze zichzelf erom verachtte.

'Slaap zacht, schat,' zei hij.

'Dank je.'

Hij verliet de kamer. Ze probeerde te lezen maar de gedachten dreunden door haar hoofd, waardoor het leek of de pagina's gingen trillen en de woorden onleesbaar werden.

Dinsdagavond. Drie dagen later. Anna stond in Ronnies kamer.

De kamer was leeg. Hij was in Oxford, een schooluitstapje naar de schouwburg.

De sleutel van de lade lag in haar hand. Hij werd plakkerig toen haar handpalm zweterig werd. Ze wilde niet kijken, maar ze kon zichzelf niet meer bedwingen. Ze moest het weten. Kennis was tenslotte macht en macht betekende dat je je niet meer zwak hoefde te voelen.

Ze liep naar het bureau en deed de sleutel in het slot, proberend de stem die het uitschreeuwde in haar hoofd niet te horen.

Doe dit niet. Gooi de sleutel weg. Begraaf hem. Gooi hem in de rivier.

Want wat eenmaal is gezien, kan nooit meer ongezien worden.

Maar er zou niets te zien zijn. Niets van enig belang. Niets wat kon kwetsen. Ze wist het omdat ze Ronnie kende. Beter dan wie dan ook. Een miljoen keer beter.

Dus draaide ze de sleutel om, opende de lade en keek erin.

En vond wat ze vond.

Een uur later. Charles, die in zijn studeerkamer had geslapen, kwam zijn kamer uit en zag dat het hele huis donker was.

Hij stond in de gang en voelde zich verward. Was Anna naar bed gegaan? Zou ze hem niet eerst goedenacht hebben gewenst? Of had ze dat willen doen maar wou ze hem niet wakker maken?

Ervan uitgaand dat dat het geval was ging hij naar de woonkamer om naar het nieuws te kijken.

De kamer was ook donker. Hij deed het licht aan. En schrok.

Anna zat op de bank in de lege ruimte te staren en knipperde met haar ogen vanwege het plotselinge licht.

Hij zei haar naam, maar ze leek het niet te horen. Haar gezicht was doodsbleek.

'Wat is er, schat?'

Nog steeds geen reactie. Hij voelde een golf van paniek. 'Is er iets met Ronnie?'

Ze schudde haar hoofd.

'Wat dan?' Hij liep op haar toe en legde zijn hand op haar schouder.

'Raak me niet aan!'

Weer schrok hij. Ze schoof van hem weg. 'Je raakt me voortdurend aan. Je probeert me altijd vast te pakken.'

'Maar is het gewoon genegenheid. Het is niet... wat je denkt.'

'Ik hou niet van je. Niet op die manier. Ik ben met je getrouwd uit vriendschap en zodat Ronnie dit alles kon hebben.' Ze gebaarde in het rond. 'Dit huis. Dit leven. Al die dingen die jij heel gewoon vindt maar die hij nooit heeft gehad. Maar hij verdiende het wel. Zeker!'

Ze begon te huilen. Klaaglijke, hartverscheurende snikken, als die van een kind dat naar huis komt en ontdekt dat haar huis en haar familie zijn vernietigd, zodat ze nu alleen staat in een kille, gevoelloze wereld. Het kind dat ze eens was geweest en innerlijk nog steeds was.

Hij duwde zijn eigen gekwetste gevoelens weg. 'Wat is er, schat? Vertel het me, ik kan je helpen.'

'Nee, dat kun je niet.'

'Hoe weet je dat als je het niet vertelt? Ik accepteer dat je niet van me houdt, maar jij moet accepteren dat ik meer van je hou dan van wie dan ook. Als iets je pijn heeft gedaan, wil ik je helpen de pijn te dragen. Meer heb ik nooit gewild. Ik wil je alleen beschermen tegen pijn.'

Ze keek hem aan met grote schrikogen. Weer legde hij zijn hand op haar schouder. Deze keer liet ze hem begaan.

'Vertel het me,' fluisterde hij. 'Ik zal al het mogelijke doen om de pijn te verzachten.'

Ze staarden elkaar aan. Hij wachtte.

Plotseling stopte het gesnik. Ze rechtte haar rug. Ze veegde haar tranen weg en haar manier van doen werd kordaat en zakelijk. En toen ze sprak klonk haar stem ook zakelijk.

'Ik sliep toen je binnenkwam en ik had een vreselijke droom. Toen je me wakker maakte dacht ik dat ik nog droomde. Ik was in de war en bang, dat is alles. Ik meende niet wat ik zei. Ik was gewoon van streek. We zeggen allemaal wel eens dingen die we niet menen als we van streek zijn.'

Hij verbeet zijn frustratie. 'Anna...'

'Het was maar een droom, Charles. Nu is het voorbij.'

Toen stond ze op en ze liep de kamer uit.

Acht uur de volgende morgen. Hij zat de krant te lezen en koffie te drinken terwijl Anna er bij Ronnie op aandrong om meer te eten. Het ontbijtritueel dat iedere ochtend plaatsvond.

Ronnie werkte een bord met bacon, worst en ei weg en protesteerde dat zijn maag op springen stond. Anna stond achter zijn stoel en bleef aandringen. Haar stem was even warm als altijd, maar ze had iets hards om haar mond. Het was nauwelijks te zien maar het maakte haar gezicht ouder, even onherroepelijk als een rimpel zou doen.

Hij zag het. Zag Ronnie het ook?

De telefoon in de gang rinkelde. Iets over de planning van het lesrooster. Het kostte hem maar even om het telefoontje te beantwoorden.

Hij liep terug naar de eetkamer en bleef net buiten de deur staan. Hij wilde hen observeren.

Ronnie had zijn bord bijna leeg. Anna stond nog steeds achter zijn stoel.

'Ik zit bijna vol, mam.'

'Weet je het zeker?'

'Ja. Maar het was heerlijk. Je verwent me.'

'Natuurlijk.' Een kus op zijn wang. 'Je bent mijn zonnetje, nietwaar?'

'Ik weet het.'

Ze streelde over zijn haar, zo zacht alsof het de vacht van een gewond jong poesje was. 'Niemand kan tussen ons in komen. Jij bent de enige en daar kun je niets aan veranderen. Zelfs niet als je iets kwaadaardigs zou doen. Wat je ook gedaan hebt, ik zal altijd van je houden en je blijft altijd mijn Ronnie Sunshine. Dat weet je toch?'

Stilte.

'Toch?'

'Ja, mam. Maar ik zou nooit iets kwaadaardigs doen. Dat weet je toch wel?'

Haar vingers bleven door zijn haar gaan. 'Ja, Ronnie, ik weet het.'

Wat heeft hij gedaan? Je moet iets ontdekt hebben. Iets ergs.

Iets heel ergs.

Hij ging de kamer binnen. Anna nam Ronnies bord mee naar de keuken. Ronnie bleef zitten, dronk een glas melk en zag er net als anders uit. Er was geen verandering in zijn gezicht te zien. Net als Dorian Gray zou hij hetzelfde blijven terwijl zijn moeder oud zou worden en zou wegkwijnen als het portret op zolder.

Welke donkere wolken heb je opgeroepen, Ronnie Sunshine? Welke stormen heb je veroorzaakt?

En wat kan ik doen om ze te laten verdwijnen?

'Heb je er zin in vandaag, Ronnie?'

'Ja. We beginnen met een dubbel uur hiërogliefen. Daar kan toch niets tegenop?'

Hij lachte geforceerd maar probeerde het natuurlijk te laten klinken. Ronnie lachte ook, hem aankijkend met zijn ondoorgrondelijke blik.

Zondag.

Het was nog donker toen Susan wakker werd. Ze had weer die bekende, vervelende droom over haar vader gehad. Vandaag hoopte ze daar voorgoed aan te kunnen ontsnappen.

Ze lag in haar bed en keek naar de silhouetten in de kamer. Het bureau met de boeken netjes op een stapel. De ladekast en de kast met kleren. Het poppenhuis. En een stapel kleding, die ze de vorige dag in Oxford had gekocht voor haar nieuwe school in Schotland.

Buiten begonnen de vogels te zingen. De zon kwam op. Licht kroop onder de gordijnen door en viel in de kamer, de schaduwen verjagend. Vanaf deze dag zouden er geen schaduwen meer zijn. Niet voor haar moeder, niet voor Jennifer en niet voor haarzelf.

Ze stond op en liep naar het raam om de gordijnen open te trekken. Als er regenwolken hingen, zou dat hun hele plan in de war schoppen.

Maar de lucht was helder. Een fletse, oranje zon beloofde een milde, droge dag. Een typische zondag in begin oktober, behalve dan dat het de dag was waarop oom Andrew zou sterven.

De tijd verstreek. Ze bleef bij het raam staan. Op de vensterbank lag de schelp die haar vader voor haar had gekocht in Cornwall. De schelp die haar had getroost met zijn lied terwijl ze nacht na nacht wakker lag, bang en alleen in het donker. De angst had ze nog steeds, maar het duister was verdwenen en ze was niet langer alleen.

En het zou goed komen.

Ze drukte de schelp tegen haar oor en staarde naar de dag.

Kwart voor acht. Anna bracht Ronnie een kop thee.

Hij zat met gekruiste benen boven op zijn bureau en staarde naar de rivier.

'Ronnie?'

Hij keek om maar bleef in dezelfde houding zitten en schonk haar een grijns. In zijn rode ochtendjas en met zijn door de slaap verwarde haar zag hij eruit als een kleine jongen. Ze liep naar hem toe, de gesloten lade negerend. In een droom had ze er een keer in gekeken en was ze geschokt door wat ze had aangetroffen. Maar dromen waren niet echt. Als het licht werd, begroef je ze in de verste uithoeken van je geest, waardoor ze verdorden en afstierven zodat je ze nooit meer hoefde te zien.

'Het is een mooie dag,' zei ze. 'We kunnen dadelijk wel gaan wandelen.'

'Ik kan niet. Ik heb met Susie afgesproken.' Zijn blik was verontschuldigend. 'Je vindt het toch niet erg? Ze vertrekt over een week naar Schotland.'

Ze vond het niet erg. Als Susan weg was, zou hij weer de hare zijn, zoals het hoorde. Tenslotte kende ze hem beter dan wie dan ook, ondanks dromen die haar ervan probeerden te overtuigen dat ze hem helemaal niet kende.

'Je zult haar zeker wel missen?' zei ze.

'Een beetje. Maar ik krijg wel nieuwe vrienden.'

'Natuurlijk. Wie zou niet met jou bevriend willen zijn?'

Een schaapachtige glimlach. 'Mam!'

'Het is zo.' Ze nam op een stoel plaats terwijl hij als een elf op het bureau bleef zitten en een vrolijk verhaal vertelde over een van zijn leraren. Ze lachte en het daglicht viel door het raam. De schaduwen werden verbannen en nu waren ze beiden beschermd tegen dromen.

Halfeen. Susan zat aan de eettafel. Ze at geroosterde kip en keek hoe oom Andrew wijn dronk.

Haar moeder vroeg iets over een collega van hem. Ze luisterde naar zijn stem met oren die waren geprogrammeerd om elke cadans te registreren. Ze merkte aan een zekere spanning in zijn stem dat hij opgewonden was.

Ze beëindigden het hoofdgerecht. Terwijl haar moeder de pudding haalde schonk hij het staartje van de fles wijn in zijn glas. Nog maar enkele millimeters. Ergernis flitste over zijn gezicht. Ze wees op een fles water die midden op tafel stond. 'Wilt u daar wat van?'

'Ja, ik pak het zelf wel. Ga jij je moeder maar helpen.' Zijn uitspraak was buitengewoon langzaam en helder. Zo sprak hij altijd in het eerste stadium van beneveling.

Ze stond net buiten de deur en luisterde of ze het getinkel van flessen hoorde. Hij had een hekel aan water, maar niet als het gemengd werd met whisky. Binnen enkele seconden hoorde ze het bekende geluid.

Tien minuten later rekte hij zich uit in zijn stoel. 'Het is hier benauwd. Ik ga een eindje wandelen.'

'Wil je geen koffie?' vroeg haar moeder.

Hij snoof geïrriteerd. 'Als ik dat wilde, zou ik er wel om vragen. Ik pak mijn jas.' Hij liep de kamer uit. Ze bleef aan tafel zitten. Haar moeder keek haar bezorgd aan. 'Het eten was toch lekker, hoop ik?'

'Het was heerlijk, mam. Hij zei het nog terwijl jij in de keuken stond.' In de verte hoorde ze de voordeur opengaan en toen sluiten. Hij was weg.

Haar hart begon te bonzen. Het was zover.

Vijf minuten later liep ze Market Court op.

Er waren niet veel mensen. Hoogstens een stuk of tien. Maar sommigen kende ze en ze had publiek nodig. Ze bedwong de neiging te gaan hardlopen en hield een normaal tempo aan.

Ronnie stond tegen het Normandische kruis geleund, diep in een boek verzonken. Toen ze zijn naam riep, keek hij op, wuifde en ging verder met lezen totdat ze bij hem was.

'*Sons and Lovers*,' zei hij. 'We moeten het lezen voor Engels.'

'Wij ook. Erg saai, hè?'

'Zeg dat wel. En ik dacht dat *Silas Marner* slecht was. *Kom terug, kleine Eppie, alles is vergeven*.'

Ze lachte. Een vrouwelijke passant hoorde hun gesprek en leek geamuseerd.

'Zullen we een milkshake halen?' stelde ze voor.

'Later. Ik heb uitgebreid geluncht. Laten we eerst een stukje lopen.'

'Goed.'

Ze liepen weg, arm in arm, klagend over school net als elk ander stel tieners.

Tien minuten later gingen ze het bos in en lieten ze de stad achter zich. Haar neiging om te gaan rennen werd sterker. Hij greep haar steviger bij de arm. 'Langzamer.'

'En als we hem mislopen?'

'Dat kan niet. Ik heb geen precieze tijd genoemd. Tussen half-drie en drie, aangenomen dat ik überhaupt ging wandelen.'

Een ouder stel kuierde in hun richting, net als zij arm in arm. Een klein hondje liep achter hen aan. Prompt begon Ronnie vragen te stellen over de dieren in het bos, de onwetende stadsbewoner uithangend, terwijl zij haar kennis van het platteland tentoonspreidde. Het paar knikte vriendelijk. Beiden glimlachten toen de hond een eekhoorn de boom injoeg.

Ze liepen verder door het bos, waar het ruig en wild werd en waar nauwelijks mensen kwamen. Misschien omdat men bang was een spookmoeder te ontmoeten die naar haar kind zoekt.

Ten slotte kwamen ze bij het vergeten pad dat naar de rivieroever leidde.

Hij keek op zijn horloge. 'Precies tien over halfdrie. Controleer of het op jouw horloge even laat is.'

Dat was zo.

'Kom om halfvier. Niet vroeger. Ik heb tijd nodig om te bepalen of hij voldoende op heeft.'

'Dat denk ik wel. Hij was niet bepaald matig met drank tijdens de lunch.'

'Goed.' Hij trok een paar leren handschoenen uit zijn zak en trok ze aan.

Toen staarden ze elkaar aan.

'Het is zover,' zei hij.

Ze knikte.

'Je hoeft niet te komen. Ik kan het wel alleen.'

'We doen het samen, Ronnie. Het kan niet anders.'

'Ik hou van je. Ik laat je niet in de steek.'

'Dat weet ik.' Ze kuste hem op de wang. 'Dat brengt geluk.'

'We hebben geen geluk nodig.' Hij kuste haar terug. 'We hebben elkaar.'

Hij liep het pad af en verdween. Ze bleef waar ze was, de armen om zich heen geslagen. Ze voelde dat ze trilde terwijl de eerste bladeren op de grond vielen en de vogels onverstoorbaar doorzongen.

Vlak bij het pad stond een oude hut.

Hij was ooit gebruikt door een boswachter die al lang was overleden. Nu was hij verlaten en bijna vervallen. Ze had er als kind gespeeld, samen met haar vader, net zoals hij daar met zijn vader had gespeeld. Nu zat zij er en ze keek naar de trage minutenwijzer van haar horloge.

Totdat ze niet langer kon wachten.

Ze kroop naar buiten, luisterend naar stemmen of voetstappen als teken van menselijke aanwezigheid, maar ze hoorde alleen het ruisen van de bomen en het bonzen van haar eigen hart.

Ze liep het pad af, dat was omzoomd door bomen en struiken die het zicht op de lucht vaak ontnamen. Haar benen voelden alsof ze het elk moment konden begeven. De lucht was zwaar van de geur van aarde.

Tot ze, iets verderop, stemmen hoorde.

Daar waren ze. Samen.

Plotseling, onverwachts, werd ze kalm.

Nog enkele meters en het pad werd breder. Ze stond aan de rand van een open plek met een vijver en een boom. De boom waaronder haar vader haar ooit verhaaltjes had verteld. De boom waaronder Paul en zij de liefde hadden bedreven op die noodlottige zomerdag van het vorige jaar.

En nu zat Ronnie er met oom Andrew.

Ze zaten dicht bijeen, hun hoofden raakten elkaar bijna. Ronnies strategie om te verzekeren dat ze zachtjes konden praten. Oom Andrew nipte van de bijna lege whiskyfles en gaf hem door aan Ronnie, die zogenaamd last had van een slechte bloedsomloop en handschoenen droeg om zijn handen tegen de kou te beschermen. Ronnie hield zijn hoofd schuin en deed net of hij dronk. De man in zijn gezelschap was veel te dronken om het bedrog op te merken.

Ze keek naar de bomen die de rivier afschermden. Weer luisterde ze naar tekenen van leven maar ze hoorde niets. Precies zoals ze had verwacht. Er kwamen maar weinig mensen naar dit stuk van de rivier, vooral niet buiten de zomer. Haar vader hield juist van dergelijke plekken en zij had die voorliefde overgenomen, hoewel ze nooit had gedacht dat ze die plek nog eens op deze manier zou gebruiken.

Ronnie gaf de fles terug, wierp een blik op zijn horloge en keek op. Ze maakten oogcontact.

Even reageerde hij niet. Toen knikte hij.

Ze liep de open plek op en schraapte haar keel. Ronnie ging staan. Oom Andrew deed hetzelfde en staarde haar aan met door de drank vertroebelde ogen. 'Wat doe jij hier?'

'Ik ben hier voor Jennifer.'

'Jennifer?' Hij deed een stap in haar richting, onvast op zijn benen staand. Ronnie legde een arm om hem heen. Steunend. Begeleidend. Hij manoeuvreerde hem naar de juiste plek bij de waterkant. Daar vlakbij kwamen de boomwortels boven de oppervlakte. De wortels die haar vader trollenvingers had genoemd.

'Wat bedoel je?' vroeg hij.

'Dat ik hier ben om te kijken hoe je gaat sterven.'

'Sterven?' Hij keek naar Ronnie en begon te giechelen. 'Ze is gek.'

Ronnie knikte. Hij glimlachte maar keek toen opeens verbaasd. 'Wat is dat?' zei hij, wijzend naar een plek achter oom Andrews schouder.

Oom Andrew wilde omkijken. Hij had nog steeds de whiskyfles vast. Ronnie liet zich vallen, sloeg zijn handen om de enkels van oom Andrew en gaf een klein rukje. Hij viel voorover, te gedesoriënteerd om te schreeuwen of zijn handen uit te steken voordat zijn hoofd met een harde klap op de trollenvingers sloeg.

Hij lag met zijn hoofd in het water. De whiskyfles was uit zijn handen gevallen en lag naast hem. Met droge keel keek ze naar hem. Was hij bewusteloos? Of moesten ze zijn hoofd onder water houden en het risico lopen dat ze blauwe plekken zouden achterlaten? Ronnie had haar verzekerd dat dat niet nodig zou zijn. Dat hij zich door de klap en de drank niet meer zou kunnen verzetten. Maar ze wilde het risico niet nemen.

Twintig seconden verstreken. Dertig. Veertig. Hij bleef bewegingsloos liggen. Ronnie kon zijn adem anderhalve minuut inhouden. Zij bijna twee.

Maar zij waren jonger en fitter dan hij.

Ronnie kwam naast haar staan. Hij zette zijn voeten voorzichtig neer en vermeed de plek waar de grond zo vochtig was dat er voetafdrukken konden achterblijven. Hij nam haar hand en kneep er zachtjes in. Ze gaf een kneepje terug.

Een minuut. Twee. Ze wachtte tot hij zou gaan bewegen. Maar hij bleef gewoon liggen.

Drie minuten. Vier. Vijf.

Het was gelukt.

'Het is voorbij, Susie.'

'Maar...'

'Hij is dood. We moeten gaan. Nu. Voordat er iemand komt.'

Ze liepen het pad op, nog steeds hand in hand. Ze verlieten de rivier en liepen weer het bos in. Ze rende en had het gevoel of ze zweefde. Ze wilde schreeuwen en huilen en lachen tegelijk. Ze was doodsbang en dolblij. Duizelig van de adrenaline.

In het bos liep hij met haar naar de hut. 'We moeten hier een paar minuten blijven,' zei hij. 'Je moet niet opgewonden overkomen als we teruggaan. Je moet kalm zijn.'

'Maar hoe dan? Het is ons gelukt.' Ze lachte luidkeels. 'Het is ons gelukt!'

Hij begon ook te lachen terwijl hij met zijn hand haar mond probeerde te bedekken. Ze rukte zich los en bleef lachen. Weer bedekte hij haar mond, maar dit keer met zijn eigen mond.

Begeerte ontplofte in haar als dynamiet. Ze kuste hem terug, wild, gretig. Ze wilde hem helemaal verscheuren. Zijn ogen glansden en ze wist dat hij het ook voelde. Dat gevoel van verbintenis. Van eenheid. Ik ben de jouwe en jij bent de mijne en zelfs de dood kan onze band niet verbreken.

En zo werden ze ook fysiek één, daar in de hut, terwijl buiten de spookmoeder om haar kind riep en de spiedende ogen van anderen op afstand hield.

Halfzes. Ze stond in de gang van het huis en rook de geur van het avondeten.

De laatste twee uur had ze met Ronnie in Cobhams Milk Bar gezeten. Ze dwong zichzelf een aardbeienmilkshake te drinken en over school, Schotland, films en muziek te praten. Over alles en nog wat, behalve over hetgeen er bij de rivier was gebeurd.

'Ben jij dat, Andrew?'

'Nee, mam. Ik ben het.'

Haar moeder kwam de keuken uit. Ze keek bezorgd.

'Je stiefvader is nog niet terug. Je denkt toch niet dat hij naar de pub is gegaan?'

'Die is nog niet open. Hij is waarschijnlijk gewoon de tijd vergeten. Vorig weekend ging hij wandelen en toen bleef hij uren weg.'

'Nou ja, het zal wel.' Haar moeder zuchtte. 'Ik maak een stoofpotje. Dat vindt hij toch lekker?'

'Heel lekker.' Ze dwong zich tot een glimlach. 'Maak je geen zorgen, mam. Hij zal zo wel thuiskomen...'

Tien over half zeven. Anna stond achter het keukenraam en zag Ronnie aankomen.

Ze liep naar buiten om hem te begroeten. 'Heb je je vermaakt?' vroeg ze.

Hij knikte. Hij zag er droevig uit. Boven hun hoofd klom Venus in de avondhemel.

'Ze is nog niet weg, Ronnie.'

De droefheid bleef. 'Het is gewoon het idee dat iemand die je leuk vindt, weggaat. Het doet me denken aan hoe ik jou altijd zag vertrekken in Hepton.'

'En is dit even erg?'

'Nee. Niets kan ooit zo erg zijn als dat.'

Ze kreeg een warm gevoel in haar maag. 'Het is maar tot Kerstmis. Dat is niet lang.'

Maar tegen die tijd kan het je niks meer schelen. Daar zorg ik wel voor.

Weer een knikje.

'Waar ben je geweest?'

'In het bos gewandeld en daarna bij Cobhams gezeten.' Zijn gezicht kreeg een schuldige uitdrukking. 'Waar ik mijn eetlust heb verpest met een chocolademilkshake.'

'Dat is jammer. Ik maak wat je zo lekker vindt: lamskoteletjes met muntsaus.'

'Echt waar?' Zijn gezicht klaarde op en vertoonde een volmaakte Ronnie Sunshine-lach. 'Bedankt, mam. Je weet precies hoe je me op moet vrolijken.'

'Natuurlijk. Dat is mijn taak.' Ze kneep in zijn arm. 'Wie kent je beter dan ik?'

Hij gaf een kneepje terug. 'Niemand.'

Samen liepen ze naar binnen.

Kwart voor negen de volgende ochtend. Susan stond met haar moeder in de gang. Beiden staarden naar de telefoon.

'Je moet ze bellen, mam.'

Haar moeder stak haar hand uit naar de haak maar trok hem toen weer terug. Er zaten wallen onder haar ogen vanwege slaapgebrek. Geen van hen beiden had de afgelopen nacht een oog dichtgedaan.

'Hij is waarschijnlijk bij een vriend gebleven. Als ik de politie bel en ze komen hier, wordt hij vast kwaad. Je weet hoe hij kan zijn.'

'En jij weet dat hij nooit een hele nacht wegblijft. Wat zou hij moeten doen? De burgemeester midden in de nacht wakker maken en zeggen, sorry, maar ik ben te dronken om de weg naar huis te vinden?'

'We weten niet of hij gedronken heeft.'

'Hij was de hele avond weg. Wat kan hij anders hebben gedaan? Trouwens, het doet er niet toe wat hij gisteravond heeft gedaan. De vraag is: waar is hij nu?'

Weer wilde haar moeder de telefoon oppakken en deinsde ze op het laatste moment terug.

'Mam, hij heeft een belangrijke vergadering vanochtend. Weet je niet meer dat hij het erover had? Hij had een uur geleden naar kantoor moeten gaan, maar hij is nog steeds niet thuis. Dat zegt toch wel iets.'

Haar moeder zag er angstig uit. Susan moest zich bedwingen om haar niet uit haar lijden te verlossen en te vertellen dat hij nooit meer terug zou komen. Maar dat kon natuurlijk niet.

'Hij drinkt in The Crown. Waarom bel je die niet eerst? Vraag of hij daar is geweest.'

'Ik weet niet...'

'Of vraag het Ben Logan. Als oom Andrew naar The Crown ging is hij langs de rivier gelopen en heeft Ben hem gezien. Ben ziet iedereen.'

'Je moet naar school. Je bent al te laat.'

'Ik laat je niet alleen.'

'Als hij terugkomt en ziet dat je nog hier bent, wordt hij kwaad op mij. Toe nou, Susie.'

Ze wilde niet gaan. Maar ze wilde ook niet blijven. Zelfs de beste actrices moeten af en toe van het toneel af.

'Goed. Maar tussen de middag kom ik thuis en als je dan nog niets hebt gehoord, bellen we de politie...'

De volgende middag. Ze kwam uit school en liep samen met Ronnie.

Geen van beiden sprak. Ze wist wat hij dacht. Wat ze zelf dacht. Wanneer zouden ze hem vinden? Wanneer zou het grote toneelspel echt beginnen?

Haar moeder had de politie gebeld, gisteren rond lunchtijd. Twee agenten hadden een verklaring opgenomen. Ze was de hele middag thuisgebleven en had naast haar moeder gezeten, bezorgd kijkend, niets zeggend.

Maar als hij naar The Crown was gegaan, had Ben Logan hem moeten zien.

Iedereen die oom Andrew kende, was gebeld. Oom George, die de vorige avond bij hen thuis had doorgebracht. De burgemeester. Andere vrienden. De waard van The Crown. Niemand wist iets.

Hoewel Ben Logan hem de middag daarvoor langs de rivier had zien wandelen, een beetje wankel op de benen. En niet bepaald voor het eerst.

Ze kwamen bij de hoek van Market Court. Een politiewagen stond voor haar huis. Kwamen ze meer vragen stellen? Of kwamen ze het nieuws brengen?

'Misschien is het zover,' zei ze.

'Het was een ongeluk. Dat is hoe het lijkt en dat zullen ze denken.'

'Ik hoop het.'

'Zal ik meegaan?'

'Nee. Dat kan vreemd overkomen. Ik moet dit alleen doen.'

'Ben je er klaar voor?'

Ze ademde diep in. 'Ja.'

Hij kuste haar op de wang. 'Licht.'

Ze kuste hem terug. 'Camera.'

'Actie.'

Terwijl ze naar huis liep, leek het licht rond haar uit te doven, zoals het geleidelijk duister wordt in een bioscoopzaal als de film begint. In haar hoofd was ze weer zeven jaar, in de bioscoop, hand in hand met haar vader, kijkend naar het meisje op het witte doek dat een oudere versie van haarzelf leek. Het meisje dat in gevaar was en alles op alles moest zetten om te overleven. Het meisje dat doodsbang was, net als zijzelf.

Maar haar vader was niet bang. Hij glimlachte en haar hand lag warm en veilig in de zijne. 'Niet bang zijn, Susie,' fluisterde hij. 'Ze redt het wel. Ze redt het omdat ze mijn dochter is en ik ben trots op haar. Ik wou dat ze hier was zodat ik haar dat kon vertellen, maar dat is niet zo dus moet jij het voor mij vertellen. Bewaar die kennis in je hart zodat ze ervan overtuigd is, als ze het jaren later echt nodig heeft.'

Ik weet het. Ik hou van je, papa.

En ik kan dit doen.

Ze opende de deur. Uit de woonkamer klonken stemmen. Haar moeder dook op, met rode ogen van het huilen. 'O, Susie...'

'Mam, wat is er?'

Haar moeder barstte in tranen uit. Een politieman stond in de deuropening. Hij wiebelde van de ene voet op de andere, duidelijk niet op zijn gemak als getuige van andermans verdriet.

'Mam?'

'O, Susie, hij is dood.'

In haar hoofd zoemde de camera en de muziek zwol aan. Ze dacht aan haar vader. Ze dacht aan haar publiek.

Ze gaf zich over aan de scène en begon ook te huilen.

Woensdagavond. Charles luisterde naar Mary Norris aan de telefoon.

'Er lag een lege fles naast hem. Dat heb ik tenminste gehoord. Iedereen zegt dat hij veel dronk. In The Crown was hij vaak straalbezopen.' Een zucht. 'Arme Susie. Hoe zal zij zich voelen?'

Hij wist het niet zeker. Maar hij kon het wel raden.

Blij? Vrij? Veilig?

Schuldig?

De gedachte bleef aan hem kleven als een teek. Hij wilde het niet geloven. Susan was iemand op wie hij erg dol was. Een waarachtig warm en sympathiek mens. Hij had geleerd op zijn instincten te vertrouwen als het om anderen ging en over haar had hij altijd een goed gevoel gehad.

Maar dat kon hij van Ronnie niet zeggen.

En goede mensen konden slechte dingen doen. Als ze zich in het nauw gedreven voelden. Als ze bang waren.

Waar een wil is, is een weg.

Susan had die wil. Had Ronnie de weg gevonden?

Terwijl Mary verder babbelde, schudde hij zijn hoofd alsof hij de gedachte van zich af wilde werpen. Maar hij bleef hangen als een parasiet die zich voedde en groter werd.

De volgende morgen zat hij in zijn studeerkamer een pijp te roken. Hij probeerde te werken.

Anna kwam binnen. Ze zag er ingetogen uit. 'Wil je iets eten?'
'Nee, dank je. Ik heb geen trek.'
'Ik ook niet.'
Hij legde zijn pen neer. 'Het is een vreselijke toestand.'
'De begrafenis is zaterdag. We moeten gaan. Ons medeleven tonen.'
'Zaterdag is Ronnie jarig.'
'Nou en?'
'Niets. Ik zeg het maar even. Ik weet hoe je je erop hebt verheugd.'
'We kunnen het op een andere dag vieren. De begrafenis is belangrijker.' Terwijl ze sprak begon ze aan haar linkeroor te friemelen. Zoals ze altijd deed als ze nerveus was.
'Natuurlijk,' zei hij verzoenend. 'En natuurlijk gaan we.'
'Met zijn drieën. Jij, Ronnie en ik. Hij wil gaan. Dat zei hij gisteravond.' De hand bleef aan het oor friemelen. 'En zo hoort het. Susie en hij zijn zulke goede vrienden. Mensen zouden het vreemd vinden als hij er niet was.'
Hij knikte, blies rookwolken uit en keek haar aan.
Jij verdenkt hem ook. Jij gelooft evenmin dat het een ongeluk was.
Hij vroeg hoe laat de dienst begon. Ze antwoordde met gespannen stem. Weer zag hij die harde trek rond haar mond. Maar deze keer nog geprononceerder. Weer een rimpel in het portret dat Dorian Gray op zolder bewaarde.
Ze praatte door. Plotseling kreeg ze tranen in haar ogen. Bezorgd stond hij op. 'Schat, wat is er?'
'Iemand die zo onverwachts overlijdt. Het doet me aan mijn eigen familie denken. Het ene moment zijn ze er nog en dan zijn ze opeens verdwenen.' Ze schudde haar hoofd. 'Het is zo stom. Je zou denken dat ik er nu wel overheen was.'
'Het is niet stom. Over zoiets kom je niet heen. Niet helemaal.'
'Ik wilde dat ik het kon.' Ze slikte. 'Was ik maar dapper.'
'Dat ben je.' Hij liep naar haar toe. 'Dat heb ik je de eerste keer dat we elkaar spraken al gezegd. Hier in deze studeerkamer. Weet je nog?'
'Ja. Je zei dat ik moed had omdat ik Ronnie wilde houden en ik zei dat het geen moed was waardoor ik dat deed. Het was omdat ik,

zodra ik hem in mijn armen had, wist dat ik hem nooit zou kunnen afstaan. Dat hij van mij was.'

Ze leunde voorover en liet haar hoofd tegen zijn borst rusten. Hij legde zijn armen om haar heen, streelde over haar haar en voelde haar trillen.

Ze is bang. Bang voor wat hij gedaan heeft. Bang dat hij gesnapt wordt.

Maar het was een ongeluk geweest. Dat was wat iedereen leek te denken. Hij hoopte dat ze het bleven denken. Voor haar. En voor Susan.

'Het komt wel goed,' fluisterde hij. 'Je bent niet meer alleen. Je hebt mij en ik sleep je hier wel doorheen.'

Las ze de boodschap tussen de regels? Wie weet. Hoewel ze dat nooit zou zeggen.

Maar haar hoofd bleef tegen zijn borst liggen, waardoor hij een kort maar kostbaar moment voelde dat ze hem nodig had.

Zaterdag. Koud en helder. Susan stond naast haar moeder op het kerkhof van Kendleton en keek toe hoe de kist van oom Andrew in het graf werd neergelaten.

De dominee begon te bidden. Ze boog haar hoofd en staarde naar haar zwarte schoenen die speciaal voor de begrafenis waren gekocht. De afgelopen week was er veel voor haar gekocht. De kleren voor Schotland lagen nog op de vloer van haar slaapkamer en gingen terug naar de winkel. Dit zou haar vertrekdag geweest zijn, maar nu ging ze niet weg. Niet nu haar moeder haar nodig had.

Het gebed was ten einde. Haar moeder gooide een handvol aarde op het graf. Ze deed hetzelfde en voelde de ogen van de aanwezigen op zich gericht terwijl ze verdriet voorwendde. Ze was nerveus, maar niet overmatig. De autopsie had aan het licht gebracht dat hij veel alcohol in zijn bloed had en hoewel de uitslag van het gerechtelijk onderzoek pas dinsdag kwam, betekende het feit dat het lichaam was vrijgegeven voor de begrafenis dat het een formaliteit was. Dat had een van de politiemensen tegen haar moeder gezegd en er was geen reden om aan zijn woorden te twijfelen.

Wie zou haar ook verdenken? De buitenwereld dacht dat oom Andrew een goede, aardige man was geweest. Hij dronk misschien iets te veel, maar dat was geen misdaad. Ze mocht blij zijn dat ze zo'n stiefvader had gehad. Dat zouden de mensen denken, en haar verlies zou hun medelijden opwekken, geen wantrouwen.

Oom George gooide aarde op de kist. Jennifer stond wat meer naar achter, hield haar hand vast en keek naar haar op. 'Alles goed, Jenjen?' fluisterde ze.

Een knikje. 'En met jou?'

'Beter omdat jij bij me bent. Veel beter.'

Jennifer glimlachte. Warm, stralend en vol vertrouwen. Een golf van liefde overspoelde haar, samen met een gevoel van kalmte. Jennifer was veilig. Ze had gedaan wat noodzakelijk was en ze had geen spijt.

Ronnie stond aan de andere kant van het graf, geflankeerd door zijn moeder en stiefvader. Hij leek bedroefd, maar niet zo bedroefd als zijzelf. Hij acteerde ook. Beiden gaven hun publiek wat het verwachtte.

Even keken ze elkaar aan. Toen keken ze beiden een andere kant op.

Woensdagmiddag. Mary Norris deed boodschappen op Market Court en zag Anna uit het postkantoor komen. Snel liep ze naar haar toe. 'Hoe gaat het? Ik heb je niet meer gezien sinds die leuke theemiddag in jullie tuin.'

'Best,' zei Anna.

Maar zo zag ze er niet uit. Ze had een afgetobd gezicht en wallen onder haar ogen. Mary was bezorgd. 'Weet je het zeker? Je lijkt niet helemaal fit.'

'Ik voel me prima, dank je.' Anna glimlachte maar haar stem had iets vreemd kribbigs. Misschien sliep ze niet goed. Mary sliep zelf ook af en toe slecht en wist dat je van de moeheid soms norser overkwam dan je wilde.

'Heb je de krant van gisteren gezien?' ging ze verder. 'Ik vind dat ze niet zoveel over zijn drankgebruik hoefden te schrijven. Dat is toch niet erg prettig voor Susie en haar moeder?'

Anna knikte.

'Wist je dat hij dronk? Ik niet, maar de man van mijn vriendin Moira Brent, Bill, zei dat hij altijd in The Crown zat. Deel van het meubilair, zei Bill, hoewel...'

'Heb je niets beters te doen dan roddelen?'

De toon was ijzig. Mary stond versteld. 'Ik wilde alleen maar...'

'Hij is dood. Het was een tragisch ongeluk, zoals de lijkschouwer al zei en je helpt Susie en haar moeder niet door alles weer op te rakelen.'

'Maar dat doe ik niet. Ik wilde alleen...'

'Ik heb van alles te doen. Tot ziens.'

Anna draaide zich om en liep weg. Gekwetst en onthutst keek Mary haar na.

Donderdagmorgen. Terwijl de rest van de klas discussieerde over het door dr. Faustus verkopen van zijn ziel, keek Susan vanaf haar bankje naar de regendruppels die tegen het raam spatten.

De klas was lawaaierig, net als het de laatste dagen thuis was geweest. Een eindeloze stroom mensen kwam langs om steun aan te bieden en te zwelgen in het drama, zoals ook was gebeurd toen haar vader overleed. Een collega van oom Andrew had het testament met hen besproken. Alles was aan haar moeder nagelaten. 'Een heel aardige som,' zo werd gezegd. 'Ik weet dat het het verlies niet draaglijker maakt, maar u hoeft zich tenminste geen zorgen over geld te maken.' Wat haar betrof had hij hen berooid mogen achterlaten, maar voor de gemoedsrust van haar moeder was ze er blij om.

Oom George kwam elke avond langs, graag bereid hen te helpen bij het dragen van het verdriet en, wellicht, zijn eigen pijn te delen. Zijn verhuizing naar Australië was afgelast. 'Zoiets als dit doet je beseffen hoe belangrijk het is dicht bij de mensen te zijn om wie je geeft,' had hij tegen Susan gezegd. 'En bij de mensen om wie Jennifer geeft.'

Regendruppels bleven langs het glas glijden, als achter elkaar aanjagende parels. Ze volgde het pad van een druppel met haar vinger en merkte dat juffrouw Troughton naar haar keek. In plaats van een standje over het feit dat ze niet oplette, kreeg ze een glimlach vol sympathie. Iedereen deed trouwens aardig tegen haar, net als toen haar vader was overleden. Af en toe zag ze andere meisjes behoedzaam naar haar kijken, alsof het verlies even besmettelijk was als de griep.

De bel ging voor de ochtendpauze. Terwijl de klas leegstroomde, kwam Charlotte naast haar zitten. 'Ik had niet gedacht dat je deze week zou komen.'

'Mama drong erop aan. Ze wilde niet dat ik nog meer lessen zou missen.'

'Hoe gaat het met haar?'

'Goed. Ze heeft mij nog en ik weet hoe ik voor haar moet zorgen.'

'En hoe gaat het met jou?'

'Ik ben onderhand moe van die vraag.'

Charlotte keek verontschuldigend. 'Sorry.'

'Laat maar,' zei ze snel. 'Het is natuurlijk om zoiets te vragen. Maar sinds het gebeurd is, is dat het enige dat mensen me vragen en het zou fijn zijn om ook eens even over iets anders te praten.'

'Zoals wat?'

'Zoals over jou. Wat heb jij meegemaakt?'

'Niets,' zei Charlotte. Toen begon ze te blozen.

'Wat is er aan de hand?'

'Ik heb, eh... een nieuwe vriend.'

'Wie?'

'Colin Peters.' De blos werd heviger. 'Hij zit bij Lizzie Flynn op school, maar hij gaat aan het eind van het semester van school af om automonteur te worden.'

Susan herinnerde zich het debacle met Alan Forrester en voelde de aandrang om haar te beschermen. 'Vind je hem even leuk als Alan?'

'Veel leuker! Hij lijkt helemaal niet op Alan. Dit is echt.' Charlottes stem kreeg iets samenzweerderigs. 'Hij kan fantastisch kussen.'

Ze barstte in lachen uit. 'Charlotte Harris!'

'Hij bezorgt me steeds zuigplekken. Ik moet mijn kraag voortdurend opslaan zodat pa en ma het niet zien!'

Nu lachten ze allebei. Ze lachten en deelden geheimpjes, net als ze gedaan hadden toen ze zo oud waren als Jennifer. Voordat de ziekte van haar moeder en de dood van haar vader haar leven volledig hadden veranderd.

Maar ze kon anders worden. Ze kon weer veranderen in de Susie Sparkle, die wist dat je van het leven moest genieten, en dat het leven niet alleen maar een kwestie van verdragen was. Nu oom Andrew er niet meer was, had ze alles wat ze nodig had om gelukkig te zijn. Haar moeder. Jennifer. Charlotte.

En Ronnie. Vooral Ronnie.

'Weet je zeker dat je het allemaal wilt horen?' vroeg Charlotte. 'Ik bedoel...'

'Natuurlijk! Ik ben toch je beste vriendin? Ik wil alles weten...'

Tien over halfvier. Alice stapte in de auto van haar moeder. De straat bij de school stond vol auto's, allemaal bestuurd door ouders die niet wilden dat hun lievelingetjes kou zouden vatten.

Haar moeder stak een sigaret op en keek naar de lucht. 'Ik hoop dat Edward het redt.'

'Waarom niet? Je weet hoe dol hij is op die stomme rugbytraining.'

'Het is niet stom. Hij is topscorer.'

'Alleen omdat de rest van het team zo slecht is dat ze net zo goed in rolstoelen hadden kunnen zitten.' Alice wapperde de rook weg. 'Kun je de andere kant op blazen?'

'Niet zo brutaal. Ik had je ook niet kunnen ophalen.'

'Ik heb er niet om gevraagd.'

Haar moeder fronste haar wenkbrauwen. 'Wat heb je toch?'

'Niets. Alles is prima.'

Dat zou zo zijn als ze maar níét steeds aan Ronnie moest denken.

Ze wilde niet aan hem denken. Hij was maar een jongen en jongens waren alleen maar goed om uit te lachen. Niet om naar te verlangen, dag na dag, zo hevig dat het erger pijn deed dan wat dan ook.

Haar moeder reed weg en mopperde op mensen die te langzaam opzij gingen. Alice wapperde nog meer rook uit haar gezicht en zag Ronnie lopen met Susan Ramsey. Ze schuilden samen onder een grote paraplu.

Toen de auto hen passeerde keek ze om. Ronnie, die de paraplu vasthield, luisterde naar iets wat Susan vertelde. Zijn gezicht was vol medeleven, en nog iets anders waardoor het een stralende uitdrukking kreeg. Het maakte hem de mooiste jongen ter wereld.

Liefde.

De arme Susan had haar stiefvader verloren. Hun leraar had de vorige dag een toespraak gehouden en gezegd dat ze heel aardig voor die arme Susan moesten zijn. Het was tenslotte niet de eerste keer dat Susan zo'n verlies meemaakte. Iedereen moest medelijden hebben met Susan. En dat had iedereen ook. Zelfs Kate Christie, die altijd een grote hekel aan haar had gehad, had gezegd dat het droevig was.

Maar Alice voelde geen medelijden. Niet voor iemand die ze niet kon overtreffen in schoonheid of slimheid. Niet voor iemand die ze niet kon domineren of intimideren. Niet voor iemand die er nooit een geheim van gemaakt had dat ze haar volkomen verachtte.

Verachtte Ronnie haar ook? Had Susan hem daarvan overtuigd?

Of had hij haar altijd al veracht?

De pijn werd onverdraaglijk. Ze wilde toeslaan. Pijn doen, littekens veroorzaken.

Haar moeder praatte maar door. Ze bleef stil zitten, ademde sigarettenrook in en probeerde de duistere emoties die in haar woelden te onderdrukken. Ze zouden het berouwen, die twee. Hoe, dat wist ze nog niet. Nog niet.

Maar ze zou een manier vinden.

Zaterdagochtend. Twee weken later. Susan stond in haar slaapkamer met haar moeder en keek naar het poppenhuis dat oom Andrew haar had gegeven na de dood van haar vader.

'Ik heb er nooit mee gespeeld,' zei ze.

'Jennifer misschien wel.'

'Ze heeft haar eigen speelgoed, mam, en ook een poppenhuis dat nog groter is dan dit.'

'Toch moet je het bewaren. Het is kostbaar. Misschien willen je eigen kinderen er ooit nog mee spelen.'

'Niet als ze op mij lijken. Dan gaan ze liever hutten bouwen en in bomen klimmen. Ik breng het vanmorgen nog naar de winkel met tweedehands spullen. De moeder van Charlotte werkt daar en volgens haar is er een meisje in Holt Street die het graag zou hebben.'

'Nou, dat is heel aardig van je.'

Ze knikte en wist dat aardigheid er niets mee te maken had. Ze had altijd een hekel gehad aan het poppenhuis. Het herinnerde haar aan hem, en nu hij er niet meer was moest het poppenhuis ook verdwijnen.

'Het is zwaar,' opperde haar moeder. 'Kun je het alleen dragen?'

'Ronnie komt me helpen.'

Haar moeder glimlachte. 'Dat verbaast me niets.'

'Je vindt hem toch aardig, hè mam?'

'Ja. Hij is grappig, net als je vader was. Maar veel knapper. De knapste jongen van de stad, zou ik zeggen, dus heel logisch dat hij het knapste meisje leuk vindt.'

Ze werd er verlegen van. 'Mam!'

'Het is zo. Je bent mooi, Susie. En sterk. Jij zult nooit de angst kennen om alleen te zijn, zoals ik.'

'Je bent niet alleen. Je heb mij nog en dat zal altijd zo blijven. Ik zorg voor je, mam. Zo lang als ik leef, hoef je je geen zorgen te maken.'

Haar moeder streelde over haar haar. 'Ik ben trots op je, Susie. Trots op wie je geworden bent.' De glimlach kwam terug. 'En ik weet dat je vader ook trots op je geweest zou zijn.'

Ze omhelsden elkaar. De schelp die haar vader had gekocht lag in de vensterbank. In tegenstelling tot het poppenhuis was dat ding geen cent waard. Maar ze was eraan gehecht en zou hem voor geen goud willen missen.

Die middag zat ze met Ronnie en Charlotte in Cobhams Milk Bar.

Anderen waren er ook. Lizzie Flynn. Arthur Hammond, haar vroegere vriendje van de lagere school, die op kostschool in Yorkshire zat en nu een lang weekend thuis was. En Colin Peters, de toekomstige automonteur die Charlotte haar eerste zuigzoen had gegeven.

Het was een levendig geheel. Terwijl ze koffie en milkshakes dronken, amuseerde Ronnie hen met beschrijvingen van zijn buren in Hepton. Een stel dat Brown heette, klonk wel bijzonder akelig. 'Zij was de grootste snob die je je kunt voorstellen en hij de grootste geile bok, ervan overtuigd dat hij onweerstaanbaar was. Als Marilyn Monroe in onze straat was komen wonen, zou hij denken dat ze dicht bij hem wilde zijn.'

Iedereen lachte. 'Dat zal niet gauw gebeuren,' zei Lizzie.

'Maar hij blijft het proberen. Hij blijft maar naar haar schrijven in Hollywood, stuurt haar kaarten van Oost-Londen en foto's van zichzelf in onderbroek met als onderschrift: "Pak me maar, liefje."'

Meer gelach. Susan zag hoe Colin koffie van zijn mond veegde. Hij was forsgebouwd en had een nietszeggend gezicht, en behalve over motoren had hij weinig te melden. Maar hij had ook een aardige glimlach, een vriendelijke manier van doen en hij was duidelijk gek op Charlotte, en dat was voor haar voldoende om stapeldol op hem te zijn.

Ronnie ging door met anekdotes en zijn gehoor werd steeds vrolijker. Terwijl hij sprak ving hij Susans blik op en knipoogde. Ze knipoogde terug.

'Hoe is het op school?' vroeg ze Arthur.

'Even leuk als altijd.' Arthur rolde met zijn ogen. Hij was klein, blond en tenger en leek op een fragiele versie van Ronnie. 'Henry is nu huisoudste maar hij zegt dat hij aftreedt als we het rugbykampioenschap niet winnen.'

'Dat is de goden verzoeken,' zei Lizzie.

'Ik weet het. Het hele team is van plan zich het lazarus te drinken zodat we zeker zullen verliezen.'

Meer hilariteit. 'Ken je Henry, de broer van Arthur?' vroeg Charlotte aan Ronnie.

'Dat genoegen heeft Ronnie nog niet gehad,' zei Susan.

'En het is een genoegen,' voegde Arthur eraan toe. 'Dat kan ik je verzekeren.'

'Hij is volkomen gestoord,' verklaarde Lizzie. 'Dat blijkt wel uit het feit dat hij bevriend is met Edward Wetherby. Dan moet je toch echt een rund zijn.' Ze wendde zich tot Charlotte. 'Weet je nog dat we naar een feestje bij hem thuis gingen en dat hij je bril in de rivier gooide?'

Charlotte giechelde. 'En toen stompte Susie hem in zijn gezicht en maakte hem aan het huilen.'

Colin sloeg een arm om haar heen. 'Als hij dat nog eens doet, zal ik hem aan het huilen maken.' Hij grijnsde naar Susan. 'Maar bedankt dat je in mijn plaats bent opgetreden.'

Arthur zette een plaat van Eddie Cochrane op in de jukebox. Susan zag dat oom George bij de deur stond. Hij leek wat verlegen in zo'n door tieners gedomineerde omgeving en hij had Jennifer aan de hand. Ze had een ballon bij zich en straalde.

'Ze zag je door het raam,' legde hij uit, 'en wilde even gedag zeggen.'

'Mag ik bij Susie blijven?' vroeg Jennifer aan haar vader.

'Als ze dat niet erg vindt.'

Susan klopte op een lege plek tussen Ronnie en haar in. Oom –George kuste Jennifer op de wang. 'Gedraag je netjes voor Susie, liefje.'

Jennifer knikte. Ze droeg een blauw jurkje dat paste bij de kleur van de ballon en ze zag er erg knap uit. 'Ben je naar een feestje geweest?' vroeg Charlotte.

Jennifer knikte. 'We hebben spelletjes gedaan en heel veel liedjes gezongen.'

'Maar je gaat nu niet zingen,' zei Susan.

Ronnie maakte een pistool met zijn hand en richtte op de ballon. 'Of die blauwe gaat eraan.' Jennifer giechelde. Lizzie bood haar een deel van haar milkshake aan. 'Geef haar niet te veel,' zei Susan bezorgd.

'En anders? Gooi je me dan in de koeienstront, net zoals je met Alice Wetherby hebt gedaan?' Lizzie keek Ronnie grijnzend aan. 'Wist je dat je vriendin een brutale vlerk is?'

'Ja. Maar ze is mijn vriendin niet. Ze is mijn zielsverwante.'

Susan voelde zich zowel opgelaten als buitengewoon gelukkig. Ze nipte van haar koffie en probeerde nonchalant te doen.

'Je bent rood,' zei Jennifer.

'Drink je shake en hou je rustig.'

'Wat is een zielsverwante?'

'Een zielsverwante,' antwoordde Ronnie, 'is de meest bijzondere persoon in je leven. Zo bijzonder dat je uren bij zo iemand kunt zitten zonder te willen zingen.'

Iedereen lachte. Lizzie en Charlotte vroegen Jennifer welke liedjes ze leerde en ontdekten dat zij die zelf ook kenden. Ze begonnen te zingen en haalden de woorden expres door elkaar. Jennifer corrigeerde hen met grote ernst. Susan voelde dat Ronnie haar hals streelde en besefte dat ze voor het eerst in jaren volkomen gelukkig was.

Ze glimlachten naar elkaar terwijl de rest doorging met het verdraaien van liedjes en Jennifers correcties aanhoorde.

Een halfuur later liep ze met Ronnie op Market Court. Ieder had Jennifer bij een hand en ze zwaaiden haar door de lucht. Jennifer gilde het uit van de pret. Het werd donker en huisvrouwen liepen gehaast voorbij om hun boodschappen te doen en naar huis te gaan. Een groepje jongens haalde geld op voor Guy Fawkes-dag, dat de volgende avond gevierd zou worden.

Iemand riep haar naam. Ze draaide zich om en zag Paul Benson naar haar lopen. Ze was verbluft en bleef staan.

'Hoe gaat het met jou, Susie?' vroeg hij.

'Slecht, nu ze jou ziet, denk ik,' zei Ronnie.

'Ik vroeg jou niets,' zei Paul.

'Maar ik zeg het toch maar. Donder op. Ze heeft je niets te zeggen.'

'Ik heb haar iets te zeggen.'

'Wat dan? Meer scheldwoorden? Moet je niet wachten tot je meer publiek hebt?'

Paul schuifelde wat met zijn voeten en leek buitengewoon slecht op zijn gemak. 'Wat wil je dan zeggen?' vroeg Susan.

'Dat het me spijt van je stiefvader. Echt waar.'

Ze knikte. Jennifer trok ongeduldig aan haar hand. 'Susie, ik krijg het koud.'

'Is er niet nog iets waar je spijt van moet hebben?' vroeg Ronnie aan Paul.

Paul bleef staan schuifelen.

'Nou?'

'Laat maar, Ronnie,' zei Susan.

'Het spijt me dat ik je zo behandeld heb,' zei Paul opeens. 'Het was fout en wreed.' Hij slikte. 'En daar schaam ik me voor, als dat nog iets uitmaakt.'

Ze staarde hem aan en wachtte op het gevoel van triomf. Ooit had ze niets liever gewild dan dat hij zijn excuses zou aanbieden, waarop ze van plan was geweest zijn woorden te negeren. Maar dat was voordat ze Ronnie ontmoette.

En nu die excuses daadwerkelijk waren uitgesproken, voelde ze niets, behalve een onverwacht gevoel van medelijden.

'Het geeft niet. Het is verleden tijd.' Een stilte. 'Hoe gaat het met je vader?'

Zijn gezicht klaarde op. 'Beter.' Hij glimlachte. 'Bedankt.'

'Fijn,' zei ze.

Jennifer trok nog steeds aan haar hand. Deze keer liet ze zich meevoeren.

Nadat ze Jennifer had thuisgebracht liep ze met Ronnie terug over Queen Anne Square.

'Kun je niet wat langer blijven?' vroeg hij.

'Vanavond niet. Ik moet bij mijn moeder blijven. Dat begrijp je toch wel?'

'Natuurlijk.'

'Meende je echt wat je over me zei in Cobhams?'

Hij knikte. 'Woord voor woord.'

'Dan ben je echt gek.'

Hij glimlachte. Zijn ogen glinsterden in de schemering. 'Triest, eigenlijk.'

'Wat?'

'Een snol als zielsverwante te hebben.'

'Niet zo triest als er een hebben die een bastaard is.' Ze streelde zijn wang. 'En dan ook nog zo'n lelijke.'

Ze kusten elkaar. 'Ik wist het meteen toen ik je zag,' zei hij. 'Dat we bij elkaar hoorden. Dat het voorbestemd was.'

'Ik niet. Toen niet. Jammer.'

'Het maakt niet uit. Je weet het nu.'

Ze streelde zijn lippen met haar tong. Een ouder echtpaar dat voorbijliep mompelde iets over de jeugd van tegenwoordig. 'Stel je voor dat ze het wisten,' zei ze.

'Niemand komt het ooit te weten.'

'Ik schaam me er niet voor. Ik had dat wel verwacht, maar ik voel het gewoon niet.'

'Dat zul je nooit voelen. We hebben gedaan wat nodig was, dat is alles.'

Ze kusten elkaar opnieuw. Langzaam en teder. 'Ik moet gaan,' fluisterde ze. 'Mama wacht op me.'

Hij trok zijn armen strakker om haar heen. 'Maar ik zie je morgen.'

'Natuurlijk. We kunnen naar het vuurwerk gaan. De rest gaat ook.'

Hij schudde zijn hoofd.

'Vond je ze niet leuk?'

'Jawel. Maar morgenavond moet bijzonder zijn. Alleen voor ons.'

Ze glimlachte. 'Goed dan. Maar nu moet ik gaan.'

Hij bleef haar stevig vasthouden. 'Nog één minuut.'

Ze bleven elkaar kussen terwijl het langzaam donker werd en oudere echtparen misprijzend het hoofd schudden en de teloorgang van de westerse beschaving voorspelden.

De volgende avond zat Charles te eten met Anna, Ronnie en Susan.

De Guy Fawkes-viering vond plaats aan de overkant van de rivier. Vuurwerk vulde de lucht met licht en lawaai en de toegestroomde menigte juichte.

Hij zat tegenover Anna aan de lange kant van de tafel en Ronnie en Susan zaten tegenover elkaar in het midden. Ze aten rosbief en dronken er rode wijn bij.

'Hoe gaat het met je moeder?' vroeg hij aan Susan.

'Heel goed, dank u, meneer Pembroke.'

'En hoe gaat het met jou?'

'Best.' Ze nipte van de wijn. Haar glimlach drukte zowel warmte als droefheid uit. Een perfect gebaar in een foutloze voorstelling. Hij wilde haar graag vertellen dat ze niet voor hem hoefde te acteren. Dat hij hoe dan ook aan haar kant stond en dat hij haar nooit zou verraden.

En Ronnie ook niet.

'Dat is fijn om te horen,' zei hij met precies de juiste mengeling van vriendelijkheid en medeleven. Hij speelde de beminnelijke, nietsvermoedende huisvader. Een staaltje acteerkunst tegenover de hare.

Anna schonk zichzelf nog een glas wijn in. Het derde van die avond. 'Ik vind het ook fijn,' zei ze tegen Susan. Haar toon was vriendelijk, maar haar gezicht stond strak. Ze zag er moe en be-

zorgd uit. Kon Susan het zien, vroeg hij zich af. Of Ronnie?
Of waren ze zo verliefd dat ze alleen oog hadden voor elkaar?
Ronnie slikte een stuk vlees door en complimenteerde zijn moeder met het eten. De liefdevolle, trouwe zoon. Maar het was geen acteren. Ronnie hield van zijn moeder. Dat was echt, maar wat was er verder nog echt aan hem? Wat Ronnie betrof vroeg hij zich af of iemand kon zeggen waar de illusie eindigde en de werkelijkheid begon.

Het vuurwerk lichtte rood en goud op in de lucht. Terwijl Susan door het raam toekeek, bestudeerde Anna haar met een diep vijandige blik. Even liet ze haar eigen masker zakken en toonde ze haar ware gevoelens.

De maaltijd liep ten einde. Ronnie schraapte zijn keel. 'Vinden jullie het erg als Susie en ik naar mijn kamer gaan? Ik wil haar wat tekeningen laten zien.'

Anna toverde haar glimlach weer voor de dag. 'Natuurlijk niet.'

'Bedankt voor het eten, mevrouw Pembroke,' zei Susan.

'Graag gedaan.'

Ze liepen de kamer uit. Anna schonk nog eens bij. Toen ze pas getrouwd was, dronk ze nooit meer dan één glas. Maar toen was alles heel anders.

Ze zag dat hij naar haar keek. 'Wat is er?'

'Jij gelooft het ook, hè?'

'Wat?'

'Dat het ongeluk van haar stiefvader helemaal geen ongeluk was.'

Haar ogen verwijdden zich. Ze leek angstig. 'Je hoeft niet bang te zijn,' zei hij snel. 'Ik sta aan hun kant. Ik zou nooit iets zeggen wat hen kon schaden. Dat zweer ik.'

De angst was opeens verdwenen. 'Je hebt te veel gedronken,' zei ze koel. 'Natuurlijk was het een ongeluk. Alleen een idioot zou er anders over denken, en ik ben niet met een idioot getrouwd.'

Hij opende zijn mond om te protesteren. Ze schudde haar hoofd. Ze stond op en begon de tafel af te ruimen. Haar masker zat weer veilig op zijn plaats.

Susan stond in Ronnies slaapkamer en keek toe hoe hij de deur afsloot. 'Waarom doe je dat?' vroeg ze.

'Omdat ik niet wil dat we gestoord worden.' Hij nam haar hand en leidde haar naar het raam.

Het vuurwerk verlichtte de hemel nog steeds. 'Het is mooi,' zei ze.

'Niet zo mooi als jij.'

Ze kusten elkaar. 'Je adem ruikt naar wijn,' zei ze.

'Jouw adem ook. Vond je het eten lekker?'

'Ja, maar je moeder was een beetje stil.'

'Niets aan de hand.'

'Denk je dat ze iets vermoedt?'

'Hoe zou dat kunnen? Ik ben de volmaakte zoon en volmaakte zonen doen nooit iets wat slecht is.'

'Was het echt slecht?'

Hij schudde zijn hoofd. 'Het was nodig. Hij stond op het punt Jennifer hetzelfde aan te doen als hij jou heeft aangedaan. Hij moest gestopt worden. Dat is alles. Ik zou nooit toestaan dat iemand je iets aandeed, Susie. Dat weet je toch wel?'

'Voor mij geldt hetzelfde.'

Ze kusten opnieuw. 'Zielsverwant,' fluisterde ze.

'Daarom vertrouwde je me, hè?'

'Ja.'

'En daarom kan ik jou ook vertrouwen. Ik moet je iets vertellen en ik weet dat jij de enige bent die het kan begrijpen.'

Ze knabbelde aan zijn onderlip. 'Wat dan?'

'Het gaat over iemand die me ooit heeft gekwetst. Lang geleden.'

Ze ging met haar vingers door zijn haar. 'Wie? Je tante? Je neef?'

Hij schudde zijn hoofd. 'Iemand anders. Iemand die beter had moeten weten.'

'Wie dan?'

Hij maakte zich van haar los en liep naar zijn bureau. Uit zijn zak haalde hij een sleuteltje tevoorschijn waarmee hij een lade opende. 'Hier zit het allemaal in,' zei hij.

Ze keek erin. De lade bevatte veel papieren. Bovenop lag een oude, vergeelde krant.

'Heb je ooit gehoord van een plaats die Waltringham heet?' vroeg hij. 'Het is aan de kust in Suffolk. Ik ben daar ooit op vakantie geweest met een vriend van school. Een jongen die Archie heette. Hij was ziek, dus ik was meestal in mijn eentje.'

Ze draaide zich naar hem om. Zijn ogen schitterden.

Plotseling, zonder reden, kreeg ze een vaag gevoel van onbehagen.

'Op een dag regende het. Ik vluchtte een herenkledingzaak in en deed net of ik een stropdas wilde kopen. In een nis hing een spiegel. De verkoper zei dat ik de das daar kon passen...'

... hij stond voor de spiegel en staarde naar zijn schoenen die nog steeds vochtig waren van de regen. Zijn haar was ook vochtig. Een druppel water gleed van zijn voorhoofd naar beneden. Hij keek toe.

Er klonken voetstappen achter hem. Snel en resoluut. Er werd een hand op zijn schouder gelegd.

Hij keek op in de spiegel.

Een man van ongeveer veertig jaar stond achter hem. Lang, goedgebouwd, duur gekleed. Hij had een sportjasje over zijn arm. 'Mag ik even? De verkoper zegt dat het mijn maat is, maar ik weet zeker dat hij te klein is.'

Hij antwoordde niet. Hij staarde als verlamd naar het gezicht van de man. Het was nu ouder, maar het was nog steeds hetzelfde gezicht waarnaar hij zo lang hij zich kon herinneren had gekeken. Het gezicht op het fotootje dat hij achter de ingelijste foto van zijn moeder had verstopt.

Zijn vader.

Hij opende zijn mond, in een poging woorden uit te spreken die niet kwamen. Zijn vader staarde hem aan met zijn grijsgroene ogen. 'Is alles in orde?' Hij sliste iets. In zijn hals had hij een kleine moedervlek in de vorm van de kaart van Engeland. Precies zoals zijn moeder had beschreven.

Het lukte hem om te knikken. Zijn vader paste het jasje, keek in de spiegel en zuchtte. 'Ik had gelijk. Te klein. Sorry dat ik je heb gestoord.'

Toen draaide hij zich om en liep weg.

Iets in Ronnie schreeuwde erom hem te volgen, maar hij bleef als aan de grond genageld staan. Een of andere boze heks had hem in steen veranderd op het moment dat hij iets moest doen.

De verkoper, een man van middelbare leeftijd, dook op. 'Neemt u die das?'

En de betovering was verbroken en hij kon zich weer bewegen.

Hij liet de das vallen, negeerde het binnensmondse gemopper en rende de zaak door. Zijn vader was nergens te zien. Hij liep het plein op. De jongens van het strand die hem eerder hadden staan aankijken waren er niet meer. Zijn vader probeerde de regenplassen te omzeilen terwijl het weer iets opklaarde en er vaag blauwe tinten in de lucht verschenen.

'Pardon.'

Zijn vader draaide zich om. 'Hé, hallo. Heb ik iets laten vallen?'

Weer zocht hij naar woorden. Het kostte hem moeite de realiteit van deze ontmoeting te beseffen. Hij had er zijn hele leven naar verlangd maar hij had nooit gedacht dat het op deze manier zou gaan.

Zijn vader fronste zijn wenkbrauwen. 'Nou?'

'Ik ben Ronnie.'

'Kan ik iets voor je doen? Ik heb haast.'

'Mijn moeder heet Anna Sidney.'

'Hoe?'

'Anna Sidney.' Een stilte. 'Uit Hepton.'

Hij staarde in zijn eigen ogen, zoekend naar waar hij altijd naar had verlangd. Erkenning. Plezier. Trots.

Liefde.

Maar hij zag niets dan leegte en onbegrip.

Ze betekende niets voor je. Toen niet. Nu niet. Nooit.

En ik evenmin.

De pijn schoot in golven door hem heen, alsof een onzichtbare hand in zijn borst in zijn hart kneep. Hij kreeg een brok in zijn keel. Hij slikte. Probeerde sterk te zijn. Zijn waardigheid te behouden.

'Nou en?' wilde zijn vader weten.

'Het spijt me. Ik dacht dat ik u kende maar ik heb me vergist.'

Zijn vader knikte. Toen draaide hij zich weer om en liep weg.

Ronnie bleef staan. De brok in zijn keel kwam terug. Een voorbijganger bleef even staan en staarde hem aan. Ronnie veegde over zijn gezicht en besefte dat hij huilde.

Zijn vader bereikte de hoek van het plein. Een vrouw kwam uit een zijstraat en riep: 'Ted!' Een afkorting van Edward. De naam die zijn moeder had gebruikt in de verhalen die ze hem als kind had verteld.

De vrouw bezweek bijna onder de boodschappentassen. Zijn vader schoot te hulp. Was zij zijn vrouw? Zo te zien was ze ongeveer van zijn leeftijd.

Niet in staat om zijn nieuwsgierigheid te bedwingen, kwam hij naderbij.

Een meisje liep achter de vrouw aan. Lang en knap, met de gelaatstrekken van zijn vader en de kleur haar van de vrouw. Zijn vader zei iets tegen haar en ze sloeg speels op zijn arm en riep: 'Papa!'

Maar dat was niet mogelijk. Ze was minstens zestien. Wellicht ouder. In ieder geval ouder dan hijzelf. Hoe kon zijn vader ook haar vader zijn als hij, voordat hij Hepton verliet, aan zijn moeder had beloofd dat hij terug zou komen en met haar zou trouwen?

Tenzij hij in die tijd al getrouwd was en al een kind had.

De zon kwam door de dunner wordende wolken en verlichtte het plein. Hij voelde de warmte op zijn gezicht terwijl een warm gevoel in hemzelf stierf.

Je hebt mijn moeder bedrogen. Je hebt ons allebei bedrogen. Je hebt onze levens beschadigd en het kan je niet eens schelen.

Plotseling verdween de pijn. Hij werd bevangen door een gevoel van kalmte dat zo vreemd was dat het aan iemand anders leek toe te behoren. Hij slikte en merkte dat de brok in zijn keel was verdwenen. Een laatste traan druppelde langs zijn lippen. Hij likte hem weg. Het was zout en water, verder niets.

Maar in zijn mond proefde hij bloed.

De volgende ochtend zat hij op het gras voor de prachtige huizen van The Terrace, alle met zeezicht. Hij zat vol in de zon met zijn tekenblok op schoot en staarde naar het huis dat van zijn vader was.

De deur ging open. Zijn vader verscheen, met een kleine jongen aan de hand. Een jongen van vijf of zes, niet ouder. Een knappe kleine jongen met lichtblond haar en een stralende glimlach. Een jongen die veel weg had van Ronnie op die leeftijd.

Hij stond op. Hij volgde hen, maar lette erop dat hij genoeg afstand bewaarde.

Ze brachten de ochtend op het strand door en bouwden een groot zandkasteel, net als de vader en zoon die hij twee dagen daarvoor had getekend. Zijn vader nam de leiding en maakte versterkingen en een ophaalbrug, terwijl de vrolijke kleine jongen die zijn halfbroer was schelpen verzamelde om de muren mee te versieren. Toen ze klaar waren, aten ze een ijsje. Zijn broer lachte om de meeuwen die uit de lucht omlaag doken en wuifde naar zeelieden op de boten op zee terwijl zijn vader hem in zijn armen nam en zijn blonde krullen bedekte met kussen.

Hij kocht zelf ook een ijsje en at het langzaam op. Hij dacht aan de dag toen hij de leeftijd van zijn broer had en zijn moeder hem had meegenomen naar het strand van Southend. Het was voor hem een grote traktatie geweest. Zijn moeder had er wekenlang voor moeten sparen. Ze hadden de bus genomen en ze had een emmer en een schepje voor hem gekocht en ze had geld gegeven aan een fotograaf op het strand omdat ze zelf geen camera had. Hij herinnerde zich dat hij poseerde voor de foto, glimlachend om zijn moeder gelukkig te maken terwijl hij andere jongens met hun vader zag en zich afvroeg wanneer zijn vader zou komen om zijn moeder en hem te redden van de regels van tante Vera en de saaie, grijze straten van Hepton. Naar ergens waar het mooi was.

Ergens zoals hier.

Rond het middaguur lunchten zijn vader en zijn broer in een restaurant in het centrum van de stad. Hij kon hen zien door de ramen: zijn kleine broertje at worstjes en patat terwijl andere gasten hem stralend aankeken. De serveerster deed veel moeite voor hem en zijn vader keek hem aan met een blik vol warmte, trots en liefde en al die andere dingen waarnaar hij altijd had verlangd, maar die hij nooit had gekregen.

Toen ze het restaurant verlieten, zat zijn broer op de schouders van zijn vader. Hij kraaide het uit van plezier en wuifde naar voorbijgangers terwijl hij naar zijn mooie huis in deze mooie stad werd gedragen. In de blakende zon van dat heerlijke leven dat hij en zijn zus vanzelfsprekend vonden.

En waarvan anderen alleen maar konden dromen.

Twee dagen later stond hij in een boekhandel te bladeren terwijl hij luisterde hoe de vrouw van zijn vader buiten praatte met zijn halfzus.

'Het spijt me, maar het moet gewoon. Meer valt er niet over te zeggen.'

Margaret protesteerde. Dat was de naam van zijn zus. Dat had hij inmiddels begrepen en hij had ook nog wat andere dingen opgepikt. Met name dat er sprake was van een jongen die Jack heette op wie ze erg dol was. Haar ouders keurden het niet goed.

'Alan is je broer, Margaret. Het is niet meer dan normaal dat je soms op hem past.'

Meer protesten. 'Ik zie niet in waarom.'

'Omdat ik het zeg. En je vader ook.' Phyllis sprak nu iets verzoenender. Zo heette de vrouw met wie zijn vader was getrouwd en die hij had bedrogen met zijn moeder en misschien ook nog met andere vrouwen. Een forsgebouwde vrouw, die niets van de aantrekkelijkheid van zijn moeder had. Aan haar bekakte uitspraak te horen was het een vrouw die niet wist wat het betekende om te moeten beknibbelen en te sparen om haar zoon een dagje strand te gunnen. 'Ik zorg voor wat lekkers. Jullie kunnen naar het strand gaan.'

'Het strand is saai.'

'Ga dan naar Rushbrook Down. Hij vindt het leuk daar, en jij ook. Toe nou, Margaret. Zoveel moeite is het niet.'

Een zucht. 'Goed dan.'

Ze liepen weg. Hij bleef waar hij was en dacht na. Analyseerde. Maakte plannen.

De eigenaar van de winkel kwam naar hem toe. 'Heb je hulp nodig, jongeman?'

Zijn hersens draaiden op volle toeren. Ideeën vielen op hun plaats als stukjes van een mentale puzzel. Eén stukje, nog een stukje, totdat de hele afbeelding compleet was.

Hij glimlachte voldaan.

'Nee, dank u,' zei hij beleefd. 'Ik heb geen enkele hulp nodig.'

De volgende middag was de warmste van de vakantie tot nu toe. Hij zat op het gras van Rushbrook Down en voelde de zon in zijn bezwete nek branden. Hij deed alsof hij een boek las terwijl hij keek naar Margaret en Alan en alle anderen die die middag zaten te picknicken.

Margaret zat op een deken in het midden van het grasveld en keek toe hoe Alan achter een rode strandbal aan rende. Jack zat naast haar, met zijn arm om haar schouder. Een lange, zware jongen met vet zwart haar en een brutale lach. Hij deed Ronnie aan zijn neef Peter denken. Ze praatten en hadden hun hoofd zo dicht bij elkaar dat ze bijna zoenden.

Dat zou spoedig gebeuren. Hij wist het zeker.

Hij rekende erop.

Alan, die zich steeds meer begon te vervelen, gooide zijn strandbal in de lucht en ging erachteraan. Op een gegeven moment raakte de bal Margaret. Boos schopte ze de bal weg. 'Ga daarginds spelen,' zei ze, op een plek meer naar rechts wijzend. Dichter bij de bossen die hen omringden als een hoge groene muur. Terwijl Alan deed wat er gevraagd was, begonnen Jack en zij elkaar te kussen. Tenminste voor even vergaten ze alles behalve elkaar.

En dus was het tijd.

Hij stond op en liep naar Alan, langs anderen die cricket speelden, picknickten of alleen maar in de zon lagen. Hij hield zijn hoofd naar de grond gericht, liet zijn schouders zakken en maakte zich zo klein en onopvallend mogelijk. Een truc die hij jaren geleden bij Vera had geleerd. Hoe minder opvallend hij aanwezig was, hoe minder hij het doelwit van haar woede werd.

Alan gooide de bal in zijn richting en rende erachteraan, met de concentratie van een hond die achter een konijn aanjaagt. Hij liet de bal op zich afkomen zonder zijn pas te vertragen en schopte hem hard tussen de bomen voordat hij verderging.

Alan stopte en stond even verbouwereerd te kijken. Toen ging hij snel achter de bal aan.

Hij bleef in hetzelfde tempo en in dezelfde gebogen houding doorlopen en lette erop dat niemand keek.

Toen draaide hij zich om en liep hij het bos in.

Alan Frobisher, bijna zes en volgens zijn ouders al een flinke, grote jongen, zocht naar zijn strandbal.

Uiteindelijk zag hij hem liggen tussen een stel varens. Hij reikte naar de bal maar er waren doornige struiken. Snel trok hij zijn arm terug om geen schrammen op te lopen. Was Margaret er maar om hem te helpen.

'Hallo, Alan.'

Hij draaide zich om. Er stond een jongen. Niet zo groot als Jack maar toch al groot. Groter dan de jongens bij hem op school, en sommigen van hen waren al elf.

'Hallo,' zei hij. Toen voelde hij zich stout. Zijn moeder had gezegd dat hij nooit met vreemden mocht praten, en dat deed hij nu wel.

Maar de grote jongen wist zijn naam, dus misschien was hij geen vreemde.

'Ik ben Ronnie,' zei de grote jongen glimlachend. Het was een aardige glimlach. Hij had dezelfde ogen als Alans vader, dat was ook leuk. Alan glimlachte terug.

'Zal ik je helpen de bal te pakken?'

'Ja, graag.' Hij zag hoe Ronnie zijn arm in het groen stak en de bal pakte. 'Bedankt.'

Ronnie bleef de bal vasthouden. 'Zal ik je een geheimpje vertellen?'

'Wat?'

'Er zijn feeën in dit bos.'

Alan stond paf.

'Wil je ze zien?'

'Ja!'

Ronnie legde een vinger tegen zijn lippen. 'We moeten heel stil zijn. Feeën zijn bang voor mensen. Als ze ons horen, rennen ze weg en dan zien we niets.'

Alan knikte. 'Ik zal heel stil zijn,' fluisterde hij.

'Beloofd?'

'Beloofd.'

Weer glimlachte Ronnie. Hij hield de strandbal onder een arm geklemd en stak zijn vrije hand uit. 'Kom mee.'

Opgewonden, proberend niet te giechelen, pakte Alan de hand en liep met Ronnie mee, dieper het bos in.

Ronnie leidde Alan langs de bomen en paden die hij had verkend op de tweede dag die hij alleen in Waltringham had doorgebracht. Een dag voordat hij zijn vader had ontmoet.

Ze kwamen op een weg die was versperd met prikkeldraad en een bord waarop stond: *Gevaar – Niet betreden*. Het prikkeldraad was maar een meter hoog. Hij tilde Alan over de draad en sprong er daarna zelf overheen. 'Maak je geen zorgen,' zei hij tegen Alan. 'We zijn er nu bijna.'

Ze liepen verder. Over het pad waar het stil was, afgezien van de vogels boven hun hoofd. Verder en verder, totdat ze bij de rand van de steengroeve kwamen.

Het terrein was lang geleden verlaten. Ze stonden op het hoogste punt en keken omlaag langs de stenige wanden, die waren bedekt met plukjes mos en gras. Onder in de groeve stond vuil, stilstaand water.

Alan trok aan zijn hand. 'Ronnie, waar zijn de feeën?'

Hij wees naar het water. 'Daar.'

Een frons. 'Ik zie niks.'

Hij legde een hand op Alans schouder. 'Je moet het van dichterbij bekijken,' zei hij.

Toen gaf hij hem een zet.

Alan viel zeven meter diep en plonsde in het water. Hij zonk diep voordat hij bovenkwam, naar adem happend van de schok. Hij probeerde iets te vinden waaraan hij zich kon vasthouden, maar er lagen alleen gladde stenen. Hij probeerde te schreeuwen, maar zijn longen waren verlamd van angst. Hij kreeg water binnen en zonk opnieuw.

Ronnie bleef staan waar hij was. Maar in zijn hoofd was hij weer in Hepton op de avond dat Thomas niet was thuisgekomen. De avond toen Vera hem radeloos van angst had verteld dat niets erger was dan het lijden van een geliefd persoon.

Dat is de ergste pijn. Als iemand van wie je houdt iets ergs overkomt. Het doet meer pijn dan mijn arm ooit heeft gedaan.

En het was waar. Hij wist dat het waar was.

Nu zou zijn vader het ook weten.

Achter hem klonk geluid. Hij keerde zich snel om, bang dat hij ontdekt was en dat zijn plan in duigen viel. Maar het was slechts een vos. Hij maakte een sissend geluid en de vos rende weg.

Hij keek omlaag in de steengroeve. De worsteling was voorbij. Een nietig lichaam dreef bewegingsloos in het water.

'Ik denk dat je de feeën hebt verjaagd,' fluisterde hij.

De strandbal lag aan zijn voeten. Hij schopte hem in het water. Hij stuiterde een paar keer en bleef toen even stil drijven als zijn eigenaar.

De voorlaatste ochtend van zijn vakantie. Archie was weer beter en hij zat naast hem op een bank die uitkeek op zee.

Achter hen lag The Terrace. Terwijl Archie eindeloos over oninteressante zaken sprak, keek hij om en hij zag dat een politiewagen voor het huis van zijn vader stopte. In de twee dagen na Alans verdwijning hadden tientallen mensen de bossen rond Rushbrook Down uitgekamd. Nu leek het erop dat de zoektocht ten einde was.

'Ik ga een ijsje halen,' zei Archie. 'Ga je mee?'

'Nee, ik blijf hier.'

Archie liep weg. Ronnie zag hoe een politieman op de deur van het huis klopte. Zijn vader deed open, zijn vrouw stond naast hem. Op hun gezicht was zowel wanhoop als hoop te lezen.

De politieman begon te praten. De hoop verdween. De vrouw van zijn vader slaakte een jammerkreet. Zijn vader wankelde en viel bijna, uit zijn evenwicht gebracht door het plotselinge, overweldigende verdriet.

Nu ben je bedroefd. Nu weet je hoe het voelt.

Hij stond op en liep weg, kalm en rustig en met opgeheven hoofd.

Hij keek niet één keer om.

Ronnie had zijn verhaal gedaan. Zijn ogen glinsterden nog steeds. Buiten verlichtte het vuurwerk de koude nachthemel.

Susan zei tegen zichzelf dat het niet waar was. Dat hij het alleen maar verzonnen had om haar te shockeren en angst aan te jagen. Hoewel ze niet wist waarom hij zoiets zou willen.

Toen nam hij de vergeelde krant uit de lade. 'Kijk,' zei hij.

En daar stond het. Op de voorpagina, in grote zwarte letters.

'Vreselijke tragedie: jongen verdrinkt.'

Ze staarde naar de bijbehorende foto. Een kleine jongen, met een lieve glimlach en ogen vol vertrouwen, stond in een tuin met een cricketbat. Een man die Ronnies ogen had leerde hem hoe hij het slaghout moest vasthouden.

De foto had als bijschrift 'Alan Frobisher met zijn vader Edward'.

Ronnie begon weer te praten. Ze probeerde te luisteren, maar de lade trok haar aandacht als een magneet. Hij lag vol met papieren. Ze pakte er een tekening uit. Een steengroeve met steile, stenige wanden en vies water en een klein kind dat als een twijgje op het water dreef.

Ze ging op haar hurken zitten en trok de lade verder open zodat ze de hele inhoud kon zien. Ze geloofde niet wat ze zag.

Want er lag niet één tekening. Er lagen er tientallen. Sommige met potlood. Sommige met inkt. Vanuit verschillende gezichtspunten. Maar allemaal met dezelfde scène.

Op één na. Een plaatje dat helemaal onderop lag en dat uit een boek was gescheurd. Een reproductie van een schilderij waarvan ze wist dat het Ronnies absolute lievelingsschilderij was.

Ophelia van Millais. Jong, goudblond en mooi, zichzelf verdrinkend in het meer.

Langzaam stond ze op. Een vreemde verdoving kwam over haar, net als toen haar vader was overleden. Het moest de shock zijn.

Ronnie sloeg zijn armen om haar heen en streelde teder haar nek. 'Ik heb die les lang geleden geleerd,' zei hij zachtjes. 'Als je iemand echt wilt pijn doen, moet je degene treffen om wie ze het meest geven. Voor hem was dat zijn zoon. Ik wist het toen ik hen samen had gezien. Je voelt het, als mensen veel van elkaar houden. Ze stralen het uit als warmte. Zijn relatie met zijn zoon was sterker dan al het andere. Toen ik hen samen zag, wilde ik dood. Ik was veertien jaar en elke dag heb ik gedroomd dat ik die jongen zou zijn. Dat ik zou hebben wat hij had. Dat mijn vader zou komen en me al zijn liefde zou geven. Maar ik betekende niets voor hem. Hij heeft mijn moeder misbruikt en haar vervolgens afgedankt. Dat kon ik niet over mijn kant laten gaan. Dat begrijp je toch wel?'

'Ja,' fluisterde ze. 'Ik begrijp het helemaal.'

'Ik wou dat ik het aan mijn moeder kon vertellen. Maar ze is niet zoals wij. Ze ziet de dingen op een andere manier. Ze begrijpt niet dat mensen die je pijn doen gestraft moeten worden. Bij jouw stiefvader was het anders. Hij was degene die dood moest. Maar we kunnen anderen straffen. Iedereen die je ooit pijn doet' – hij zweeg even en kuste haar wang – ' zal ervoor boeten. Ik heb mijn hele leven op je gewacht en nu ik je heb gevonden zal ik zorgen dat niemand je meer pijn doet. Mijn schat. Mijn lief. Mijn zielsverwante.'

Hij bleef haar kussen. Ze hield zich roerloos en zag het vuurwerk uiteenspatten zonder het geluid te horen. Voor de derde keer in haar leven bevond ze zich in een stomme film. Met ondertitels waarop zou staan hoe ze zich moest gedragen.

Ze wachtte en wachtte en voelde zijn armen om haar heen en zijn lippen tegen haar huid.

Maar er kwamen geen ondertitels.

Een uur later zat Ronnie weer op zijn slaapkamer nadat hij Susan had thuisgebracht.

Deze keer sloot hij zijn kamerdeur niet af. De krant en de tekeningen lagen weer in de lade, uit het zicht van hen die de zaken anders zagen dan hij en Susan.

Ze was nu weg maar toch nog aanwezig. Hij kon haar nog ruiken. Hij ging op zijn bed liggen en ademde langzaam en diep in, de laatste sporen van haar uit de lucht opzuigend. Ze werd een deel van hemzelf.

Precies zoals ze was.

Niets kon hen nu nog scheiden. Ze hoorden voor altijd bij elkaar. Verbonden door liefde en hun begrip van hoe de wereld in elkaar zat. Het leven was koud en wreed en vergiffenis was niet meer dan een placebo voor de zwakken. Haat was kracht. Minachting was macht. En wraak was hún zaak, niet die van God.

Hij staarde naar het plafond, met halfgesloten ogen, en haalde zich de gezichten voor de geest van de mensen die hem kwaad hadden gedaan. Vera. Peter. Susans stiefvader. Zijn eigen vader. Een voor een riep hij hen op, allen met gezichten die vertrokken waren van pijn en angst, terwijl hij besefte dat hijzelf zwak was geworden omdat hij hen niet langer haatte. Nu kon hij eindelijk vergeven. Vergeten. Alles loslaten en naar de toekomst kijken.

Omdat hij Susan had. Zijn zielsvriendin. Zijn wederhelft. De persoon die hem compleet maakte. Degene die het armzalige, kleurloze bestaan dat men leven noemde zinvol maakte. Zelfs zijn geliefde moeder was daar nooit helemaal in geslaagd.

Susan had hem geleerd hoe het was om je totaal en volmaakt gelukkig te voelen.

Hij bleef naar het plafond staren. Hij glimlachte naar de gezichten van zijn slachtoffers en keek toe hoe de vrees langzaam van hun gezicht verdween en hoe ze langzaam en aarzelend begonnen te glimlachen.

Middernacht. Terwijl Ronnie de geesten van het verleden bezwoer, zat Susan zich in te zepen in bad.

Het bad was vol, het water heet, maar toch huiverde ze. De verdoving van de shock was voorbij en nu werd ze ten volle geconfronteerd met de duistere onthullingen van die avond.

Ze wreef zeep in haar hals en schrobde hard op de huid die hij had gekust. Ze voelde nog steeds de aanraking van zijn lippen, als een infectie waarvan ze nooit zou loskomen. Net als bij Lady Macbeth zouden alle parfums van Arabië niet voldoende zijn om haar te ontsmetten.

Haar vingers trilden. Ze liet de zeep vallen. Toen ze haar arm in het water stak, zag ze een gezicht dat haar aanstaarde. Het gezicht van een jongen die nooit iemand kwaad had gedaan en die was gestorven in een koude, donkere groeve, doodsbang en alleen. Ze sloot haar ogen en probeerde aan het beeld te ontsnappen, maar ze bleef het zien. Als een film in de bioscoop van haar geest waar ze samen met Ronnie naar keek. Hij had zijn arm om haar schouder gelegd en glimlachte, in het besef dat zij evenzeer van de film genoot als hijzelf.

Ergens in huis kraakte een plank. Even dacht ze dat het oom Andrew was die haar weer een heimelijk bezoek kwam brengen. Maar die nachtmerrie was voorbij. Ronnie had haar gelopen daaraan te ontsnappen, maar de nachtmerrie waarin hij haar nu had gebracht was nog erger.

Is dit mijn straf? Voor wat ik heb gedaan? Voor wie ik ben?

Haar moeder was beneden en sliep. De vrouw die van haar afhankelijk was, zoals de zwakken altijd afhankelijk zijn van de sterken. Maar ze voelde zich nu niet sterk. Alleen maar smerig, angstig en alleen, met slechts het flikkerende beeld in haar hoofd als gezelschap.

Ze begon te huilen, snikkend in het afkoelende water. Ze huilde en wenste dat haar vader zou komen om haar te redden, net zoals dat verdronken jongetje ooit, vergeefs, had gedaan.

Halfacht de volgende ochtend. Ze had haar schooluniform aan en zat bij het raam van de woonkamer naar Ronnie uit te kijken.

Hij kon er elk moment zijn. Na de dood van oom Andrew liep hij elke dag met haar naar school. Hij speelde de rol van beschermer, net zoals oom Andrew vele nachten geleden had gedaan.

Maar ze had geen beschermer. Iets anders geloven was nutteloos. Nu, meer dan ooit in haar leven, kon ze alleen op zichzelf vertrouwen.

Haar moeder stond bezorgd in de deuropening. 'Je ziet er moe uit. Waarom blijf je niet thuis vandaag? Niemand zal het je kwalijk nemen dat je een dagje vrij neemt. Niet na wat jij hebt meegemaakt.'

O mam, je moest eens weten wat ik heb meegemaakt.

Een hysterische lach welde in haar op. Ze slikte moeizaam.

'Laat me maar. Ik heb niet goed geslapen, dat is alles. Ik heb al genoeg school gemist. Ik moet vandaag echt gaan.'

En dat was waar. Ze moest echt gaan. Ze moest net doen of alles normaal was.

Want hoe zou Ronnie reageren als hij ook maar vermoedde dat er iets in haar gevoelens was veranderd?

Haar maag kwam in opstand. Ze wreef over haar buik terwijl haar moeder opeens verlegen leek met de situatie. 'Is het weer de tijd van de maand?'

Ze knikte, hoewel ze in werkelijkheid twee weken over tijd was. Normaal gesproken kon ze de klok erop gelijkzetten, maar misschien speelde de stress een rol. Dat had ze gelezen in een boekje dat ze van haar moeder had gekregen. En in de afgelopen weken had ze inderdaad heel wat stress gehad.

Dat moest de reden zijn. Een andere reden kon er niet zijn.

Op één na.

Maar daar wilde ze zelfs niet aan denken.

Ronnie verscheen op de hoek van het plein en liep in de richting van haar huis. 'Ronnie komt eraan,' riep ze. Ze probeerde luchtig te klinken, maar ze had het gevoel dat ze moest overgeven.

Je bent sterk, Susie. Je kunt het. Het is gewoon acteren.

En je moet overleven.

Hij belde aan. Ze liep naar de voordeur en bleef onderweg even bij de spiegel staan om wat kleur in haar wangen te knijpen. Ze bereidde zich voor op haar scène, net als een van die filmsterren op wie ze kennelijk leek, terwijl de regisseur en de filmploeg ongeduldig wachtten totdat ze op de goede plek ging staan en haar tekst zei.

Licht. Camera. Actie.

De actrice opende de deur en zag haar tegenspeler op de drempel staan. Hij glimlachte. Zijn gezicht was een prachtig masker dat niets verried van de lelijkheid die eronder lag. Ze glimlachte terug, even open en ontspannen als hij.

En toen ze sprak was haar toon ook ontspannen.

'Hoi, Ronnie. Hoe gaat het?'

'Ik ben gelukkig,' zei hij. 'Hoe kan het ook anders als we samen zijn?'

Ze draaide met haar ogen. 'Mijn moeder heeft me gewaarschuwd voor jongens als jij.'

'En wat voor jongen ben ik dan?'

'Een charmeur. Het soort dat alles zegt om iemand uit de kleren te praten. Maar zo ben ik niet. Ik moet om mijn reputatie denken.'

Hij lachte. Ze nam zijn arm. Gaf er een kneepje in. Hij kneep terug.

En hij hoorde een stem fluisteren in zijn hoofd.

Ze doet anders. Er klopt iets niet.

Maar haar toon was geanimeerd. Ze leek blij en zag er precies zo uit als anders.

Behalve...

'Ik ben echt blij dat je me over Waltringham hebt verteld. Ik weet dat het niet gemakkelijk geweest moet zijn, net zoals het voor mij niet eenvoudig was om over oom Andrew te vertellen. Ik was bang dat je het niet zou begrijpen. Dat je geshockeerd zou zijn.' Weer een kneepje. 'Ik wist niet zeker of je mijn opvattingen zou delen.'

Hij voelde zich ontspannen. 'Maar dat is wel zo.'

Ze liepen het plein over en bereikten Market Court. Vrouwen met boodschappenmanden stonden voor de winkels te wachten tot ze opengingen. 'Het zijn altijd dezelfde gezichten,' merkte ze op. 'Je zou toch denken dat ze klok kunnen kijken.'

Hij hief zijn arm op, wees naar zijn horloge en sprak met stemverheffing.

'De kleine wijzer wijst naar de acht en de grote wijzer wijst naar de negen.'

Ze lachte. Hij kuste haar op de wang en wachtte totdat ze hem terug zou kussen.

'Krijg ik geen kus?' vroeg hij.

'De mensen kijken. Ik voel me opgelaten.'

'Kom op. Ik daag je uit.'

Ze kuste hem. Lichtjes, zoals ze al vele keren eerder had gedaan, maar toch had deze kus iets vluchtigers. Misschien voelde ze zich verlegen.

Maar daar had ze vroeger nooit last van.

Ze kwamen bij de school en liepen nog steeds gearmd. Ze praatte over de komende dag, klaagde over leraren die ze niet mocht en hun saaie lessen. 'Was het maar vast zaterdag. Ik heb helemaal geen zin in een week school.'

'Laten we zaterdag samen doorbrengen. Jij mag zeggen wat we gaan doen.'

Ze knikte. Nog steeds glimlachend. Hoewel hij dacht dat hij haar voelde huiveren.

Maar het was koud. Iedereen huiverde als het koud was.

Bij het hek keken ze elkaar aan. 'Ik zal vanmiddag op je wachten,' zei hij. 'Misschien kunnen we nog iets doen.'

'Vanmiddag kan ik niet. Mama voelt zich niet goed. Ik moet echt bij haar blijven.'

Hij was jaloers. 'Ze legt veel beslag op je. Ik wil ook aandacht.'

'Dat krijg je helemaal. We zijn zielsverwanten, weet je nog, en zielsverwanten zijn altijd samen, zelfs als ze niet bij elkaar zijn. Je moet niet jaloers zijn op haar. Jij bent degene bij wie ik wil zijn. Dat weet je toch?'

Toen kuste ze hem. Deze keer echt. Ze lette niet op de anderen, die halt hielden en naar hen staarden. Hij kuste haar terug en wist dat het waar was.

'Ja,' zei hij. 'Ik weet het.'

Ze liep het schoolterrein op. Hij keek haar na en voelde zich gerustgesteld. En gelukkig.

Plotseling zag hij het. Wat zijn hersens hem hadden proberen te vertellen toen hij bij haar voordeur stond. Haar pas was even gewoon als altijd. Haar schouders naar achteren, haar hoofd rechtop.

Maar haar fysieke aanwezigheid was gedecimeerd. Haar aura van onkwetsbaarheid was minder geworden. Zoals het geval was geweest als haar stiefvader in de buurt was.

De man voor wie ze bang was geweest.

Twee minuten later zag Charlotte Susan naar de toiletten op de eerste verdieping lopen. Bezorgd liep ze haar achterna.

Susan stond bij een van de wasbakken woest haar gezicht te boenen.

'Wat doe je?' vroeg Charlotte.

'Ik was me, dat zie je toch?'

'Het hoeft niet zo ruw. Je schrobt je huid er nog af. Trouwens, je lijkt me al schoon genoeg.'

Susan begon te lachen. Een schril, hoog geluid. Charlottes bezorgdheid nam toe. 'Is er iets?'

Het gelach hield op. Susan begon haar gezicht af te drogen. De huid rond haar mond leek rauw. 'Susie, wat is er aan de hand?'

'Niets. Ik voel me gewoon goor. De lucht is altijd vies rond deze tijd van het jaar, vind je niet?'

Charlotte vond van niet maar ze knikte toch maar. Een knappe derdejaars kwam binnen en begon haar haren te kammen. Af en toe keek ze in de spiegel die boven de wasbakken hing.

Susan ging door met het afdrogen van haar gezicht. 'Het was leuk zaterdag,' zei Charlotte. 'Colin vond het ook leuk. Hij vond Ronnie echt aardig. Hij stelde voor dat we met zijn vieren naar de film zouden gaan. Ik zou graag *Breakfast at Tiffany's* zien maar Colin wil naar *The Magnificent Seven*.' Ze giechelde. 'Ik zei dat ik dat ook goedvond omdat ik dan kwijlend naar Steve McQueen kon kijken en toen werd hij echt jaloers.'

Susan schudde haar hoofd.

'Houdt Ronnie niet van films? We kunnen ook iets anders doen. Colin heeft een vriend, Neville, die in een groep speelt. Meer jazz dan rock-'n-roll, maar volgens Colin zijn ze best goed. Houdt Ronnie van jazz?'

'Hoe moet ik dat weten? Ronnie en ik zijn geen Siamese tweeling. Je moet niet denken dat ik alles van hem weet.' Susan liep het toilet uit.

'Hebben jullie het over Ronnie Sidney?' vroeg het derdejaars meisje. 'Hij is echt geweldig, hè?'

'Bemoei je met je eigen zaken,' zei Charlotte verbijsterd voordat ze wegliep.

Halfvier. Susan liep het schoolhek uit en zag dat Ronnie op haar stond te wachten.

Ze had hem verwacht en ze had haar gezicht vast in een glimlach getrokken. Het was maar een korte wandeling naar huis. Tien minuten. Ten hoogste vijftien. Zolang kon ze de façade wel volhouden.

Maar hoe lang nog? Weken? Maanden?

Jaren?

Hij liep naar haar toe. Hij zag eruit als de beleefde en charmante jongen die iedereen in hem zag. Ze voelde zich als een konijn dat gevangenzit in de lichtbundel van een aanstormende vrachtwagen. In een hoek gedreven en hulpeloos, niet wetend wat te doen.

Maar ze zou wel iets verzinnen. Ze moest wel.

Want er was niemand anders die haar kon helpen.

Opnieuw begonnen de camera's te draaien. Ze kuste hem op de wang en onderdrukte de neiging haar mond af te vegen. Dat gebaar stond niet in het script en om te overleven moest ze het script nauwgezet volgen.

'Hallo, Ronnie. Leuke dag gehad?'

Woensdagavond. Charles hoorde Ronnie aan de telefoon in de gang.

'En morgenavond dan? Dan kan ze je toch wel missen?'

Charles nam aan dat hij met Susan sprak en luisterde mee.

'Ik weet dat het moeilijk is voor haar en dat ze je nodig heeft, maar hoe zit het met mij?'

Uit de hoorn klonken sisklanken.

'Ik doe niet vervelend. Ik wil je gewoon zien, dat is alles. We zijn nooit meer samen. Niet echt. Niet meer sinds...'

Weer klonken er sisklanken.

'Goed, vrijdag. Ik kijk ernaar uit.' Even stilte. 'Ik hou van je.'

Weer gesis. Zachter dan daarvoor.

'Goed. Want dat zul je altijd blijven. Niemand kan ooit jouw plaats innemen.'

Charles hoorde dat de hoorn op de haak werd gelegd. Hij liep de gang op. 'Alles goed, Ronnie?'

Geen antwoord. Ronnie hield zijn rug naar hem toe gekeerd en staarde naar de telefoon.

'Ronnie?'

'Wat is er?'

'Is alles in orde?'

'Susie heeft het druk. Ze moet voor haar moeder zorgen. Dat is alles.' Ronnies stem was kalm maar zijn lichaam leek wel elektrisch geladen van de spanning. Charles maakte zich zorgen. Het laatste wat Ronnies verhouding met Susan kon gebruiken was onrust. Als zij ruzie zouden krijgen, zouden de gevolgen niet te overzien zijn.

'Nou, dat is begrijpelijk,' zei hij verzoenend. 'Haar moeder heeft veel meegemaakt. Zij allebei.'

'Dat is alles,' zei Ronnie opnieuw. 'Verder is er niets.'

'Natuurlijk. Wat zou er verder moeten zijn? Iedereen ziet toch hoeveel ze van je houdt, Ronnie. Niemand zou jouw plaats in haar leven kunnen innemen.'

'Zoals jij hebt geprobeerd mijn plaats in het leven van mijn moeder in te nemen, bedoel je?'

Hij stond versteld. 'Ik heb nooit...' begon hij.

Eindelijk draaide Ronnie zich om, hem strak aankijkend met die ogen van hem. Maar deze keer was de echte Ronnie Sunshine te zien. Het masker was verdwenen.

Gedreven door haat. Wreedaardig. Moordzuchtig.

'Je hebt haar geprobeerd te kopen, maar het is niet gelukt. Ze is nog steeds van mij en dat blijft altijd zo. Net als Susie. En niemand, en zeker jij niet, kan dat ooit veranderen.'

Ze staarden elkaar aan. Heel even was de uitdrukking op Ronnies gezicht bijna beestachtig. Alsof hij elk moment kon aanvallen.

Toen, plotseling, zat het masker weer op zijn plaats. Ronnie begon te lachen. 'Kijk niet zo bezorgd. Ik maakte maar een grapje.' Een stilte. Een por. 'Je zou je gezicht eens moeten zien.'

Hij knikte, slikte en merkte dat zijn keel kurkdroog was.

'Ik ga naar boven om mijn huiswerk te maken. Ik zie je wel bij het avondeten. Mama maakt lamskoteletjes.' Weer een por. 'Een van mijn lievelingsgerechten.'

Ronnie liep de trap op. Charles bleef staan. Zijn hart bonsde. Hij was bang voor wat er met Susan kon gebeuren.

En, voor het eerst, ook voor wat hemzelf zou kunnen overkomen.

Vrijdag, laat in de middag. Susan liep met Ronnie op Market Court.

Ze waren op weg naar zijn huis. Ze zou daar de avond met hem doorbrengen, zoals afgesproken. Het was het laatste waar ze zin in had, maar ze kon haar moeder niet als excuus blijven gebruiken om hem te ontlopen. De façade van het normale moest hooggehouden worden. Hij mocht niet weten dat alles was veranderd.

Hoewel ze begon te vermoeden dat hij het al wist.

Hij sprak over het ongeluk van Vera. Hij beschreef het met smaak en in detail terwijl hij haar voortdurend aankeek alsof hij iets zocht. 'Op een nacht,' zei hij, 'vlak nadat het was gebeurd, sloop ik haar kamer binnen toen oom Stan en zij al sliepen. Ik trok de dekens weg. Ik moest het zien. Zien hoe erg het was. Dat begrijp je toch wel?'

'Natuurlijk.'

Ben je me aan het testen? Gaat het daarom?

'Ik wilde haar arm aanraken, maar ik heb het niet gedaan om haar niet wakker te maken. Ik heb die wond maar één keer aangeraakt. Op de dag dat ik vertrok. Toen ik haar vertelde hoe ik haar haatte.'

Ze forceerde een glimlach. 'Dat was zeker een goed gevoel.'

'Nou en of. Ik wou dat je erbij was geweest. Dan hadden we dat gevoel kunnen delen.'

'We zijn er samen bij geweest toen oom Andrew stierf. Ik denk dat dat gevoel niet te overtreffen valt.' Ze zorgde ervoor dat haar stem rustig klonk en dat haar glimlach op zijn plaats bleef. Als dit een test was, moest ze slagen. Hoeveel moeite het haar ook kostte.

'Wie weet wat we nog meer zullen delen?'

'Alles. Zo doen zielsverwanten dat.' Ze kneep in zijn arm. 'En dat zijn we.'

Hij keek om zich heen op Market Court. Plotseling glimlachte hij. Ze volgde zijn blik en zag een jongetje met blonde krullen. Hij hield de hand van een vrouw vast die waarschijnlijk zijn moeder was.

'Doet hij je aan iemand denken?' vroeg Ronnie.

Ze knikte. Ze durfde niet te spreken.

'Ongelooflijk. Het zou zijn tweelingbroertje kunnen zijn. Het enige wat eraan ontbreekt is een strandbal en een korte broek.'

Haar maag draaide zich om. Het beeld van het lijkje in de steengroeve drong haar geest binnen als een drilboor, ondanks al haar pogingen om het tegen te houden. Zijn ogen richtten zich op haar. Weer namen ze haar keurend op. Het maakte haar bang.

Maar angst was voor de zwakken en om te overleven moest je sterk zijn.

'Ik hou van je, Ronnie. Je ziet wat er gedaan moet worden en vervolgens doe je het ook. De mensen zeggen dat ik sterk ben, maar ik heb nog nooit iemand ontmoet die zo sterk is als jij. Vergeleken bij jou lijkt ieder ander zwak en ik voel me veilig bij je. En dat is waarom ik van je hou.'

Toen boog ze zich naar voren en ze kuste hem vol op de lippen. Even voelden ze hard aan. Toen ontspande hij. Hij beantwoordde haar kus en tastte met zijn tong in haar mond terwijl het misselijke gevoel in haar maag toenam.

Ze liet hem los en keek naar zijn gezicht. Eindelijk was het warm en teder. Het gezicht van de jongen op wie ze verliefd was geworden, om te ontdekken dat het een masker was dat meer verborgen hield dan zijzelf ooit verborgen had gehouden.

Ze stonden buiten bij Cobhams. 'Ik moet even naar de wc,' zei ze. 'Ik had meteen na school kunnen gaan, maar ik wilde je zo graag zien.'

Hij glimlachte. 'Gauw dan. Ik wacht hier.'

Vanaf haar tafeltje bij het raam in Cobhams zag Alice dat Susan binnenkwam.

Ronnie bleef buiten op de stoep staan. Hij zag er knap en gelukkig uit. Zijn aanblik vervulde haar met een mengeling van pijnlijke hartstocht en blinde haat.

Maar Susan zag er niet gelukkig uit. Haar gezicht was bleek en afgetobd en er was iets vreemds aan de manier waarop ze bewoog. Langzaam, maar alsof ze de neiging onderdrukte om te gaan rennen.

Susan ging het damestoilet binnen. Nieuwsgierig geworden stond Alice op en liep achter haar aan.

Ronnie stond buiten te wachten.

Alice dook op en liep naar hem toe. 'Wie had dat gedacht,' zei ze poeslief. 'Ik niet. Ik dacht dat je tamelijk goed was.'

'Waarin?'

'Zoenen. Ik zag Susie en jou net zoenen.'

'Nou en?'

'Zo te zien ben ik op het nippertje ontsnapt.'

'Waaraan?'

'Aan een jongen van wie meisjes moeten kotsen. Want dat doet Susie op dit moment. Ik hoorde haar in een van de toilethokjes.'

'Dat lieg je.'

'Vraag het haar zelf maar als je me niet gelooft. En als ze je wil ontzien, moet je haar adem maar ruiken.' Alice glimlachte. 'Arme Ronnie. Je moet wel heel erg zijn als de snol van de stad elke keer nadat je haar hebt aangeraakt misselijk wordt.' Een korte giechel. 'Wacht maar tot ik het verder vertel. Volgens mij kun je beter de eerste bus nemen naar die achterbuurt waar je vandaan kwam, want ik ga je volkomen belachelijk maken bij iedereen.'

'En jij hebt geen gezicht meer over tegen de tijd dat ik klaar met je ben.'

De glimlach bestierf. 'Hoezo?'

'Die huid op je gezicht is heel teer. Eén kopje zoutzuur en de hele huid wordt afgestroopt.'

Het bloed trok weg uit haar wangen.

'Dus steek je mooie neusje niet in mijn zaken. Tenzij je je gezicht helemaal kwijt wilt raken.'

Ze haastte zich weg. Hij bleef waar hij was en wachtte op Susan.

Een minuut verstreek. Toen nog een. Wat was er aan de hand? Waarom bleef ze zo lang weg?

Ze verscheen, zo te zien ontspannen. 'Sorry dat het zo lang duurde. Er stond een rij. Jij boft maar dat je een man bent. Jij kunt overal plassen zonder dat je hoeft te gaan zitten.'

Hij knikte. Het klonk aannemelijk genoeg. Hij had in vergelijkbare situaties vaak op zijn moeder moeten wachten. Alice loog. Ze was nou eenmaal een boosaardig kreng.

Susan snoof. 'Ik geloof dat ik verkouden word. Ik kan je maar beter niet meer kussen, anders steek ik je nog aan.'

En ook dat was aannemelijk. Hij geloofde haar. Hij wilde haar geloven.

Maar hij moest het zeker weten.

Ze opende haar mond om nog iets te zeggen. Met beide handen trok hij haar gezicht naar zich toe.

En hij rook de rotte, zure stank van haar adem.

Ze wrong zich los. 'Wat doe je?'

Hij staarde haar aan. Het meisje voor wie hij een moord had gepleegd. Het meisje van wie hij hield en van wie hij dacht dat ze zijn zielsverwante was. Het meisje dat hem beter kende dan wie dan ook. Het meisje aan wie hij zijn grootste geheim had toevertrouwd.

Maar ze hield niet van hem. Hij maakte haar bang, ze vond hem afstotend. Zelfs nog meer dan haar stiefvader.

Hij zag zichzelf weerspiegeld in haar ogen. Twee magische spiegels die hem vervormden en een lelijk monster van hem maakten. Hij keek in haar ogen en zag zichzelf zoals zij hem zag.

Zoals hij werkelijk was.

Het deed pijn. Meer dan iets of iemand anders hem ooit had pijn gedaan.

'Ik heb hoofdpijn,' zei hij. 'Ik moet naar huis. Even liggen.'

'Maar...'

'Je moet zelf ook naar huis. Ga maar gauw naar je moeder, nu het nog kan.'

Hij draaide zich om en liep weg. Ze riep zijn naam maar hij keek niet om.

Zaterdag, halfzeven in de ochtend. Susan zat aan de keukentafel, een mok thee in haar handen.

Ze zat er al uren. Ze kon niet slapen. Hij wist het. Ze wist het zeker. Al die jaren van acteeroefening met oom Andrew waren voor niets geweest. In minder dan een week had Ronnie ontdekt dat ze niet meer was dan een zielig amateurtje.

Ga maar gauw naar je moeder, nu het nog kan.

Wat bedoelde hij? Was het een bedreiging? Was haar moeder in gevaar?

Was zijzelf in gevaar?

Uit de tuin klonk het eerste gezang van de vogels. Algauw zou het licht door het venster vallen en het duister uit de kamer verjagen, maar niet uit haar hoofd.

Er klonken voetstappen. Haar moeder verscheen in ochtendjas. 'Susie? Waarom ben je zo vroeg op?'

Ze antwoordde niet en staarde naar de steenkoude thee in de mok.

'Is er iets? Je kunt het me best vertellen.'

'Is dat zo?'

'Natuurlijk. Ik ben je moeder.'

Ze keek op naar de mooie, fragiele vrouw die ze het grootste deel van haar leven had geprobeerd te beschermen. Maar nu wilde ze meer dan ooit dat iemand haarzelf zou beschermen.

En er was een zorg die ze in ieder geval veilig kon delen.

'Ik geloof dat ik zwanger ben.'

Het gezicht van haar moeder toonde diepe afschuw. 'Dat is niet mogelijk.'

'Ik ben drie weken over tijd, mam. Wat kan het anders zijn?'

'Dat kan niet!' De stem van haar moeder klonk schril. 'Hij heeft je al maandenlang niet meer aangeraakt.'

Ze was onthutst. 'Maandenlang? Wat bedoel je? Ik ken Ronnie pas twee maanden en we hebben niet...'

Ze zweeg. Het besef trof haar met de kracht van een kogel in de borst.

Ze staarden elkaar aan.

'Je wist het.'

Een veelheid van emoties vloog over het gezicht van haar moeder. Ontsteltenis. Geschoktheid. Schaamte.

Ze wreef over haar hoofd. Ze had het gevoel dat het uit elkaar zou barsten. 'Hoe lang al?'

'Susie, toe...'

'Hoe lang? Toch niet vanaf het begin? Vertel me niet dat je het vanaf het begin hebt geweten. Dat is onmogelijk!'

Ze wachtte op de ontkenning maar die kwam niet. En het gezicht van haar moeder bleef beschaamd.

'Ik was pas acht jaar oud! Hoe kon je toelaten dat hij me dat aandeed?'

Haar moeder slikte. 'Ik had geen keus.'

'Geen keus? Wat bedoel je? Heeft hij je bedreigd?'

'We hadden hem nodig. Hij gaf ons een thuis. Hij beschermde ons. Als we...'

'We hadden al een thuis. We hadden misschien niet veel geld, maar we hadden het wel gered. Hoe kun je zeggen dat je geen keus had?'

'Ik was alleen. Ik was bang. Ik...'

'Bang?' Ze schreeuwde bijna. 'Hoe denk je dat ik me voelde? Ik was acht! Hoe bang denk je dat ik was?'

'Hij heeft je geen pijn gedaan. Dat zou ik niet toegelaten hebben. Ik hoorde hem altijd naar boven gaan. Ik lag wakker en luisterde. Als je had geschreeuwd, zou ik naar boven zijn gegaan om tussenbeide te komen. Dat moet je geloven, Susie. Dan zou ik hebben ingegrepen.'

'Ik kreeg gonorroe van hem, mam! Hij heeft me besmet met een ziekte. Is dat dan niet erg?'

Haar moeder huiverde.

'Nou?'

'Susie, alsjeblieft...'

'Weet je wat hij de eerste keer tegen me zei? Hij zei dat het mijn schuld was. Hij zei dat het kwam omdat ik verdorven was en omdat ik wilde dat het gebeurde. Maar hij zei dat hij mijn vriend was en dat hij het niet zou vertellen en dat ik het ook niet moest vertellen omdat jij anders weer een zenuwinzinking zou krijgen en dan zou je weggaan en zou ik je nooit meer zien.' Plotseling begon ze te huilen. 'En dat kon ik niet laten gebeuren want ik had papa beloofd voor jou te zorgen. Elke dag was ik bang dat iemand erachter zou komen hoe slecht ik was. Dat ze het aan jou zouden vertellen en dat ik je zou verliezen. En al die tijd heb je het geweten!'

Nu was ook haar moeder in tranen. 'Het spijt me. Je moet me geloven.'

'Zou je dat ook tegen Jennifer hebben gezegd als ze zo oud was als ik? Want hij was met haar hetzelfde van plan. Ze is pas zes en je had het gewoon laten gebeuren!'

'Nee. Ik had het niet toegestaan. Ik zweer...'

'Je liegt!' Ze ging staan en smeet de mok tegen de muur. 'Smerige leugenaarster! Je zou die smeerlap gewoon zijn gang hebben laten gaan, net als bij mij. Maar wat doet zij er ook toe? Ze is tenslotte niet eens je eigen dochter.'

'Maar het is nu voorbij. Hij is dood.'

'Omdat ik hem heb vermoord! Ik heb het samen met Ronnie gedaan. Ik had het ook alleen willen doen, maar hij wilde helpen. We hebben het wekenlang voorbereid. Zodat het er als een ongeluk uit zou zien.'

'Dat geloof ik niet.'

'Wat is er, mam? Doet de waarheid pijn? Doe dan maar net of het niet waar is, want dat schijnt een van je specialiteiten te zijn.'

Haar moeder begon te jammeren. Even speelde de jarenlange conditionering op. De neiging om te troosten. Te koesteren. Te beschermen. Maar al die gevoelens waren gebaseerd op leugens, en zolang ze leefde zou ze daar niet meer aan toegeven.

'Je bent zo zwak. Je bent de zwakste persoon die ik ooit heb ontmoet en ik veracht je. Je bent mijn moeder niet meer. Je bent niets. En ik wil je nooit meer zien!'

Toen draaide ze zich om en rende de kamer uit.

Kwart voor acht. Zoals ze elke dag deed nadat hij bij haar was komen wonen, bracht Anna 's ochtends vroeg een kop thee naar Ronnie.

De gordijnen waren nog dicht en de kamer was donker. Ze nam aan dat hij nog in bed lag. 'Ben je wakker?' fluisterde ze.

'Ik ben hier, mam.'

Ze schrok. Hij zat achter zijn bureau. Snel deed ze het licht aan. 'Wat doe je daar?'

'Nadenken over jou.'
'Over mij? Hoezo?'
'Dat je beter verdient. Je hebt altijd beter verdiend.'
Er stond nog een stoel naast hem. Ze ging zitten. 'Beter dan wat?'
'Weet je nog toen ik klein was? Toen Vera altijd zei dat je me had moeten afstaan ter adoptie?'
'Ja.'
'Misschien had je dat moeten doen.'
Ze was onthutst. 'Hoe kun je dat zeggen? Je bent het mooiste wat me ooit is overkomen. Er is niets of niemand op deze aarde waarvoor of voor wie ik je zou opgeven.'
'Dat weet ik.' Hij nam haar hand, hield hem tegen zijn wang en kuste hem zacht. 'Ik ben blij dat je met Charles bent getrouwd. Toen het gebeurde was dat niet zo. Ik haatte hem omdat ik je niet wilde delen. Maar ik haat hem niet meer. Hij is een goede man. Daar had je gelijk in. Ik ben blij dat hij er voor je zal zijn als...'
Zijn woorden stierven weg. Ze werd ongerust. 'Ronnie, wat bedoel je?'
'Alleen maar dat ik echt van je hou. Wat er ook gebeurt, daar mag je nooit, nooit aan twijfelen.'
Ze voelde een koude rilling. 'Je maakt me bang. Ik weet niet wat je bedoelt.'
'Ik ook niet.'
'Ronnie...'
Een flauwe Ronnie Sunshine-lach. 'Het spijt me, mam. Ik wilde je niet bang maken. Ik ben gewoon moe en mensen die moe zijn praten altijd onzin.'
Hij boog zich naar haar toe en omhelsde haar, zo stevig dat het leek alsof hij haar nooit meer los wilde laten.

Kwart voor negen. Charles zat in zijn auto, op weg van Kendleton naar Oxford, toen hij Susan langs de kant van de weg zag lopen.
De ochtend was koud maar ze had geen jas aan. Ze had haar armen om zich heen geslagen en haar lippen bewogen voortdurend. Ongerust stopte hij de auto en riep haar naam.
Ze antwoordde niet en liep door. Hij stapte uit en rende snel achter haar aan. 'Susie? Wat is er? Wat is er gebeurd?'

'Ze wist het.'
'Wie? Wist wat?'
'Mijn moeder! Ze wist het! Al die tijd heeft ze het geweten!'
Hij zag dat ze rilde. 'Kom mee,' zei hij. 'Weg uit de kou...'

Tien minuten later zat Susan in de auto van Charles. Ze had zijn jas om zich heen geslagen terwijl de motor bromde en de auto vulde met warmte.
'Wat weet ze?' vroeg hij.
'Dat kan ik niet vertellen.'
'Gaat het over je stiefvader? Wat hij je heeft aangedaan?'
Ze staarde hem aan. 'Hoe weet u dat?'
'Omdat Henry Norris, twee jaar geleden, me vertelde over een patiënte van hem die door haar vader werd misbruikt. Hij zei niet wie het meisje was. Alleen dat ze eruitzag als een filmster. Toen ik zag hoe nerveus jij je gedroeg in gezelschap van Henry's weduwe begreep ik hoe het zat.'
Ze voelde zich bedreigd. Kwetsbaar. Snel trok ze de jas strakker om zich heen.
'Weet Ronnie het ook?' vroeg hij.
'Ja.'
'Was het zijn idee om hem te vermoorden?'
Stilte. Alleen het gezoem van de motor.
'Ik probeer je niet in de val te lokken, Susie. Ik veroordeel je ook niet. Ik wil alleen helpen.'
'Het was mijn idee. Ik zou het ook hebben gedaan als ik Ronnie niet had ontmoet. Hij was van plan het ook met Jennifer te gaan doen, weet u, en dat kon ik niet toelaten. Ze mocht niet hetzelfde meemaken wat ik heb doorstaan. Ik wist dat niemand me zou geloven als ik er iets over zou zeggen. Bovendien zou hij dan mogelijk mijn moeder pijn hebben gedaan en ik wilde niet dat zij het wist en...'
Ze kon niet meer praten. Een brok in haar keel blokkeerde de woorden. Hij ging dichter bij haar zitten en sloeg een arm om haar heen.
'Het is goed,' zei hij sussend. 'Je bent veilig.'
'Niet voor Ronnie. Toen hij vertelde wat hij gedaan had, dacht

hij dat ik blij zou zijn, maar dat was niet zo. Ik walgde ervan. En daarom haat hij me nu.'

'Wat had hij gedaan?'

Ze vertelde over Waltringham en Ronnies vader. Over het jongetje in de steengroeve en de tekeningen in de lade.

'Hoeveel tekeningen lagen er?' vroeg hij ten slotte.

'Ik weet het niet. Heel veel.'

Hij floot zachtjes tussen zijn tanden. 'Jezus christus.'

'Ik probeerde niet te laten merken hoe ik er echt over dacht. Maar ik kon hem niet voor de gek houden. Hij is te slim.' Ze slikte. 'En trouwens, wie ben ik om hem te veroordelen? Ik heb ook iemand vermoord.'

'Je moet jezelf niet met hem vergelijken.'

'Jawel.'

'Nee.' Hij nam haar kin in zijn hand en keek haar recht aan. 'Susie, luister. Je hebt iemand gedood uit angst. Je wilde Jennifer beschermen en je wist niet hoe het anders moest. Misschien had je ongelijk. Sommige mensen zouden zeggen dat je ongelijk had en dat je iets slechts hebt gedaan. Maar dat maakt je nog niet tot een slecht mens. En daarom ben je zeker niet te vergelijken met Ronnie. Je lijkt helemaal niet op hem. In de verste verte niet.'

'Toch ben ik een moordenares.'

'En Henry Norris was ook een moordenaar. Maar toch was hij een goed mens. Iemand die ik met trots mijn vriend noem.'

'Henry Norris?'

Hij knikte. 'We kennen elkaar van de universiteit maar hij was ruim tien jaar ouder dan ik. Hij had tijdens de Eerste Wereldoorlog in de loopgraven gevochten. Hij sprak er niet graag over maar op een avond toen we samen hadden gedronken, vertelde hij me iets wat hij nog nooit tegen iemand had gezegd. Het ging over een jonge soldaat in zijn regiment die Collins heette. Oppervlakkig beschouwd een aardige vent, zei Henry, maar er ontbrak iets aan hem. Een of ander basisgevoel van empathie. Henry noemde het "een dode blik in de ogen".

Op een dag werden ze aangevallen door Duitse troepen. Het lukte om de aanval af te slaan maar één Duitser kon niet meer wegkomen. Henry zei dat hij Collins betrapte bij het martelen van de

Duitser. Hij stak hem keer op keer met een bajonet in de armen en benen. De Duitser was nauwelijks ouder dan een kind. Hij was gewond en hulpeloos en schreeuwde om genade, maar Collins lachte en genoot van elk moment. Henry smeekte hem om te stoppen maar hij luisterde niet. Hij ging gewoon door en bleef maar lachen. Henry heeft hem doodgeschoten. Een enkele kogel in het hart. En toen hij me het verhaal vertelde, zei hij dat hij er nooit spijt van had gehad, hoewel hij wist dat het fout was.'

Ze leunde tegen hem aan en trok de jas nog strakker om zich heen. Ze rook de bedompte lucht van oude tabak en herinnerde zich dat de jassen van haar vader ook zo hadden geroken.

'Denk je dat Ronnie ook zo is?' vroeg ze. 'Dat hij een dode blik in zijn ogen heeft?'

'Ja, ik denk dat er iets aan hem ontbreekt. Ik voelde het meteen toen ik hem ontmoette. Dat, en het feit dat hij iets verborg. Zijn moeder voelt het ook. Ik denk dat ze dat altijd heeft gevoeld. Ik geloof dat ze weet van Waltringham. Maar ze wil het niet toegeven omdat Ronnie sinds haar zeventiende alles voor haar heeft betekend. Als je op die manier van iemand houdt, kun je geen wanklank accepteren. Liefde maakt blind. Moedwillig, misschien, maar desalniettemin blind.'

'Mijn moeder hield niet van mijn stiefvader. Ze was gewoon zwak.'

'Maar ze houdt van jou.'

'Maar ik hou niet van haar. Niet meer.'

'Jawel. Je kunt niet zomaar besluiten niet meer van iemand te houden. Zo werkt het niet.'

'Voor Ronnie wel.'

Zijn arm lag nog steeds om haar heen. Ze keerde zich naar hem toe en keek naar zijn gehavende gezicht en de ogen die zozeer op die van haar vader leken. Ze miste haar vader. Ze wilde weer een klein meisje zijn. Ontsnappen naar de tijd toen ze nooit bang was geweest.

'Ik denk dat Ronnie mijn moeder iets wil aandoen. De laatste keer dat ik hem zag maakte hij een toespeling. We weten allebei dat hij ertoe in staat is. Waltringham bewijst dat.'

'Maar dat was gericht op een vader die nooit meer dan een

droom voor hem is geweest. Een fantasie. Het is gemakkelijk om zo iemand pijn te doen, omdat het niet echt lijkt. Als je echt van iemand houdt is het anders. En hij houdt nog steeds van je, dat weet ik zeker. Hij kan daar niet zomaar mee ophouden, en als hij nog om je geeft, is er een kans dat hij nog voor rede vatbaar is.'

'Er is nog iets wat ik zou kunnen doen.'

'Wat dan?'

'Naar de politie gaan. Vertellen wat we gedaan hebben. Ze zouden me arresteren, maar hem ook, en op die manier zou hij niemand meer pijn kunnen doen.'

'Maar dat kun je niet doen. Ze sturen je naar de gevangenis. Je zou je hele leven ruïneren.'

'Mijn leven kan me niets meer schelen.'

'Maar je geeft om Jennifer. Je zegt dat je haar grote zus bent, maar je vergist je. Ik heb jullie samen gezien. Je bent bijna als een moeder voor die kleine meid. Ze heeft haar echte moeder al verloren. Wil je dat ze jou nu ook nog verliest?'

Ze schudde haar hoofd. 'Dat is niet eerlijk.'

'Maar het is zo. Wil je haar op die manier pijn doen?'

'Natuurlijk niet! Ik laat haar door niemand pijn doen. Ik hou meer van haar dan van wie dan ook en ik zou nog liever...'

Toen stokten haar woorden.

'Susie?'

'O, mijn god.'

'Wat is er?'

'Jennifer. Als Ronnie iemand wil pijn doen om wraak op mij te nemen, zal hij haar uitkiezen.'

Ze zag dat hij verbleekte. Ze voelde het ook bij zichzelf.

'Waar is ze nu?' vroeg hij.

'Thuis.'

'Dan zal ze wel veilig zijn.'

'Net als die kleine jongen in Waltringham?'

Hij schakelde. 'Ze is veilig. Ik weet het zeker.'

'Rij nou maar. Alsjeblieft!'

Vijf minuten later stapte Susan voor het huis van Jennifer uit de auto van Charles.

De deur ging open. Oom George verscheen. Hij zwaaide. Hij zag er verbaasd maar ontspannen uit. 'Ik wilde je net gaan zoeken,' zei hij. 'Ik nam aan dat je thuis was.' Hij haalde een dichtgeplakte envelop uit zijn jaszak. 'Dit is voor jou.'

'Wat is het?'

Hij glimlachte. 'De eerste aanwijzing.'

'Waarvoor?'

'De speurtocht die Ronnie heeft uitgestippeld. Jenjen vindt het heel leuk.'

Haar hart begon te bonzen. 'Jenjen? Waar is ze?'

'Bij Ronnie. Hij belde gisteravond op en zei dat je je nog steeds wat neerslachtig voelde en dat hij een speurtocht had bedacht om je op te vrolijken. Hij vroeg of Jenjen hem wilde helpen met het uitzetten van de aanwijzingen. Hij heeft haar vanmorgen vroeg opgehaald, maar hij vroeg of ik een uur wilde wachten voordat ik het aan jou vertelde. Zoals ik al zei, Jenjen is heel opgewonden. Ze zei vorige week nog tegen me dat ze dol is op Ronnie.'

De deur van het huis stond nog open. Van binnen kwam het geluid van de telefoon. Oom George keek op zijn horloge en fronste zijn wenkbrauwen. 'Ik kan maar beter opnemen. Ik verwacht namelijk een telefoontje van mijn werk.' Toen liep hij het huis binnen.

Ze scheurde de envelop open en vond een briefje.

Kom naar de hut in het bos. Kom alleen, voor haar bestwil. En vertel het tegen niemand.

Even dacht ze dat ze zou gaan schreeuwen. Maar dat kon ze niet doen. Ze moest kalm blijven. Ze moest nadenken.

Charles pakte het briefje en las het. 'Je moet niet gaan,' zei hij.

'Dat moet ik wel. Wat kan ik anders doen?'

'De politie bellen. Ik geloof niet dat we nu nog een andere keus hebben.'

'Hij zei dat niemand het mocht weten.'

'Een halfuur geleden wilde je de politie nog inlichten.'

'Omdat ik wilde voorkomen dat hij zoiets als dit zou doen. Maar nu heeft hij het al gedaan. Hij heeft haar en dat betekent dat hij de macht heeft. In het briefje staat dat ik voor haar bestwil alleen moet komen. Wie weet wat hij doet als hij politie ziet.'

'En als je alleen gaat, wat doet hij dan?'

'In ieder geval leeft ze dan nog als ik aankom.'

'Laat me dan meegaan. Je kunt niet alleen gaan.'

'Ik ben niet alleen.' Ze raakte haar buik aan. 'Ik ben zwanger, dat denk ik tenminste. Hij weet dat niet. Misschien maakt het verschil als hij het wel weet.'

'En misschien niet.' Hij pakte haar bij de arm. 'Susie...'

'Ik kan niet langer wachten!'

Hij hield haar stevig vast. 'Een uur. Ik wacht een uur en dan bel ik de politie.'

Ze rukte zich los. 'Doe wat u wilt. Ik ga nu.'

Vijftien minuten later rende ze door de bossen. Een mengeling van paniek en adrenaline deed haar hart zo bonzen dat ze bang was dat het uit elkaar zou klappen.

Ze was nu diep in het bos. Het gedeelte waar bijna geen mensen kwamen en waar de bladeren in hoopjes op de grond lagen als anonieme graven. Ooit, eeuwen geleden, had een vrouw in deze bossen gezocht naar een dochter die ze nooit zou vinden. Zo luidde de legende. Misschien zou er over een tijdje nog zo'n legende rondgaan over een meisje dat nooit gevonden was en een ander meisje dat vergeefs had gezocht.

Maar het verhaal werd nog geschreven. Het kon anders aflopen. Zij had de macht om het te veranderen. Ze moest gewoon geloven dat ze het kon.

Ze bleef rennen, met benen die aanvoelden alsof ze van lood waren terwijl de wind aan haar haren rukte als de geest van een ondeugend kind.

Charles liep zijn studeerkamer binnen en ging aan zijn bureau zitten.

Zijn hoofd tolde. Hij wist niet wat hij moest doen. Alles in hem schreeuwde dat hij de politie moest bellen, maar stel dat Susan gelijk had? Stel dat Ronnie zich geprovoceerd voelde? Of bedreigd? Wat zou hij doen? Wie zou hij treffen?

En als hij belde, wat moest hij dan zeggen? Poging tot ontvoering? Welke bewijzen had hij? Jennifer vond Ronnie aardig en ze vertrouwde hem. Ze was vrijwillig met hem meegegaan. Waarom zou je aannemen dat ze in gevaar verkeerde? Voor de buitenwereld was Ronnie de volmaakte jongen. Op en top beleefd. Om de façade neer te halen zou hij ook moeten vertellen wat Ronnie nog meer had gedaan. En met wie.

Maar dat briefje. Dat was een schriftelijk dreigement, of niet?

Hij trommelde met zijn vingers op het bureau terwijl de gedachten in zijn hoofd over elkaar tuimelden.

Toen merkte hij iets op.

De linkerlade van het bureau was niet goed dichtgeschoven. De lade waarin hij zijn collegepapieren bewaarde, en daaronder een oud dienstpistool.

Hij had Ronnie nooit over het wapen verteld. Maar Anna wel, en zij had het wellicht tegen Ronnie gezegd. In haar onschuld. Tijdens een gesprek. Terwijl Ronnie haar een van zijn engelachtige glimlachen toonde en de informatie bewaarde voor een geschikt moment.

Hij opende de lade en zocht naar het wapen. Het was weg.

Dat was de druppel. Hij liep naar de telefoon in de gang, pakte de hoorn op en draaide. 'Hallo. Met de politie? Ik wil aangifte doen...'

'Nee!'

Anna stond achter hem op de trap. 'Niet doen. Alsjeblieft.'

Hij legde de hoorn neer. 'Ik moet wel. Hij heeft Jennifer.'

Haar ogen verwijdden zich. Hij zag dat ze slikte.

'Je weet waartoe hij in staat is, Anna.'

'Hij zal haar geen pijn doen. Het is maar een kind.'

'Hij heeft mijn pistool.'

Weer zag hij dat ze slikte. 'Als dat zo is, dan is het alleen maar voor een spelletje. Dat is alles.'

'En Waltringham dan? Wat dat ook een spelletje?'

'Er is niets gebeurd in Waltringham!' Haar stem klonk schril. 'Hij had er niets mee te maken. Het was gewoon toeval.'

'Geloof je dat, Anna? Geloof je dat echt?'

'Hij wist hoe zijn vader eruitzag. Ik had hem een foto gegeven. Hij moet zijn vader in de krant hebben herkend en daarom heeft hij hem bewaard.'

'En die tekeningen dan?'

'Dat zijn maar tekeningen. Dat betekent niet dat hij schuldig is. Hij zou een kind nooit iets aandoen. Dat kan hij niet.'

'Hij heeft tegen Susan gezegd dat hij het gedaan heeft. En hij was er trots op. Hij wilde dat zij er ook trots op was.'

'Ze liegt! Je weet hoe ze is. Ze is een...'

'Moordenares? Wou je dat zeggen? Dat klopt, dat is ze. En hij ook, want ze hebben samen haar stiefvader vermoord.'

Ze zakte op haar knieën. 'Zij heeft hem ertoe aangezet. Ze heeft hem gebruikt.'

'Niemand zet Ronnie ergens toe aan, Anna. Hij is geen marionet. Hij doet wat hij wil, zoals in Waltringham.'

'Hij is geen monster!' Het kwam eruit als geweeklaag. 'Dat is hij niet! Hij is nog maar een kind. Hij is mijn kind en hij kan niemand kwaad doen. Hij is goed. Hij is volmaakt. Dat weet ik. Ik ken hem beter dan wie dan ook!'

Ze begroef haar hoofd in haar handen en begon gierend te huilen, net zoals ze gedaan moest hebben op die dag toen ze op dertienjarige leeftijd naar huis ging en zag dat het verwoest was en dat ze haar familie voor altijd verloren had. De aanblik sneed door hem heen als een mes. Hij haatte zichzelf voor wat hij deed. Hij wilde haar niet kwetsen. Hij had haar altijd willen beschermen tegen pijn.

Maar hij kon haar niet beschermen tegen de waarheid.

En er waren anderen die ook bescherming behoefden.

Hij hurkte naast haar neer, trok haar naar zich toe en streelde haar haren terwijl ze haar hoofd tegen zijn borst legde. 'Ik wil dit niet doen,' zei hij zacht. 'Maar ik moet. Voor Jennifer. Zij is echt nog maar een kind. Dat begrijp je toch wel?'

Stilte. Het snikken werd minder maar ze bleef trillen.

'Toch?'

Nog steeds geen antwoord.

'Toch?'

Hij hoorde hoe ze zuchtte. Toen een zacht gefluister. 'Ja. Hij mag Jennifer geen kwaad doen.'

Hij liep naar de telefoon. Zij liep mee en drukte zich tegen hem aan terwijl hij belde, als een wijnrank die zonder steun niet overeind kan blijven.

Susan bereikte de hut.

Net erbuiten bleef ze staan. Ze wilde niets liever dan naar binnen gaan, maar ze was tegelijkertijd doodsbang voor wat ze aan zou kunnen treffen. Haar longen brandden. Hijgend bukte ze zich en ze probeerde haar ademhaling tot rust te laten komen.

Toen hoorde ze Jennifer lachen.

Ze ging rechtop staan, probeerde moed te vatten en klopte op de deur. 'Ik ben het, Susie.'

Meer gelach. Weer Jennifer. Ze draaide aan de klink en liep naar binnen.

Ze zaten op de vloer in een hoek van de hut. Tussen hen in stond een oude doos die bedekt was met speelkaarten. Een volmaakt onschuldig tafereel, ware het niet dat Ronnie een pistool in zijn schoot had liggen.

Jennifer keek haar stralend aan. Ze glimlachte terug en probeerde zo gewoon mogelijk te doen. Jennifer moest niet bang worden. Ze bleef bij de deur staan. Ze moest geen onverwachte bewegingen maken en Ronnie niet provoceren. Hij keek haar aan met ogen die leeg leken. Blanco. Een dode blik in zijn ogen. Net als de soldaat in de loopgraaf die zijn gevangene had gemarteld. Ging hij Jennifer martelen? Ging hij haar martelen?

'Wat doen jullie?' vroeg ze. Ze moest moeite doen om kalm te klinken.

'Ronnie leert me kaarttrucjes. Ik heb een nieuwe geleerd.' Jennifer spreidde de kaarten in haar hand en stak haar arm uit. 'Je moet er een kiezen.'

Ze aarzelde. Ze wist niet zeker wat ze moest doen. Door het raam zag ze dat de wind met de bladeren op de grond speelde.

'Kies een kaart!' drong Jennifer aan.

Ze deed een stap naar voren. Ronnie richtte het pistool op haar. 'Blijf staan!'

Dat deed ze. Stijf als een standbeeld. Weer lachte Jennifer. 'Wij zijn cowboys en jij bent een indiaan,' zei ze tegen Susan.

'Dat klopt.' Ronnie aaide over Jennifers haar. 'Ze is een boosaardige squaw die je wil scalperen met een tomahawk. Maar dat zal haar niet lukken want ik schiet Susie neer. Vind je dat ik haar moet neerschieten, Jenjen?'

'Ja!'

Het pistool bleef op haar gericht. Ze keek in de loop en vroeg zich af of dit het moment was waarop ze zou sterven. Niet dat ze bang was. Als haar leven dat van Jennifer kon redden, zou ze het graag opofferen.

Maar ze wilde niet dat Jennifer het zou zien. Wat die aanblik voor gevolgen voor haar zou hebben. Het effect dat het zou hebben op de rest van haar leven.

Hoe lang dat ook mocht duren.

Ze ademde diep in en probeerde zich te beheersen. Vastbesloten kalm te blijven. De lucht in de hut was muf en ranzig. 'Als je me neer gaat schieten, moet er een sheriff bij zijn. Een van jullie moet maar naar de stad rijden om er een te halen. De ander kan hier blijven om mij te bewaken.'

Jennifer keek bedenkelijk. 'Hebben we een sheriff nodig?' vroeg ze Ronnie.

Hij schudde zijn hoofd.

'Jawel. Een echte cowboy schiet geen squaw neer. Niet als er geen sheriff is.'

Ronnie bleef Jennifers haar strelen. 'Een slechte cowboy wel.'

'Ik ben geen slechte cowboy,' zei Jennifer tegen hem.

'Maar ik wel,' antwoordde hij. 'Er moet altijd een slechte cowboy zijn in een film. Zo'n cowboy die te veel drinkt en vecht en die mensen neerschiet die vals spelen bij het kaarten. Heb jij vals gespeeld, Jenjen?'

Susan merkte dat ze helemaal koud werd. Opnieuw lachte Jennifer. 'Nee!'

'Ik denk van wel.'

'Nee, dat is niet zo.' Ze moest moeite doen om haar stem niet schril te laten klinken. 'Ze is te jong om vals te spelen of om iets slechts te doen. Ze is niet zoals ik. Ik heb veel slechte dingen gedaan. Ik verdien het om neergeschoten te worden, zelfs zonder sheriff. Maar zij niet. Zelfs de slechtste cowboy ter wereld zou haar niet kunnen neerschieten.'

'Is dat zo?' Ronnie wendde zich tot Jennifer. 'Je hebt vals gespeeld, partner. Je moet de prijs betalen.'

Toen richtte hij het pistool op haar gezicht. Ze zat nog steeds te lachen, denkend dat het een spelletje was.

En Susan kon het niet langer verdragen.

'Nee, Ronnie, doe haar geen kwaad! Je moet mij hebben. Ik ben degene die je haat. Ik ben degene die het verdient. Denk aan je moeder. Denk eraan hoeveel je van haar houdt en wat ze voor je betekent. Als je Jennifer doodt, komt je moeder het te weten. Dit is heel anders dan Waltringham. Dit kun je niet geheimhouden. Ze kan je mogelijk vergeven als je mij vermoordt, maar ze zal je nooit vergeven als je Jennifer vermoordt! Dat weet je!'

Jennifer staarde haar aan. Haar glimlach was verdwenen nu ze besefte dat het geen spelletje was. Ze begon te huilen en was plotseling doodsbang. Susan wreef over haar gezicht en merkte dat ze ook huilde.

Even bleef Ronnie het pistool op Jennifer gericht houden. Met zijn andere hand had hij haar arm vast zodat ze niet weg kon.

Toen legde hij het pistool weer in zijn schoot.

'Ga de sheriff halen,' zei hij tegen haar.

Jennifer rende naar Susan en sloeg haar armen om haar heen. Susan wilde haar troosten maar er was geen tijd. Dit was het moment en ze moest snel handelen. Ze duwde Jennifer naar de deur. 'Rennen, Jenjen. Je weet de weg naar huis. Ren zo snel je kunt en vergeet nooit hoeveel ik van je hou.'

'Maar Susie...'

'Ga! Nu meteen!' Ze werkte Jennifer naar buiten en sloot de deur achter haar. Vanuit het raam keek ze naar de kleine gestalte die wegrende.

Het is me gelukt. Ze is veilig.

Ze draaide zich naar Ronnie om. Hij zat nog steeds op de grond, met het pistool op schoot.

'Bedankt,' zei ze.

Hij antwoordde niet. Hij staarde haar alleen maar aan met ogen die niet langer doods leken. Warmte kroop in zijn ooghoeken, als de eerste zonnestralen bij het ochtendgloren.

'Ga je me vermoorden?' vroeg ze. 'Ik ben niet bang om dood te gaan, maar er is iets wat je moet weten. Ik ben zwanger, Ronnie. Ik krijg een baby. Onze baby.'

'Jennifer was onze baby. Daarom hebben we hem vermoord. Omdat we ons kind wilden beschermen.'

Ze slikte en veegde de tranen weg die maar bleven komen. 'O ja?'

'Ja. Ik zou haar niets aan kunnen doen. Ik was het van plan maar ik kon het niet. Je hoeft het niet te geloven maar het is waar.'

'Ik geloof je wel. Je hebt het immers net bewezen.'

Ze staarden elkaar aan. 'Zou je echt voor haar zijn gestorven?' vroeg hij.

'Ja.'

'Ik zou voor jou zijn gestorven. Nog steeds. Ik probeer je te haten, maar het lukt niet. Je bent niet als mijn vader. Hij was alleen maar een gezicht op een foto. Alleen maar een droom waardoor het leven draaglijker werd. Ik kon uit zijn leven weglopen en nooit meer omkijken omdat ik toch nooit deel van dat leven was geweest. Maar ik was wel een deel van jouw leven en ik wil...' Hij zweeg en wreef over zijn hoofd. 'En ik wil...'

'Wat?'

'Ik wil dat het weer zo wordt als het was voordat ik je over Waltringham vertelde. Zoals het één dag daarvoor was. In Cobhams met Jennifer en je vrienden. Kussen in het openbaar en je buren shockeren. Ik ben nog nooit zo gelukkig geweest als toen en ik wil dat gevoel terug.'

Ze schudde haar hoofd.

'We kunnen doen alsof Waltringham nooit is gebeurd. Ik zal alles verbranden. We praten er nooit meer over. We hoeven er nooit meer over te praten of er zelfs maar aan te denken.'

Hij ging staan en zag er opeens uit als een angstig kind. Beschermende gevoelens welden in haar op. Ze wilde die gevoelens niet, maar ze waren hardnekkig als bloedzuigers.

'We kunnen het,' zei hij. Zijn toon was een mengeling van hoop en wanhoop. 'Ik weet dat we het kunnen. We moeten het doen. We krijgen een kind. Alleen daarom al moeten we bij elkaar blijven.'

Hij probeerde haar gezicht aan te raken. Zijn ogen stonden smekend. Even dacht ze dat het mogelijk was. Ze had van hem gehouden. Misschien kon het opnieuw. Hij glimlachte naar haar. Zijn ogen waren de ogen van de jongen op wie ze verliefd was geworden. Ze staarde erin.

En ze zag een dood kind in het water drijven.

Ze trok haar hoofd weg. 'Ik kan het niet. Het kan nooit meer hetzelfde worden. We kunnen samen terug naar de stad lopen. We kunnen zeggen dat het gewoon een spelletje was. Iets anders hoeven ze niet te weten. Maar het kan nooit meer worden zoals het was tussen ons, Ronnie. Nooit.'

Hij zuchtte. De smekende uitdrukking verdween uit zijn gezicht en werd vervangen door berusting. 'Ik weet het.'

Stilte. Alleen de wind beukte tegen het raam.

'En wat nu?' fluisterde ze.

'Dit,' antwoordde hij en hij pakte het pistool op.

Haar hart begon te bonzen. 'Wat doe je?'

'Wat ik moet doen.' Hij glimlachte. 'Wees niet bang. Maar zeg tegen mijn moeder dat ik Jenjen nooit iets aan had kunnen doen. Zeg haar dat ik van haar hou. En dat het me spijt.'

Plotseling begreep ze het. Ontzetting maakte zich van haar meester. 'Doe het niet, Ronnie. Alsjeblieft.'

Nog steeds glimlachend schudde hij zijn hoofd. Hij zette het pistool tegen zijn slaap en haalde de trekker over.

Januari. Twee maanden later.

Zaterdagmorgen. Grijs en koud. Susan lag in haar bed naar het plafond te staren.

Het was haar zestiende verjaardag. Eigenlijk had ze die in een cel moeten doorbrengen. Toen ze, verdoofd en rillend de hut uit was gelopen, zag ze dat twee politieagenten haar tegemoet renden.

'Komen jullie me arresteren?' had ze aan een van de agenten gevraagd.

'Jou arresteren? Waarom? Jij bent geen kidnapper. Waar is hij? Is hij nog steeds gewapend...?'

En zelfs in haar staat van verwarring begreep ze dat Charles hun niets over haar eigen misdaad had verteld. Dat ze geloofden dat Ronnie handelde als een labiele, afgewezen minnaar en dat zij evenals Jennifer slachtoffer was.

Dus ze was de dans ontsprongen. Ze zou niet veroordeeld worden. Zij niet.

Maar toch was er straf.

Haar moeder was beneden, bezig het ontbijt te maken dat ze in stilte zou opeten, zoals bij elke maaltijd die ze deelden. Ze woonden bij elkaar maar dat was alles. Af en toe probeerde haar moeder een gesprek te beginnen. Wilde ze uitleg geven. Maar hoewel ze luisterde, hoorde ze nooit iets waardoor ze het kon begrijpen. En ze kon het haar niet vergeven.

Net zoals oom George het haar niet kon vergeven.

Ze had Jennifer sinds die dag in de bossen niet meer gezien. Oom George had het verboden. 'Ze had wel dood kunnen zijn door jouw schuld!' had hij tegen haar geschreeuwd. 'Je had meteen de politie moeten bellen. Je had je nooit moeten inlaten met die idioot! Ik had haar voor altijd kunnen verliezen en dat zou jouw schuld zijn geweest en dat zal ik je nooit vergeven.' Ze voelde dat ergens in zijn woorden boosheid op zichzelf verborgen lag en dat hij het gemakkelijker vond haar de schuld te geven dan te onderzoeken in hoeverre hij zelf schuld had. Maar dat veranderde niets. Hij had Jennifer meegenomen naar vrienden aan de andere kant van het land en ze had gehoord dat hij niet van plan was terug te keren.

Haar moeder en Jennifer. De twee mensen van wie ze het meest had gehouden en voor wie ze een moord had gepleegd. Nu waren beiden, om verschillende redenen, voor altijd voor haar verloren.

De kranten genoten. Er waren momenten dat ze kon glimlachen om de ironie. De dood van haar stiefvader had nauwelijks een alinea opgeleverd, maar zij was nu het onderwerp van ruim tien krantenartikelen. 'Tiener als femme fatale' was hoe een krant haar had beschreven, verlekkerd uitweidend over het verhaal van een jeugdliefde die een noodlottige wending had genomen. Meer dan eens waren journalisten haar op straat gevolgd en hadden ze vragen geroepen. Ze wilden meer. Maar ze had gezwegen en alle informatie voor zichzelf gehouden.

Ze had nog enkele vrienden. Charlotte. Lizzie. Arthur, toen hij thuiskwam van kostschool. Degenen die niet meededen met het geroddel dat mensen als Alice als een lopend vuurtje verspreidden. En er was Charles Pembroke, de belangrijkste van allen. Ze zag hem regelmatig en genoot van de tijd die ze samen doorbrachten. Hij was de enige voor wie ze geen geheimen had. Hij luisterde urenlang naar haar, zonder te oordelen. Vaak keek ze naar zijn verwoeste gezicht en wilde ze dat hij de man was geweest met wie haar moeder jaren geleden was getrouwd. Een man van wie ze wist dat haar vader hem had gemogen en die zijn plaats had mogen innemen.

'Je moet doorgaan met vechten, Susie,' had hij tegen haar gezegd toen ze samen koffie dronken. 'Je mag je hierdoor niet laten vermorzelen.'

'Dat doe ik ook niet.'

'Jawel. Je innerlijke vuur is aan het uitdoven. Je wekt de indruk dat je verslagen bent.'

'Misschien is dat zo. Jenjen is weg. Mijn moeder zou net zo goed weg kunnen zijn. En Ronnie ook. Ik mis hem, weet u. Ik mis zijn gezelschap. Ik mis de manier waarop hij me aan het lachen maakte. De manier waarop hij het voor me opnam. De manier waarop hij me dapper kon laten voelen als ik bang was.' Ze zweeg even. Slikte. 'Ik mis alles zoals het was vóór Waltringham.'

Haar hand lag op tafel. Hij legde zijn hand op de hare. 'Maar over een tijd niet meer. Tenminste niet zodanig dat het pijn doet. De pijn trekt weg.'

'Voor mij misschien. Maar hoe zit het met zijn moeder?'

'Voor haar ook.' Hij zuchtte. 'Hoop ik. Ik doe mijn best haar te helpen. In zekere zin heeft het geen nut. Niemand kan Ronnie ooit vervangen. Maar ze is in ieder geval niet alleen. In tegenstelling tot die keer toen ze haar familie verloor. Deze keer heeft ze mij nog.' Een lachje dat zelfspot uitdrukte. 'Wat dat dan ook waard is.'

'Het is heel veel waard. Ze mag blij zijn dat ze u als echtgenoot heeft, net zoals ik blij ben dat u mijn vriend bent.'

'Ik zal altijd je vriend zijn. Ik zal je altijd helpen. Ik wil dat je een goed leven hebt, Susie. Een gelukkig leven. Je verdient het, maar je moet ervoor vechten. Voor jou en je baby. Als alles wat er is gebeurd zin moet hebben, dan moet je doorvechten.'

'Denkt u dat ik kan winnen?'

'Dat weet ik. Je bent sterk, Susie. Zo sterk als je vader altijd al zei, en nog een beetje meer.'

Misschien had hij gelijk. Ze wilde dat hij gelijk had.

Maar ze geloofde het niet. Niet echt. Ze was moe en toch moest ze steeds maar doorvechten. Op de een of andere manier waren de kranten erachter gekomen dat ze zwanger was. Een dag geleden had er een verhaal in de krant gestaan. Zwart op wit, zodat iedereen het kon lezen en haar kon veroordelen. En men zou oordelen. De mensen in Kendleton waren meesters in het veroordelen van anderen.

En dus, nadat ze de halve nacht wakker had gelegen, had ze eindelijk besloten wat ze moest doen.

Ze stond op, kleedde zich aan en ging naar beneden. Haar moeder zat in de keuken op haar te wachten. De tafel stond vol met eten en cadeautjes. 'Gefeliciteerd, schat,' zei ze met een klein en angstig stemmetje.

'Ik vertrek, mam. Zodra de baby geboren is. Ik sta de baby ter adoptie af en dan ga ik hier weg.'

'Weg?' Haar moeder keek haar ontzet aan. 'Maar dat kun je niet doen. Hoe zit het dan met...'

'Jou? Je moet maar voor jezelf zorgen. Jij bent tenslotte de ouder en ik vind dat ik genoeg voor je heb gezorgd.'

'Dat kun je niet zomaar besluiten, Susie. We moeten erover praten. Ga zitten. Eet wat. Pak eerst eens een cadeautje uit.'

'Je had je het geld kunnen besparen. Ik wil geen cadeautjes. Niet van jou. Tot straks. Ik ga een eindje wandelen.'

Ze draaide zich om en liep naar de deur.

Middag. Charles, die in zijn studeerkamer had zitten werken, ging kijken waar zijn vrouw was.

De woonkamer en de keuken waren leeg. Hij besefte waar ze zou kunnen zijn en de moed zonk hem in de schoenen.

Ze zat in de kamer die vroeger van Ronnie was geweest, in een stoel bij het raam waar ooit zijn bureau had gestaan. Ze staarde naar de rivier.

'Je moet daar niet gaan zitten,' zei hij voorzichtig. 'Je weet dat het je van streek maakt.'

'Ik wilde naar het water kijken.'

'Dan kun je ook beneden doen. Er is hier geen verwarming. Het is koud. Kom mee naar beneden, daar is het warm.'

Ze bleef voor zich uit door het raam staren. 'Ik zit hier goed.'

'Kan ik je iets brengen?'

'Nee.' Stilte. 'Dank je.'

Hij draaide zich om en wilde weggaan. Ze riep zijn naam. Hij draaide zich weer om. 'Wat is er?'

'Wil je me een antwoord geven? Eerlijk. Zelfs als je weet dat het antwoord pijn doet?'

'Natuurlijk.'

Stilte. Hij hoorde haar zuchten.

'Vraag maar. Ik zal de waarheid vertellen.'

'Was het mijn schuld? Dat hij die dingen heeft gedaan? Dat hij... dat hij was wie hij was?'

'Nee.' Hij sprak met klem. Hij liep door de kamer en ging op zijn hurken naast haar zitten. 'Niets was jouw schuld. Je hebt alles voor hem gedaan wat een moeder maar kon doen en daarom hield hij van je. Dat heeft hij op het eind nog gezegd.'

Ze staarde naar hem met rode, gezwollen ogen. Ze huilde vaak en haar gezicht zag er moe en afgemat uit. Maar het was nog steeds het liefste gezicht dat hij kende.

'Er is nog iets wat Ronnie tegen me heeft gezegd, op het laatst. Iets wat ik nog niet heb verteld.'

'Wat?'

'Hij zei dat hij blij was dat ik met je ben getrouwd. Dat je een goede man was en hij was blij dat je er voor me zou zijn als...' Ze slikte. 'Als hij er niet meer zou zijn. En hij had gelijk. Ik heb niet veel geluk in mijn leven gehad, maar dat ik jou heb ontmoet is een groot geluk geweest.'

'Meen je dat echt?'

'Ja. Ik hou van je, Charles. Niet het soort vlinders-in-mijn-buik-liefde dat ik voelde voor Ronnies vader, maar het is echt. Misschien nog wel echter. Ik ben er trots op dat je mijn man bent.'

Hij nam haar handen in de zijne en kuste ze. 'Ik ben degene die trots is,' fluisterde hij.

Stilte. Buiten ruzieden eenden en zwanen in de rivier.

'Heb je Susie gisteren nog gezien?' vroeg ze ten slotte.

'Ja.'

'Hoe gaat het met haar?'

'Ze heeft het moeilijk. Maar ze redt het wel. Ze is er sterk genoeg voor.'

'Denk je dat de baby ook sterk zal zijn?'

'Ik hoop het. En ik hoop dat hij of zij de warmte van zijn oma heeft.'

Ze boog naar hem toe en voor de eerste keer kuste ze de kant van zijn gezicht waar de littekens zaten.

'En het hart van zijn opa,' zei ze.

Hij trok een stoel bij. Ze zaten samen, haar handen nog steeds in de zijne en ze keken naar het water.

Lunchtijd. Susan liep over Market Court.

Ze had de hele ochtend gelopen. Door de bossen en langs de rivieroever. Twee oorden waar ze altijd van had gehouden vanwege de associatie met haar vader, totdat andere associaties dat voor altijd hadden bedorven.

Maar het maakte niet uit. Weldra zou ze andere dierbare plekken vinden. Als ze Kendleton eindelijk achter zich had gelaten.

Ze liep langs Cobhams. Charlotte, die met Colin bij het raam zat, bonsde tegen de ruit en wenkte dat ze naar binnen moest komen.

De zaak zat vol, zoals altijd op zaterdag. Er was veel lawaai van stemmen en de dreunende beat van rock-'n-roll uit de jukebox. Maar toen ze binnenkwam leek het rustiger te worden.

Ze ging naast Charlotte zitten die haar toelachte. 'Gefeliciteerd. Ik heb thuis een cadeautje voor je. Ik wilde het later komen brengen.'

'Dank je.' Ze glimlachte terug terwijl ze van alle kanten ogen op haar gericht voelde.

'Colin en ik gaan vanavond naar de film. Ga je ook mee?'

'Ik wil me niet opdringen.'

'Dat doe je niet. We willen graag dat je meegaat.'

Colin knikte. 'De band van mijn vriend speelt later. We kunnen gaan kijken.'

Ze schudde haar hoofd. Hij grijnsde. 'Zo slecht zijn ze niet.'

'Dat geloof ik best. Maar ik ben op het moment niet echt goed gezelschap.'

'Het doet er niet toe wat de kranten schrijven,' zei Charlotte. 'Zwanger worden is geen zonde. Alleen domme, bekrompen mensen denken er anders over.'

'Als het een zonde was,' voegde Colin toe, 'zou de mensheid uitsterven.'

Ze glimlachte nogmaals. Maar het was een zwak gebaar. Ze voelde zich zwak. Moe en verslagen. Anderen bleven haar aanstaren. Vroeger zou ze het van zich afgezet hebben en erom hebben gelachen. Maar nu niet.

Ze wilde hier weg. Ontsnappen. Zich verbergen.

En toen riep iemand: ‘Moordenares!’

Verschrikt keek ze op. Alice Wetherby zat omringd door haar vrienden. Haar uitdrukking was zowel veroordelend als triomfantelijk. Ze probeerde een antwoord te bedenken. Twee maanden geleden zou ze zonder enige moeite haar woordje klaar hebben gehad. Maar toen was ze een ander iemand.

En bovendien was het waar.

Charlotte ging staan. ‘Hou je mond! Je weet niet waar je het over hebt.’

‘O nee? We weten allemaal waarom Ronnie zichzelf heeft doodgeschoten. Omdat die snol ervoor heeft gezorgd dat ze zwanger raakte en hem probeerde te dwingen met haar te trouwen. Ik denk trouwens dat hij het juiste heeft gedaan. Alleen een idioot zou bereid zijn zo’n slet als vrouw te nemen.’

Charlotte was woedend. Colin ook. Even werd ze geraakt door hun medeleven. Maar het was haar strijd, niet die van hun, en ze voelde zich niet in staat nog langer het gevecht aan te gaan.

‘Ik ga,’ zei ze. ‘Veel plezier vanavond.’

Terwijl ze naar de uitgang snelde, schreeuwde Alice: ‘Opgeruimd staat netjes!’ en een paar anderen lachten.

Ze liep over Market Court, langs de winkelende en wandelende mensen, en wist niet waar ze heen ging. Ze wilde alleen maar weg van alles. Ze verachtte zichzelf om haar zwakheid, maar ze kon haar innerlijke kracht niet meer vinden. Het leek wel of die kracht voorgoed was verdwenen.

En toen zag ze Jennifer.

Ze stond aan de andere kant van de Court en hield de hand van oom George vast. Ze schuifelde wat met een voet en zag er verveeld uit terwijl hij met een van de buren stond te praten.

Totdat ze Susan ontdekte en haar gezicht plotseling opklaarde.

‘Susie!’

Oom George draaide zich om, zag haar ook en keek bedenkelijk.

Hij verstevigde zijn greep om Jennifers hand terwijl zij zich probeerde los te rukken. Uiteindelijk lukte dat en ze vloog over de Court. Susan ging op haar hurken zitten, strekte haar armen uit en Jennifer wierp zich erin. Susan was zo blij dat ze haar weer zag dat ze in tranen uitbarstte, net als Jennifer.

'O, Jenjen, ik heb je zo gemist.'

'Ik heb je ook gemist. Het was afschuwelijk bij die vrienden van papa. Ik haatte het daar.'

Ze staarden elkaar aan. Nog steeds op haar hurken gezeten veegde ze de tranen van Jennifers wangen. 'Jennifer, kom terug!' schreeuwde oom George. Andere mensen draaiden zich om en keken wat er aan de hand was maar Jennifer bleef waar ze was.

'Waarom ben je hier?' vroeg Susan. 'Ik dacht dat je nooit meer terug zou komen.'

'Dat zei papa maar we logeerden bij oom Roger en tante Kate en dat vond ik helemaal niet leuk. Ik heb dat ook aan papa verteld maar hij zei dat we moesten blijven, dus ging ik me heel slecht gedragen. Ik bleef maar al die liedjes zingen waar jij kwaad om werd en oom Roger werd ook kwaad en tante Kate had een paar stomme porseleinen poppen en zei altijd dat ze zo mooi waren dus ik heb ze uit het raam gegooid en ze werd heel boos!'

Ondanks haar tranen begon Susan te lachen. 'Ik wou dat ik dat gezien had.'

'Ik bleef maar tegen papa zeggen dat ik naar huis wilde, en nadat ik die poppen had stukgemaakt zei hij dat het goed was en we zijn vanochtend teruggekomen en we hebben met je moeder gesproken.' Plotseling keek Jennifer bezorgd. 'Ze zei dat je wegging. Is dat waar?'

Ze slikte. 'Ik ben het van plan.'

'Doe het niet. Alsjeblieft niet!' Opnieuw begon Jennifer te huilen. 'Dat moet je niet doen!'

Weer veegde ze Jennifers wangen af. 'Betekent het zoveel voor je, Jenjen?'

'Ja.'

'Dan zal ik blijven. Voor altijd. Dat beloof ik.'

Jennifer glimlachte. Opnieuw riep oom George haar. Hij keek nog steeds boos. Susan verwachtte dat hij Jennifer zou komen halen, maar dat deed hij niet. Hij bleef staan waar hij stond en keek toe. Waardoor ze enkele kostbare momenten konden delen.

Hij wil het me vergeven. Hij heeft het nog niet gedaan. Maar hij wil het wel.

Maar er was iemand anders van wie ze vergeving wilde krijgen. Degene die het meest voor haar betekende.

'Jenjen, ik wil je iets zeggen en je moet het geloven. Wat er met Ronnie is gebeurd in het bos. Ik heb nooit gewild dat het zou gebeuren. Het was mijn schuld dat het toch gebeurde en het spijt me meer dan je je kunt voorstellen. Ik wil dat je nooit iets ergs overkomt. Ik heb liever dat alle erge dingen in de wereld mij overkomen dan dat jou ook maar de kleinste narigheid overkomt.'

Jennifers uitdrukking werd plechtig. 'Dat weet ik.'

'Vergeef je me?'

Opnieuw omhelsde Jennifer haar. Ze beantwoordde de omhelzing en voelde voor de tweede keer tranen opkomen, maar ook deze keer waren het tranen van geluk. Ze nam Jennifers hand en drukte hem tegen haar buik. 'Ik krijg een baby, Jenjen. Heeft mijn moeder dat verteld?'

Jennifer zette grote ogen op. 'Echt waar?'

'Ja. En ik wil dat jij zijn of haar grote zus wordt, net zoals ik voor jou ben.'

De glimlach kwam terug. Stralend als de zon. 'Hoe ga je de baby noemen?'

'Dat weet ik nog niet. We kiezen samen een naam. En als de baby groter is kunnen we samen naar de rivier en het park en al die dingen doen die ik vroeger met jou deed. Lijkt je dat wat?'

'Ja!'

'Ik hou van je, Jenjen.'

'Ik hou ook van jou.'

Weer omhelsden ze elkaar. Ze streelde Jennifers haar. 'Ga nou maar terug naar je vader,' fluisterde ze. 'Tot gauw.'

Jennifer deed wat ze vroeg. Even bleef Susan gehurkt zitten. Toen stond ze op. Maar het voelde aan alsof ze werd opgetild. Alsof een paar onzichtbare handen haar hielpen, haar schouders naar achteren duwden en haar rug rechtten.

Haar vader, wellicht.

En plotseling was de zwakke, bange persoon verdwenen. Ze had het gevoel alsof ze de hele wereld in haar eentje aan zou kunnen. De Susan Ramsey die precies wist wie ze was en die zich niet liet beschamen door de bekrompen moraal van anderen.

Oom George liep met Jennifer weg. Hij draaide zich om en keek naar haar. Ze zwaaide ter afscheid. Hij zwaaide niet terug, maar even was er een zekere warmte in zijn ogen en ze wist dat hij het haar zou vergeven, net zoals zijzelf uiteindelijk in staat zou zijn het haar moeder te vergeven. Het zou tijd kosten maar het zou gebeuren. Ze zou ervoor zorgen.

Ze stond midden op Market Court en keek naar de voorbijgangers, van wie velen stiekem haar kant op gluurden. Het meisje dat in de krant had gestaan. Het meisje dat berucht was. Ze schudde hun starende blikken van zich af als lastige vliegen. Het deed er niet toe wat ze dachten. Het deed er totaal niet toe.

Charlotte dook naast haar op. 'Het spijt me, Susie. Ik had je niet binnen moeten roepen. Ik had kunnen weten dat Alice iets hatelijks zou zeggen.'

'Het geeft niet. Er is heel wat meer voor nodig om mijn dag te verpesten.' Ze wees op Alice, die nu over de Court liep met haar moeder die een zware tas met boodschappen meezeulde. Beiden keken haar afkeurend aan. 'Let op,' zei ze en toen, wijzend naar Charlotte, verhief ze haar stem. 'Waarom staart u naar haar, mevrouw Wetherby? Ik weet dat ze peetmoeder van een bastaard wordt en dat is vreselijk, maar het is niet zo vreselijk als een zelfingenomen, bevooroordeelde trut als u te zijn of zo'n hatelijk, wraakzuchtig kreng als uw dochter, vindt u ook niet?'

Mevrouw Wetherby werd rood, net als Alice. Beiden maakten zich snel uit de voeten. 'Tot ziens,' riep ze hen na. 'Tot gauw. Ik mis jullie nu al.'

Charlotte stiet een kreet uit. 'Susie!'

'Wat nou, Susie?' Ze rolde met haar ogen. 'Ze vroegen erom.'

'En je hebt ze behoorlijk hun vet gegeven.' Charlotte begon te lachen. 'Jammer dat er geen koeienvlaaien in de buurt lagen, anders had je Alice erin kunnen gooien.'

'Ja, dat is echt jammer. Ik denk dat ik maar een koe als huisdier neem, dan heb ik altijd wat stront bij de hand.' Ze zag dat Alice omkeek en maakte een loeiend geluid. Opnieuw keek Alice gauw voor zich.

Charlotte nam haar bij de arm. 'Zal ik je eens iets vertellen?'

'Wat?'

'Ik heb deze Susie Ramsey gemist. Je weet niet half hoe erg. Ik hoop dat ze nooit meer weggaat.'

'Daar hoef je niet bang voor te zijn. Ze is terug en ze blijft.'

Charlotte kuste haar op de wang. 'Mooi zo.'

Colin kwam aanlopen. 'Sorry,' zei hij tegen Susan. 'Ik moest onze drankjes nog betalen.'

'Geeft niet. Als het aanbod nog steeds geldt, ga ik graag mee naar de film en naar die band van je vrienden.'

Hij keek verheugd. Net als Charlotte. 'Kom, ga met me mee, dan kan ik je je cadeau geven.'

'Ik kan nu niet, ik moet naar mijn moeder. Ik moet met haar praten. Maar ik zie jullie later wel.'

'Zeker weten.'

Toen ze naar huis liep dacht ze aan de woorden van Charles toen hij tegen haar had gezegd dat ze door moest gaan met vechten.

Je bent sterk, Susie. Zo sterk als je vader altijd al zei, en nog een beetje meer.

Ze had hem toen niet geloofd, maar nu geloofde ze hem wel. Ze had kracht. Ze had hersens en ze was knap. Ze had vrienden als Charles en Charlotte en ze had Jenjen. Ze had alles wat ze nodig had om een goed en gelukkig leven op te bouwen voor haarzelf en haar kind, en niemand ter wereld kon haar tegenhouden. Als ze door moest gaan met vechten zou ze dat doen. Ze was niet bang voor wat de toekomst zou brengen. Ze zou elk gevecht dat op haar weg kwam aangaan.

En ze zou winnen.